D0102385

Onze schitterende perfectie ligt om de hoek,
voor het grijpen.

BERNARD THOMAS REINHART, 2001

Rik Launspach

Rex

ROMAN

2014
DE BEZIGE BIJ
AMSTERDAM

Omslagontwerp Brigitte Slangen
Omslagfoto Ashley Cooper/Corbis
Foto auteur Koos Breukel
Vormgeving binnenwerk Peter Verwey
Druk Koninklijke Wöhrmann, Zutphen
ISBN 978 90 234 7681 8
NUR 301

www.debezigebij.nl

Voor Jet

1923

2014

Liefde is van alle tijden.

Toch? Nee, niet waar.

Wat nou als ik u vertel dat die aardige kant van ons er niet altijd is geweest? Dat de liefde een betrekkelijk nieuw fenomeen is?

Van nature zijn we overlevingsmachines, het menselijke genoom is een blinde mol die maar op één punt gericht is: voortplanting. Tijdens de allereerste nederzettingen van de jager-verzamelaars denkt die mol alleen dat ene ding: regel een leuke grot en zorg voor voldoende nageslacht. Bij de hunebedbouwers en de Noormannen hetzelfde: een plek veroveren en neuken. Tijdens de Griekse en Romeinse cultuur: veroveren en neuken, en vooruit, een beetje filosofie. Daarna graaft het genoom zich vechtend en copulerend door de inktzwarte duisternis die we kennen als de Middeleeuwen, langs de Verlichting en de Industriële Revolutie totdat ie z'n kop boven de grond steekt in de Twintigste Eeuw, waar hij voor het eerst gevangen wordt en ontleed. Spartelend ligt het genoom op de glasplaat van de microscoop, de happende spitse snuit met de scherpe tanden maar een paar centimeter verwijderd van de handen die hem willen onderzoeken. In zijn genetische code kan men, behalve de genoemde voortplantingsdrift, geen liefde ontdekken. Ons DNA *is nagenoeg hetzelfde als dat van alle andere gewervelde dieren.*

We weten het eigenlijk niet goed, waar de liefde vandaan komt. Voor de vermeerdering van de soort heb je er niets aan, het is tijdrovend en omslachtig en verwarrend. De mol houdt er niet van, het is strijdig met onze genetische opdracht. Maar zonder liefde is er geen vooruitgang, de mens groeit mentaal en emotioneel immers het beste wanneer hij niet hoeft te knokken.

Daarom is onze mol ook de vijand van elke vorm van ontwikkeling. Als het aan hem ligt, blijven we tot in de eeuwigheid vechten en neuken zodat hij als vrolijke derde zijn tandjes bloot kan lachen.

Jurgen Hammarskald, 2008

(Fragment uit aanvaardingsrede hoogleraarsstoel Neurobiologie Umeå universitet, Zweden)

1 | REX

Zijn eerste herinneringen waren wit en geel. Het zonlicht op het klotsende water, de dansende lichte vlekken onder de bomen, de overgang van de hete, blikkerende en beweeglijke middag naar de stille ruimte in de donkere, koele schuur die mama La officina noemde en waar de grote ketel stond. Soms: lichtblauw, de kleur van de hanger in het oor van zijn moeder. Maar ook: het blanke, door de zon uitgebleekte ruwe hout van de buitentafel onder de boom met de witte stam waar ze aten als er bezoek kwam. De eindeloze zomeravonden waarop de rij lege flessen bij de keukendeur groeide en hij zijn moeder hoorde lachen met mensen die hij niet kende en die een vette, rollende taal spraken die hij niet begreep. Hij lag dan allang in bed, en luisterde naar de gesprekken tot hij in slaap viel. Het was verontrustend en geruststellend tegelijk, die vreemde stemmen in de tuin.

Nog meer wit. Het hoorde bij klapperende zeilen en geruis van golven en de opwindende ervaring op de rug te zitten van een grote, blinkende vis. Elk moment verwachtte hij dat ze onder water zouden verdwijnen, maar dat gebeurde niet. Een man in een licht overhemd zei de hele tijd dat het lekker waaide en stuurde de vis langs de eilanden. Toch hing er een merkwaardig gespannen sfeer, hij kon het merken aan de manier waarop zijn moeder lachte. Toen ze een tweede keer een uitnodiging voor de vissenrug kreeg, ging ze alleen.

Er waren ook andere kleuren. Groen hoorde bij het smalle gangetje tussen het huis en het atelier; er groeide mos op de muren en het rook naar vochtige handdoeken. De kleine, openstaande raampjes zaten te hoog om doorheen te kunnen kijken, maar soms hoorde hij muziek en als je heel goed luisterde, kon hij zijn moeder horen ademen in haar officina.

Lange tijd wist hij niet wat het betekende, het klonk gewichtig, hij dacht een poosje dat het iets met officieren en het leger te maken had, misschien deed ze in die enorme ijzeren tobbe de was voor de Italiaanse marine. Vanwege de stoomleidingen mocht hij er niet alleen naar binnen, wat de geheimzinnigheid alleen maar vergrootte. Soms werden er dode dieren afgeleverd in grote houten kratten en kartonnen dozen met doodskopetiketten. De paar keer dat hij binnen was geweest waren nogal onbevredigend verlopen. Zijn moeder had nauwelijks aandacht voor hem gehad, in een bezweet T-shirt tuurde ze ingespannen naar drukmeters bij de dampende ketel, af en toe draaide ze aan een kraan.

Bruin en grijs: de kadavers aan de dakbalken van het officina, sommige waren met gespreide poten vastgepind aan de muur, alsof ze te pletter waren geslagen op de wand. Lange harige slingers bewogen langzaam in de tocht, slierten wol hingen te drogen aan waslijnen die kriskras door de ruimte waren gespannen, het leek op een verjaardagsfeestje uit een griezelfilm. Af en toe viste zijn mama met een lange bezemsteel een grauwe klont draden uit de borrelende soep, wierp het op een werkbank en sloeg de kledderige homp met een honkbalknuppel in de vorm van een natte, behaarde pannenkoek.

Op school durfde hij er niet over te praten.

School: de muren van rode baksteen, de lange gangen met de ruitvormige, wit-zwarte tegels. De deuren van de lokalen in een onbestemde vleeskleur, iets tussen roze en grijs in. Zijn klasgenoten riepen soms hele erge dingen zoals jouw moeders stoppen vibrators in elkaars spleet, maar nooit liet hij het aankomen op een gevecht, bang als hij was voor een blauw oog of een schram die hij thuis moest uitleggen. Hij verdroeg de vernederingen en probeerde een rimpelloze leerling te zijn om de vijver niet te verstoren waarin zijn moeder dreef.

Goud en blauw: de balzaal van een palazzo met veel verguld hout en een plafond dat ingelegd was met duizenden steentjes in de kleur van de zee. Er stonden allerlei objecten die totaal niet in de ruimte pasten: een automatisch geweer met een knoop in de loop, een enorme sloophamer, de uitlaat van een auto, een tweesnijdende bijl, een Griekse zuil, een balkonnetje ondersteund door gebeeldhouwde leeuwen, een olievat van drie meter hoog. Het zag er grappig uit, het waren dingen die hij kende, maar tegelijkertijd waren het die voorwerpen niet, alle harde en rechte hoeken waren afgerond en pluizig. Het was de eerste expositie van zijn moeder, hij was een jaar of acht.

In de boot terug naar huis voeren vreemde mensen mee, ze waren vrolijk maar dat kwam misschien van de fles wijn die ze bij zich hadden en Puck wees naar de oude, verzakte huizen terwijl ze riep: Venetië! De perfecte stad voor gewichtloze kunst! Rex snapte niet goed wat ze bedoelde, maar niet veel later las hij haar woorden terug in een glimmend magazine naast foto's van de shovel en het olievat.

Zilver. Zijn moeder had hem meegenomen naar het Excelsior op Lido, voor een afspraak met mensen die blijkbaar erg belangrijk waren, hij zag haar zelden in een jurk met een strak jasje. Ze had afgemeerd bij de achteringang van het chique hotel, hij was haar gevolgd de trap op, een grote hal door, zij had zijn hand losgelaten bij de begroeting, de mannen droegen lichte pakken en glimmende horloges. Hij dronk zijn frisdrank terwijl hij door de grote ramen naar de boten in het kanaal keek. Het gesprek boven zijn hoofd duurde erg lang. Toen zijn glas leeg was zoog hij luidruchtig de lucht met belletjes naar binnen, maar niemand kwam op het idee de kelner te roepen voor nieuwe limonade. Zijn moeder zat met de twee anderen gebogen over de grote map die naast mama's benen had gestaan, waterdicht verpakt in de grijze vuilniszak naast de gashendel.

Ongemerkt drentelde hij weg, volgde met zijn vinger het reliëf van de lambrisering en kwam uit bij een toonbank met een koperen bordje. 'Ricezione' stond er, in de taal van zijn schoolboeken en vrienden. Zonder dat hij er iets voor hoefde te doen zoefde de glazen deur opzij en hij liep het felle zonlicht tegemoet. Aan de overkant schitterde het water. Na een paar stappen hoorde hij vlakbij een hoog, krijsend geluid, keek verschrikt opzij en zag een glimmend raster van puur zilver. Het leek op het luik dat voor zijn slaapkamerraam zat, alleen dunner en kleiner, er blonk een embleem met een ster, een vlaag hete lucht waaide in zijn gezicht. Hij probeerde tussen de kiertjes naar binnen te kijken en werd toen ruw weggetrokken. Zijn moeder gilde, hij snapte niet goed waarom. Ze zette hem neer op het bordes, rende terug en schopte haar hak stuk tegen het gelakte metaal van de auto. Want dat was het, zag hij nu. Een Mercedes. Er één in het echt tegenkomen was net zo onwerkelijk als samen met Mowgli op een boomtak zitten in *Jungle Book*.

De man in de auto bleek de bedrijfsleider van het Excelsior en schreeuwde dat alleen een ontaarde moeder een kind zomaar liet loslopen op de openbare weg. Zijn moeder wist dat hij gelijk had, en waarschijnlijk had ze daarom zo woest staan trappen.

Tijdens de terugweg, op het rechte stuk langs Murano, kwam ze naast hem zitten op de bank. In Mazzorbo waren geen auto's. In Venetië zelf ook niet. Maar op Lido dus wel. Die reden hard en je ging dood als je ermee in aanraking kwam. Of je raakte vreselijk gewond en moest de rest van je leven slijten in een invalideninstituut. Kriskras over het continent liepen levensgevaarlijke stroken zwart asfalt waar je absoluut niet mocht komen, automobielen in alle soorten en maten schoten daaroverheen met de snelheid van kanonskogels.

Ongelovig had Rex geluisterd. Het lange smalle eiland ten zuiden van de stad beschutte hen weliswaar tegen de zee, maar was dus ook verbonden met het vasteland, die door auto's geregeerde wereld waar voortdurend mensen omkwamen door splinterend glas, vlijmscherpe raamstijlen en afgebroken stuurkolommen die als een speer je ingewanden eruit konden ritsen. Vanaf dat moment was Lido voor hem de lange tong van een kwaadaardige planeet die aan de achterdeur likte van hun geïsoleerde paradijs.

Met ontzag had hij gekeken naar de smalle rug van zijn mama die de stuurautomaat had uitgezet en de boot nu behendig door de geulen stuurde. Ze stond een beetje scheef, de hak van haar rechterschoen ontbrak.

Azuur en turquoise: op het eiland waar zij woonden waren alleen boten. Ook in de stad waar hij op school zat. Rex was in zijn hele leven nooit harder gegaan dan twintig kilometer per uur, en altijd in de glijdende, vloeiende en wiegende beweging die hoorde bij het water.

Elke dag, weer of geen weer, bracht zijn moeder hem naar

de halte van de bootbus; ze liep met hem mee door de tuin naar het botenhuis, keek toe hoe hij de buitenboordmotor van de vlet aantrok, en bleef wachten terwijl hij overstak naar de andere oever, honderd meter verder. Daar legde hij het bootje vast en wachtte op de vaporetto.

Zijn moeder liep dan, af en toe omkijkend, langzaam over het gazon terug naar het huis en bleef daar staan zwaaien. Als het erg lang duurde verdween ze naar binnen, en dan had hij de vreemde gewaarwording van een afstand naar zijn leven te kijken, alsof er aan de andere kant van het water elk moment een jochie naar buiten kon rennen met een voetbal. Of hij zag zichzelf aan tafel zitten, achter het keukenraam, een halfuur geleden, met zijn bekertje yoghurt terwijl zijn moeders allebei hun eigen stuk van de *gazzetta* lazen. Na zijn twaalfde wilde hij niet meer uitgezwaaid worden. Zijn moeders begrepen het, maar vonden het niet leuk, en stelden zich vanaf dat moment nietzwaaiend op bij het keukenraam zodat het kon voorkomen dat ze op verschillende oevers minutenlang bewegingsloos naar elkaar keken tot de bootbus arriveerde. Toen hij daar iets van zei, deden ze hun best om niet meer naar buiten te kijken terwijl ze koffie maakten of de ontbijttafel opruimden. Die huishoudelijke miniatuurtjes hadden iets ontroerends, alsof de afstand de kwetsbaarheid van hun huis vergrootte. Het door automobilisten gedomineerde vasteland werd daardoor vaak bijna tastbaar, alsof de auto's met draaiende motoren aan de horizon stonden te wachten totdat ze ook de laatste autoloze stad op de wereld konden veroveren.

Hij raakte geïnfecteerd door het idee dat je je moest wapenen tegen de buitenwereld. Niet voor niets woonden ze op een eiland, en naarmate hij ouder werd voelde hij zich meer en meer verantwoordelijk voor de instandhouding van hun enclave. De uitbarstingen van zijn moeder die zo lang konden aanhouden, hadden daar ook mee te maken. Dagen achtereen zat ze dan bewegingsloos en ineengedoken in haar atelier, haar rode handen in een rode schoot. Op die momenten maakte hij zich onzichtbaar, vluchtte het water op, het huis leek op zulke momenten slagzij te maken in de lagune.

Hij had weinig vrienden. De paar keer dat hij iemand mee naar Mazzorbo had genomen, was hij bang geweest dat zijn moeder dat moment zou uitkiezen voor een scène – een woedeaanval of een huilbui over iets wat mis was gegaan in haar atelier, iets wat hij had gedaan of Puck had gezegd, alles was mogelijk. Afspreken bij iemand anders was ook geen optie: wegblijven van huis leverde dan juist de woedeaanval of huilbui op die hij had willen vermijden. Hier met Tatja over praten had niet veel zin. 'Tuurlijk heb je recht op een eigen leven,' zei ze dan, 'je bent tenslotte bijna zestien. Ga lekker naar je vrienden,' maar als hij dat dan inderdaad deed, was ze de volgende dag humeurig en treurig, en de dag erna ook, en die daarna nog steeds, dus op een gegeven moment liet hij verdere uitstapjes wel uit zijn hoofd. Hij schikte zich in zijn lot als moederskindje, 's avonds zat hij braaf op zijn kamer proefwerken te leren en negeerde de verre lichtjes van de meest romantische stad ter wereld.

De kleur die hoorde bij de tweede helft van zijn middelbare school was daarom somber; donkergrijs en kobalt, getekend door de voortdurende behoedzaamheid zijn moeder niet te kwetsen.

Daar kwam verandering in toen hij Bruno ontmoette: een kop kleiner, twee jaar ouder en schoolverlater. Hij noemde zichzelf Mister Uno, omdat Uno zo mooi allitereerde met zijn achternaam Umbasso. Aan een opleiding had je niks, was zijn overtuiging. Hij was geen moederskindje, ook geen vaderskindje overigens, ouders waren je natuurlijke vijanden, in ieder geval als je bijna achttien was. De familie Umbasso exploiteerde een budgethotel aan de rand van de stad. Het hotelletje zat vrijwel nooit vol, er was altijd wel een kamer beschikbaar om te crashen na een feest, met of zonder vriendinnetje, vaak met voldoende drank en wiet om het tot de volgende ochtend uit te zingen.

Voor Rex ging een nieuwe wereld open, een waarvoor hij de emotionele druk van zijn moeder wel wilde trotseren. Zijn populariteit groeide snel. Hij was anders dan de rest van Uno's kompanen: zachter, blonder, met minder baardgroei en met nauwelijks verstand van voetbal, maar daarom des te aantrekkelijker voor meiden die genoeg hadden van het mediterrane testosteron om hen heen. Uno was daar soms jaloers op en probeerde ook wel eens een opzetje over mode of literatuur met een langbenig universiteitsmeisje, maar bleef vervolgens steken bij Umberto Eco of de slipjes van Calvin Klein.

De gebruiksverhouding tussen Uno en hem was ongeveer 3:1. Op elke drie biertjes die Umbasso achteroversloeg, dronk hij er één. Van de reuzenjoint die hij op vrijdagavond opstak, nam Rex maar een paar trekjes. En als hij een keer met een meisje in bed belandde, was zijn vriend al toe aan de derde verovering van de maand. In Esmeralda's Heaven, vernoemd naar Uno's moeder, die stug bedden bleef opmaken en handdoeken wassen in de hoop dat het hotel een keer op de favorietenlijst van de *Lonely Planet* terecht zou komen, kon Rex de dingen doen die op Mazzorbo ondenkbaar waren, maar hij ging nooit helemaal voluit. 'Ga toch eens uit je plaat, man!' riep Uno regelmatig, en hij deed dan echt zijn best met zuipen en lol maken en tegen oude gevels plassen en lallend rondvaren op het Canal Grande, maar altijd was daar in zijn hoofd het onhoorbare commentaar van zijn moeders, die elke denkbare vorm van verwerpelijk mannengedrag tijdens zijn opvoeding al een keer hadden benoemd en geanalyseerd. Uno snapte daar niets van. Voor hem was de wereld simpel en overzichtelijk. AC Milan was de beste club van Europa, de meeste vrouwen wilden gewoon een goeie beurt, met drinken begon je in het weekend doorgaans om twee uur 's middags. Finito. Uno's moeder had zich bij deze levensovertuiging min of meer neergelegd en greep alleen in wanneer de gasten klaagden over geluidsoverlast. Dat gebeurde vrijwel nooit, want de bescheiden klandizie van Esmeralda's Heaven bestond voor het grootste deel uit jonge rugzaktoeristen die het prima vonden, de muziek en de wietdampen op Uno's etage. Soms schoven ze aan met een meegebrachte fles wijn.

Ook Uno's vader moest onder ogen zien dat de bovenste verdieping van het kleine hotel langzamerhand geconfisqueerd werd door zijn lanterfantende jongste zoon en verordonneerde op een bepaald moment dat Uno een betrekking moest zoeken. Het werk voor diplomaloze, blowende schoolverlaters lag echter niet voor het oprapen. Gelukkig bood Uno's oudere broer hem ten slotte een baantje aan bij het bouwbedrijf waar hij de scepter zwaaide. In de rest van de wereld betekende dat bikkelen tegen een karig loon, maar in Venetië bleek het een goudmijn waar je rijk werd zonder veel te doen. Rex was er een keer bij geweest terwijl een welgestelde Brit op de Rio Schiavoni met brede armzwaaien de geplande verbouwing van zijn net aangeschafte, veel te dure appartement had geschetst.

‘That wall has to go, the kitchen will be over there.’
Uno overlegde met zijn broer, die alleen Italiaans sprak.
‘It will be very expensive,’ zei hij tegen de Brit.
‘Really?’
‘The wall, the kitchen. Everything has to be brought over water. Each stone that my brother takes out of this old house has to be carried to the boat by hand.’

Hij wist waar hij het over had. Het transport was zijn afdeling. ‘Uno Trasporti’ stond er met vette, witte plakletters op zijn donkerblauwe Sirocco. Hij had ook een aftands aanhangwagentje waarmee hij onverantwoord grote, wiebelende stapels bouwmateriaal haalde bij de doe-het-zelfmarkt. In de weekends hielp Rex met het sjouwen van cement, hout en gipsplaten die in Tronchetto uit het aanhangertje op een dekschuit geladen moesten worden, en voer dan mee naar een of ander renovatieproject waar Bruno’s broer een vloertje moest storten en daar vervolgens een torenhoge factuur voor indiende. Regelmatig gebeurde het dat een rooster dat als ongewenste rotzooi uit de ene kelder werd gesloopt, bij een ander renovatiepand werd ingemetseld als authentiek dertiende-eeuws traliewerk. Voor Rex, opgegroeid met een heel andere morele code, was het rauwe gedachtegoed van de Umbasso’s erg verfrissend.

‘Kom toch voor ons werken,’ zei Uno regelmatig als ze met de motorvlet vol bouwmateriaal, een blikje bier en ontbloot bovenlijf langs de ontelbare toeristen voeren die zich in hun gondels gewillig en massaal een oor lieten aannaaien.

Rex kon niet ontkennen dat het aanbod verleidelijk was, ze haalden op een dag makkelijk een paar honderd euro binnen, maar hij kon het zijn moeders simpelweg niet aandoen, zei hij, met de blik van de jongen die zonder papa moest opgroeien.

'Wat kan je ze niet aandoen? Geld verdienen?'
'Ze willen niet dat ik in een auto stap.'
'Je mag toch wel meerijden?'
'Nee.'

Nog dezelfde middag kreeg Rex zijn eerste rijles, op het parkeerterrein van de ferryterminal. Uno was van mening dat de natuurlijke bestemming van de man niet mocht worden belemmerd, door geen enkele vrouw. En al helemaal niet door een moeder. 'Jij wordt opgevoed door twee lesbo's. Aardige lesbo's, daar niet van, maar ze begrijpen dus niets van de habitat van de man,' verklaarde hij, zijn hand op het dak van zijn auto.

Bij wijze van initiatierite onderging Rex een gedetailleerd college langs de verlaagde voorkant, de sportvelgen, de achterspoiler, de nieuwe stickers op de achterramen met Umbasso Trasporti – Renovation Experts. Daarna ging de voorklep pas open. Het hertengewei van de aluminium inspuitpoorten welfde als een glimmende jachttrofee over het motorblok.

'De Volkswagen Scirocco is een machtige machine. Twee keer downstream two phase Solex carburators,' wees Uno.

'Wauw.' Rex had geen idee wat het betekende.

'Bijna driehonderd pk bij vijfduizend toeren.'

'Cool.'

'Van één naar honderd in acht seconden.'

Het zei Rex allemaal niets, totdat hij in de kuipstoel achter het stuur ging zitten, de motor startte en voorzichtig het gaspedaal indrukte. De wagen schokte één keer en stond toen weer stil. Die kudde paarden onder de kap liet zich niet zomaar temmen.

'Je moet voorzichtig schakelen.'

'Juist.'

'Het linkerpedaal. Rustig.'

Toen hij na twee keer schokken en stoppen uiteindelijk wegreed, was hij verbijsterd over het gemak waarmee de machinerie zich liet besturen. Het waren geen monsters met een eigen wil, klaar om je aan stukken te scheuren als je even niet oplette. Auto's waren geweldig; als je op de juiste pedalen trapte, deden ze precies wat je wilde.

Als meesterproef liet Uno hem de volgende dag naar de bouwmarkt rijden, en ook met het aanhangertje had hij geen problemen. 'Voor een man met kloten,' grijnsde Uno, terwijl ze een fabriekspartij goedkope tegels inlaadden die ze straks als authentieke plavuizen zouden doorverkopen, 'is het leven helemaal niet zo moeilijk.'

Een week voor het examen ging het mis. Met zijn hoofd vol oude Grieken die in aanvoegende wijs hun buren te lijf gingen nam Rex nietsvermoedend de telefoon op toen zijn vriend belde.

'Ik heb een betonplaat op mijn voet gehad. Ik bel vanuit het ziekenhuis.'

'Jezus.'

'Je moet me helpen, man. Ik sta met mijn rug tegen de muur.'

'Ik heb volgende week examens.'

'Mijn voet is op zes plaatsen gebroken.'

'En je broer dan?'

'Die mag het niet weten. Het is een projectje dat ik ertussendoor doe.'

Het ging om een restaurant in het centrum. Een oud huis waar alle vloeren vernieuwd moesten worden.

'Ze zijn erg zenuwachtig, ze gaan aan het begin van de maand open.'

Rex aarzelde.

'Ze zijn bereid extra te betalen.'

'Wat moet ik doen?'

'Morgenochtend naar de groothandel. Het materiaal ligt klaar.'

Heelhuids bereikte Rex Padua, waar met een grote heftruck twee pallets zandsteen in het kreunende aanhangertje werden gezet. In het handschoenenvakje lagen de autopapieren en Uno's legitimatie, voor als hij werd aangehouden. Rex vertoonde enige gelijkenis met de foto in het paspoort.

Overbeladen en slingerend over de E70 werd hij inderdaad aan de kant gezet door de verkeerspolitie die niet in de persoonsverwisselingstruc trapte en de auto, de stenen en de jongen per bergingstruck naar het hoofdbureau liet brengen waar Rex' moeders werden gebeld omdat hun minderjarige zoon betrapt was achter het stuur. Nadat er proces-verbaal was opgemaakt, zetten de carabinieri hem af op de steiger bij het gazon. Puck stond hem op te wachten.

Zonder een woord nam ze hem mee naar de bovenverdieping.

Zijn andere moeder, de biologische, zat in de verduisterde slaapkamer op bed.

'Je bent mijn zoon niet meer,' zei ze.

'Mam...'

'Jij hebt geen moeder meer. Je hebt er geen recht op. Er zit geen liefde in jou.'

Ze sprak toonloos, zonder emotie. Hij had haar nog nooit zo meegemaakt.

'Als er wel liefde in je had gezeten, had je dit niet gedaan.'

'Overdrijf je niet een klein beetje? Ik heb geen rijbewijs.

Oké, big deal. De boete is vierhonderd euro. Er zijn ergere dingen.'

Ze begon te huilen, opeens, zonder overgang. Als een raam dat plotseling openwaait.

'Er zijn geen ergere dingen,' schreeuwde ze. 'Je snapt er niets van. Je begrijpt helemaal niets.'

'Ik begrijp in ieder geval hoe je moet autorijden. Dat heb ik bewezen.'

'Ga weg!'

'Mama, ik ben echt niet de enige jongen van zeventien die met een auto...'

'Weg!' gilde ze.

'Nee!' schreeuwde hij terug. 'Je gedraagt je als een idioot, met die luiken voor de ramen en je fobie voor alles wat rijdt. Het is achttien jaar geleden en het wordt tijd dat je eroverheen komt. Papa is dood. Hij is uit de bocht gevlogen omdat het regende. Het gebeurt duizenden keren per jaar, over de hele wereld, al decennialang. We vliegen soms uit de bocht. Er is niets aan te doen.'

Ze smeet iets naar hem toe, hij zag niet wat het was, een felle flonkering toen het een bundel zonlicht passeerde die door de luikopeningen viel. Hij voelde iets langs zijn oor suizen, de handspiegel ontplofte op de muur achter hem in een wolk van zilveren scherven.

'*Vaffanculllo*,' siste ze.

Hij vond zijn andere moeder buiten in een tuinstoel. In de verte glommen de lichtjes van de stad.

'Ik heb tagliatelle gemaakt. Het staat op het fornuis,' zei Puck.

Hij had geen honger. 'Ze heeft een spiegel naar mijn hoofd gegooid.'

'Weet jij waarom we hier zijn gaan wonen?'
'Vanwege de schapen?'
'Ook.'
'Omdat mama rust nodig heeft voor haar scheppingen?'
'Waarom zo sarcastisch?'
'Whatever. Ik had wel een gat in mijn hoofd kunnen hebben.'
Puck keek even opzij, om te zien of hij gewond was. 'Ze heeft me wel eens met een cassettedeck proberen te raken.'
'Wat is dat?'
'Iets van vroeger. Je kon er muziek op afspelen. Ze zwaaide het rond aan het snoer als een middeleeuwse goedendag.'
'En toen?'
'Het snoer brak, het ding vloog dwars door de ruit de straat op.'
'Waar hadden jullie ruzie over?'
'Een auto.'
'Kijk, dat bedoel ik.'
'Je hebt je erg onverantwoordelijk gedragen.'
'Overdrijf toch niet zo.'
Puck ging verzitten. 'Weet je wat er gebeurd was als je iemand had aangereden? Wanneer, ik zeg maar wat, die persoon met hersenletsel in het ziekenhuis was opgenomen? En bijvoorbeeld blijvend invalide was geworden? Je had iemands leven verpest, simpelweg omdat je minderjarig en egoïstisch bent. En onverzekerd. Ik had ook iets naar je hoofd gegooid.'
'Sorry.'
'Ik weet niet of dat genoeg is.'
'Sorry is niet genoeg?'
'Ze is erg geschrokken.'
'Jamaargodver. Wat willen jullie dan? Dat ik als een klein

kind thuisblijf omdat mijn paranoïde moeder anders ongelukkig wordt?'

'Ze wil je niet kwijt.'

'Maar toch gaat dat gebeuren. Je weet hoe dat gaat, met ouders en kinderen. Er breekt een moment aan dat je ze los moet laten.'

'Dat hoeft niet. Ze kunnen ook in harmonie...'

'In een doktersroman misschien, of in een slechte televisiefilm, maar niet in het echte leven. Daar gaan de zonen weg en blijven de moeders achter.'

'Waar wil je dan naartoe?'

'Weet ik veel. Studeren. In Rome, of Nederland voor mijn part. Een plek waar veel verkeer is. Wie weet word ik wel autocoureur.'

'Behalve minderjarig en egoïstisch ben je ook nog eens bijzonder hardvochtig.'

'Misschien moet je het omdraaien. Misschien zijn jullie wel te fijngevoelig.'

'Dat beschouw ik maar als een compliment.'

'Zo is het niet bedoeld.'

Ze stond op, keek even naar het donkere water, dat als een voortdurend bewegend en glinsterend dier aan de steigerpalen likte. 'Behalve hardvochtig en egoïstisch ben je ook een gemeen ettertje.' Haar hoofd werd aan één kant verlicht door het schijnsel dat uit de keukenramen viel, en meer dan anders leek het alsof het verticale litteken haar gezicht in tweeën spleet.

Op de eerste verdieping werd een raam opengestoten. 'Puck! Geef hem huisarrest!'

Hij stond op het punt iets terug te roepen, maar Puck hief een kalmerende hand op.

'Wat je moeder met auto's heeft is geen fobie.'

'Noemt hij het een fobie?' klonk het van boven. 'Een fobie? Wat weet hij ervan? Vertel hem dat het geen afwijking is!' Zijn andere moeder hing als een viswijf uit het raam. Hoewel ze in het Nederlands schreeuwde, was Rex blij dat de dichtstbijzijnde buren honderd meter verderop woonden.

'Het is geen afwijking,' zei Puck.

'Nee? Hoe noem je het dan?' Hij schreeuwde nu ook. 'Hoe noem je het wanneer iemand een verkeersongeluk niet los kan laten? Hoe noem je het wanneer iemand nog steeds treurt om het verlies van een man? Al bijna twintig jaar?'

'Je zit er helemaal naast. Ze mist je vader totaal niet. We waren blij dat we van hem af waren.'

Er zijn momenten die aan de wand van je geheugen blijven kleven, hoeveel herinneringen er daarna ook nog bijkomen. Dit was zo'n moment. De schaal waarop al die jaren het verdrietige verhaal gelegen had van de vader die, verrast door slecht weer, in een bergachtige streek het leven had gelaten, viel uit Pucks handen aan gruzelementen op de tegels van het terras.

'Wat?' stamelde Rex.

'We waren blij dat we van hem af waren,' herhaalde ze. 'Het was een ongelofelijke lul. Je lijkt soms erg op hem.'

'Puck! Vertel hem wat er is gebeurd!' klonk het van boven.

Weer die naar boven gerichte, bezwerende hand, of Puck een dreigend onweer wilde afwenden.

'Vertel het hem.'

'Tat, alsjeblieft.'

'Niks alsjeblieft. Vertel het hem.'

Pucks arm zwaaide naar beneden, nu was de geopende handpalm op Rex gericht. 'Hier blijven. Je hebt huisarrest, zoals je net gehoord hebt.' Snel ging ze naar boven.

Rex wachtte beneden, ongemakkelijk. Niet omdat hem dat opgedragen was, maar omdat hij vandaag iets had losgemaakt. Iets wat veel groter en zwaarder was dan een lading zandsteen. Er waren dingen die hem verteld moesten worden, maar wat? Hij liep heen en weer, luisterde naar de onverstaanbare stemmen boven zijn hoofd, naar het geluid van zijn blote voeten op de oude plavuizen die de hitte van de dag langzaam teruggaven. Het duurde eindeloos. Hij zag de vaporetto van acht uur langsvaren, de toeristen hadden plaatsgemaakt voor de forenzen van Mazzorbo die na hun werkdag op het hoofdeiland naar huis kwamen. In de slaapkamer van zijn moeders viel iets om. Hij had de twee vrouwen vaker ruzie horen maken, Pucks stem bleef dan altijd rustig en redelijk, een kalmerende cellopartij als tegenwicht voor de opgewonden blaassectie van de ander.

Hij sproeide het gazon, keek op het nieuws naar de berichtgeving over een medewerker van de CIA die de VS ontvlucht was omdat hij geheime informatie had gelekt, bleef een tijdje hangen bij een spelletjesshow, zette de tagliatelle in de koelkast en hoorde hoe de kamermuziek boven zijn hoofd van toonzetting veranderde. De cello raakte uit de maat, werd vals, en hij zou kunnen zweren dat hij op een bepaald moment een snaar hoorde knappen. Toen het eindelijk stil werd, was de laatste vapo uit Torcello allang voorbijgegleden door het brede kanaal voor het huis en waren er alleen nog Tell Sell-programma's op tv.

Ten slotte kwamen ze uitgeput naar beneden, een voor een, alsof ze even niets met elkaar te maken wilden hebben.

'Waar zullen we gaan zitten?' deed Puck opgewekt.

Hij had helemaal geen zin om ergens te gaan zitten.

'In de serre? De tuin zal wel te koud zijn, nu.'

'Hier in de keuken is prima,' zei zijn moeder zacht. Haar mascara was uitgelopen, haastig schoongemaakt, opnieuw uitgelopen.

Het werd de serre.

'Er is iemand erg van slag, dat is duidelijk,' stak Puck van wal.

Rex keek naar het glas witte wijn in haar hand. Het trilde licht.

'Dat komt omdat we vanmiddag boodschappen wilden doen. Omstreeks de tijd dat jij door de politie van de weg werd geplukt.'

'Voor je verjaardag. Ik wilde niet wachten tot zaterdag, dan is het altijd zo druk met toeristen.'

'Maar onderweg kregen we een discussie. In de boot,' vulde Puck aan.

'Ik wilde je iets speciaals geven. Iets waar ik al een hele tijd mee rondloop. Al bijna achttien jaar,' zei Tatja.

Puck sloeg geïrriteerd haar ene been over het andere.

'Puck is het er niet mee eens.'

'Waarom niet?' Hij wilde dat ze gewoon zei wat er mis was zodat hij eindelijk naar bed kon.

'Zij wil dat ik het je pas geef als je eenentwintig wordt.'

'Waarom dan pas?'

'Ik had gehoopt nog een tijdje gelukkig te zijn met jullie. Hier. Met z'n drieën,' zei Puck.

Rex keek naar haar. 'Jij denkt dat we ruzie krijgen als ik dit cadeau krijg?'

'Ik weet het zeker. Het is een geest uit een fles. Een derwisj.'

Zijn moeder ging zenuwachtig verzitten. 'Het is geen geest. Meer het tegenovergestelde. En we hadden een afspraak. Als hij meerderjarig werd.'

Puck zette het glas voorzichtig op het glas van het bijzettafeltje. Rex zag dat de zelfbeheersing haar moeite kostte. 'We hadden inderdaad een overeenkomst. Maar er is sprake van voortschrijdend inzicht. Het gaat opnieuw een hoop ellende veroorzaken, Tat. Ik weet het zeker. Alles wat die man aanraakt verandert in stinkende antimaterie, zelfs als ie er niet is. Vanaf het moment dat hij je leven in fietste en hij je sjaal om zijn wielnaaf draaide.'

'Daar kon hij niets aan doen.'

'Hoe weet je dat? Het is een moordlustig type, dat is wel gebleken.'

'Over wie hebben jullie het?' Rex' geduld was op.

'Je vader.' Tatja pakte Pucks glas en sloeg de inhoud in één keer achterover. 'Zou je het leuk vinden als hij nog blijkt te leven?'

2 | DEUS

Er is geen licht aan het einde van een tunnel als je doodgaat. Geen geïllumineerde sensatie van zweven of gewichtsloosheid. Wat hem betrof was het hiernamaals een donkere, kleurloze soep waar af en toe iets uit opborrelde: een verwaaide en vormeloze gedachte, een stekende pijn in zijn achterhoofd, geometrische vlakken van antraciet en grijs waarvan de randen de neiging hadden in elkaar over te vloeien vlak voordat hij weer terugzakte. Zijn bewustzijn bewoog zich een tijdje als een verwarrende spiegeling tussen sterven en slapen, in het vage en verontrustende besef dat er aan de oppervlakte belangrijke problemen op hem lagen te wachten over het leven na de dood. Wat deed, bijvoorbeeld, dat vierkant daar aan de binnenkant van zijn oogleden, elke keer dat zijn hoofd naar boven dreef? Het baarde hem zorgen, deze lichtgevende vierhoek, altijd op dezelfde plaats, maar niet altijd waarneembaar, zoals tijdens de schaarse momenten dat hij dacht dat hij wakker was maar daaraan ging twijfelen omdat hij niets kon zien in de kolkende duisternis die hem omringde. Het vierkant gaf op deze momenten geen licht, integendeel, het leek het omgekeerde uit te stralen, een zuigend en intens zwart, donkerder dan al het andere in zijn omgeving, en het trok aan hem als het geopende luik van de onderwereld.

Er waren ook geluiden, soms dichtbij, meestal veraf. Stemmen, stappen, gesuis en geritsel, het geruis van gewaden, een vaag murmelen van machines en de zachte, onregelmatige hijgzoef in een nabije hemelschacht, waarvan hij pas veel later ontdekte dat het zijn eigen droge ademhaling was. Het lichtgevende luik van het zwarte gat zond vaak een verzengende hitte uit, erachter klonk onafgebroken een diepe zoem van traag rondcirkelend magma. Soms waren er voorwerpen die hard en zacht tegelijk waren, en afwisselend warm en koel, die soepel en efficiënt iets veranderden aan de stand van zijn lichaam. Handen, dacht hij dan pas uren later. Dat waren handen. Maar van wie? Was hij eigenlijk wel dood?

Kortgeleden was er een stem geweest die 'Hoe is het met u?' gevraagd had, vlak bij zijn oor leek het. Hij had 'slecht' willen antwoorden, naar waarheid, ook als de vraag niet voor hem was bedoeld, maar of hij inderdaad iets had gezegd of het alleen had gedacht, wist hij niet meer. Het had te maken met die pijp in zijn keel waardoor buiten zijn wil voortdurend lucht in werd gepompt, aan het einde ervan leken de woorden te wachten tot zijn tong in beweging kwam. De kans daarop achtte hij klein. Zijn keel en mond waren niet meer geschikt om te praten, je kon net zo goed hopen dat er aan een haardblok weer blaadjes gingen groeien.

En nu was er dus opnieuw die stem geweest, die 'Verstaat u mij?' had geroepen. Hij probeerde zijn ogen te openen om te zien wie er in zijn hoofd aan het schreeuwen was en werd ogenblikkelijk verblind door de witte, vierkante muil van de hellepoort.

'Hij doet zijn ogen open.' De stem klonk hoog en gespannen.

'Sluit het gordijn. Hij heeft last van het licht,' zei iemand anders.

De vlammen uit de oven werden gedempt. Twee witte serafijnen hingen boven hem, overbelicht. Hij wilde zijn mond openen, maar merkte dat die al openstond. Wijd, als een vis.

'Hij gaat wat zeggen.' De andere stem klonk nu ook opgewonden.

Hij probeerde het, maar het haardblok in zijn mond bleef op zijn plek liggen.

'Geef hem wat water. En haal die intubatieslang eruit.'

Er werd iets uit zijn keel getrokken.

Toen een randje van zacht plastic tegen zijn lippen, gevolgd door een koele bal van kwik die naar beneden gleed en zich snel verspreidde in zijn ingewanden. Hij hoestte, kokhalsde, en voelde iets zachts en warms langs zijn kin lopen.

'Pak een bakje,' hoorde hij de engel nog zeggen en toen ging het licht weer uit.

Later, een dag, of een jaar, merkte hij dat ze hem hadden verplaatst, in zijn slaap. Zijn hoofd bonkte als een sloophamer. De ovendeur van de onderwereld was nu links van hem, op heuphoogte. Waarschijnlijk waren ze van plan hem straks nog een kwartslag te draaien om hem daarna het vuur in te kunnen schuiven. Hij lag op een bed, dat begreep hij inmiddels. Kennelijk kon het bed rijden, zoals in een ziekenhuis. Misschien lag hij daar wel. In een ziekenhuis. Voorzichtig gluurde hij door zijn wimpers en keek recht in een glanzend reuzenoog. Snel draaide hij zijn hoofd weg. Het deed hem ergens aan denken, die bewegingsloze koolzwarte pupil boven zijn bed. Hij beet op het slangetje dat uit zijn mond stak, probeerde te vergeten dat hij bij kennis was en hoopte dat hij weer in slaap zou vallen. Dat lukte niet, helaas. Langzaam tilde hij zijn hoofd een klein stukje op om te zien of het oog er nog was.

Het was er nog.

Hij kreunde en probeerde op zijn zij te draaien. Tot zijn verbazing lukte dat redelijk. Kennelijk was de verbinding tussen hoofd en lichaam een beetje hersteld. Hij slaagde er zelfs in zijn armen in beweging te krijgen en trok met een slap en trillend handje het laken over zijn hoofd om zich te verbergen voor de vorsende cyclopenblik. In zijn doorschijnende, witte tentje dacht hij na over het oog. Waarom was het er maar één? Waar was het andere? Hij stelde vast dat het ontbreken van een tweede oog bepaald onaangenaam was, de intensiteit nam niet met de helft af, zoals je zou verwachten; in dat ene oog leek de onbarmhartigheid zich verdubbeld samen te ballen.

'Aweg,' mompelde hij zachtjes. 'Aweg.' Het klonk bijna zoals hij het bedoeld had. Maar het oog ging niet weg. Het hing nog steeds boven hem, voelde hij, en leek een gat te branden in het beddengoed, op zoek naar zijn hart. Omzichtig loerde hij onder het laken door en nam zijn omgeving in zich op. Zalmkleurig linoleum, een witte trolley van gelakt staal, een stang op een glimmende driepoot met een doorzichtige zak die via een slangetje verbonden was met zijn pols. Het luik naar de hel bleek een raam van melkglas.

Achter hem klonk de stem. 'U bent wakker.'

Hij bewoog zich niet. Hoorde die stem bij het oog?

'Kunt u mij verstaan?'

De stem sprak Perzisch. Ik kan Perzisch verstaan, dacht hij. Ongelofelijk.

'Hoe voelt u zich?'

Misschien had de stem iets tegen zijn scheurende hoofdpijn. Perzië. Morfine. Opium. Het was niet ondenkbaar. Traag, nog steeds verborgen onder het laken, draaide hij zich om en schoof het textiel een stukje weg. In het diffuse licht dat door het venster viel, stond, half voorovergebogen, een vrouwengestalte naast zijn bed in een wit verpleegsteruniform. 'Goedemorgen.'

Hij gaf geen antwoord en krulde zich op in foetushouding.

De vrouw boog zich dieper voorover om haar hoofd op dezelfde hoogte te krijgen als de opening in zijn tentje. Ze droeg een hoofddoek van witte glanzende stof. Een soort sjaal, waarvan het losse uiteinde om haar hals en schouders lag. 'Gaat het?' vroeg ze, nu in het Engels.

Kan ik ook verstaan, dacht hij. Hoe is het mogelijk. Hij bracht een onvaste hand naar zijn hoofd. Ze liet zich door haar knieën zakken en keek bezorgd zijn wigwam in. Een goudbruine huid, weinig make-up, haar ogen stonden een beetje schuin. Was hij misschien in Azië?

'Ik ben blij dat u eindelijk wakker bent. De dokter kan elk moment komen. Ik heb hem al gewaarschuwd.'

Met zijn vinger tikte hij op zijn voorhoofd.

'Pijn?'

Hij knikte.

Ze glimlachte. 'Ik zal even kijken.' Ze stond op en morrelde aan een slangetje. Mooie knieën, dacht hij.

'Ik ben zo terug, ik moet even kijken wat uw dosering op dit moment is. U hoeft zich geen zorgen te maken, hoor. We houden u goed in de gaten,' hoorde hij nog toen ze wegliep.

Hij keek naar de achterkant van haar gewrichten in de witte panty en vroeg zich af wat ze bedoelde met dat in de gaten houden. Hadden ze behalve dat oog boven zijn bed ook nog een röntgenapparaat om de hoek gezet, om door het laken heen te kunnen kijken? Alles kon. Hij was tenslotte in een ziekenhuis. Veel tijd om daarover te piekeren had hij niet, want de knieën waren al snel terug, nu in gezelschap van een mannelijk paar in een grijze broek. Twee verzorgde handen trokken de stof van de pantalon op om ruimte te maken voor een hurkzit. Er verscheen weer een goudbruin hoofd voor zijn tent, deze keer met een klein, keurig getrimd ringbaardje.

'Goedemorgen.'

Hij zei niks, wachtte af.

'Kunt u mij verstaan?'

Dat kon hij, maar zijn argwaan was gewekt. Voorlopig hield hij zijn mond dicht.

'What is your name?'

Hij was een moment in verwarring. Daar had hij nog geen moment over nagedacht, over zijn naam. Hij kon het zich niet zo snel herinneren. Dat was natuurlijk belachelijk. Als je niet meer weet hoe je heet, ben je erg ver heen. Hij probeerde het. Steven? Nee. Conrad? Ook niet. Goede namen, dat wel. Ooit had hij een buurmeisje gehad dat Bronwen heette. Van adel, hoewel je dat niet zou zeggen als je het huis zag waarin ze met haar moeder woonde. Haar zusje luisterde naar de naam Welmoed. Zo'n naam zou hij ook wel willen hebben. Krachtig en opgewekt, Welmoed. Piet Hein. Reinoud. Als hij opnieuw wilde beginnen met zijn leven, was dit een goed moment om met een bevredigende naam op de proppen te komen. Waldemar. Of toch Conrad? Hij haalde adem en duwde zijn tong naar voren. Voortaan zou hij Waldemar heten.

'Wwwwaa,' fluisterde hij.

De ringbaard bracht zijn hoofd dichterbij. 'Yes?'

'Walamala.'

De hand van de ringbaard pakte door het laken heen zijn schouder vast, en trok er nogal hard aan. 'It is very important to know your name. Where are you from?'

Hij kromp in elkaar. Zijn schouder viel eraf. Dit ging helemaal niet goed.

'U kunt dit niet doen,' klonk de vrouwenstem. 'U mag hem niet...'

De man stond op. 'U heeft niet te bepalen wat ik wel en niet kan doen. Als u klachten heeft kunt u mijn superieuren bellen.'

'Wat is hier aan de hand?' Hij hoorde een tweede mannenstem. Achter de knieën in de witte panty verscheen een doktersjas.

'De patiënt kwam een kwartier geleden bij kennis. Volgens de voorschriften heb ik meteen het ministerie gebeld,' zei de vrouw.

De grijze pantalon deed een stapje naar de jas. 'Mijn naam is Ja'far Banisadr, ik werk voor de Binnenlandse Veiligheidsdienst.'

'Ik ben dokter Riahi. Ik werk voor een gerespecteerd ziekenhuis.'

'Ik ben op de hoogte van uw reputatie. Toch moeten we zo langzamerhand weten wie dit is. We wachten al bijna vijf weken.'

'U denkt dat we te maken hebben met een buitenlandse spion?'

'Wat denkt u?'

De zoom van de witte jas ging omhoog, de dokter haalde kennelijk zijn schouders op. 'Ik weet het werkelijk niet. De patiënt is waarschijnlijk van Noord-Europese origine, heeft in principe een goede conditie, sportief gebouwd zeg maar, maar hij was sterk vermagerd en zat onder de opiaten. Het kan een verdwaalde en beroofde heroïnetoerist zijn.'

'In dit land zijn geen verdwaalde toeristen. Laat staan heroïnetoeristen. Er zijn geen geregistreerde vermissingen.'

'U weet net zo goed als ik dat de grenzen niet waterdicht zijn. Mogelijk is hij via Turkmenistan gereisd. Of is hij van een zeiljacht gevallen in de Zwarte Zee.'

'U heeft hem zelf onderzocht?'

'Ja. Uw ministerie heeft het rapport.'

'Heeft u sporen van zeewater aangetroffen?'

'Nee.'

'Waarom zegt u dan dat hij van een boot gevallen kan zijn?'

'Ik roep maar iets. Wat ik zeggen wil: we weten niet hoe lang hij al in het land is. Het kan de zoon zijn van die Britse multimiljonair die vorig jaar is ontvoerd. Misschien heeft papa het losgeld betaald en hebben zijn kidnappers hem hier voor dood achtergelaten.'

'Hm.' De schoenen onder de broek schuifelden ongeduldig heen en weer.

'En wie weet is het de reïncarnatie van Boeddha.'

'Wie weet.' De zwarte schoenen deden een stapje naar de deur. 'Ik reken erop dat u mij belt wanneer er iets zinnigs uit hem komt.'

Het onderstel van de ringbaard verdween uit beeld. De dokter deed de deur dicht.

Hij bewoog zich niet onder zijn laken en hoopte dat iedereen snel weg zou gaan zodat hij kon nadenken. Had hij een vader die multimiljonair was?

'Ik heb niets gezegd over die twintigduizend dollar,' fluisterde de vrouw.

'Heel goed. Dat hoeft ook niemand te weten.'

'Het is niet ongevaarlijk.'

'Nee. Je ziet er mooi uit vandaag, Yasameen.'

'Dank u, dokter.'

'Hoe lang is hij al wakker?'

'Twintig minuten.'

'Heeft hij iets gezegd?'

'Niet echt.'

Nu was het de beurt van de witte jas om door de knieën te gaan.

'Hello.'

Hij bekeek de ander door de spleet in het laken. Een vriendelijk, ovaal gezicht dat aan de onderkant uitliep in een klein grijs sikje. Blauwe vermoeidheidskringen stonden onder de bezorgde ogen. 'How are you feeling today?'

Hij stak een hand naar buiten en wiggelde de palm heen en weer ten teken dat het niet zo goed ging.

'Hij heeft al om extra pijnstillers gevraagd,' zei de vrouw.

'Hmm. Doe maar vier milligram Tramadol, intraveneus.' De dokter stak een vinger een paar centimeter door de spleet. 'May I?'

Hij keek naar de knieën van de zuster bij de driepoot. Kom op met die Traumadol, dacht hij.

'Do you speak English?'

Hij knikte.

Voorzichtig betastte de arts zijn hoofd. 'We found marks of brain surgery. Can you tell us who performed those operations?'

'Whe...' Zijn keel deed zeer.

'Yes?'

'Where am I?'

'In Tehran.'

'Teh...?' Hij dacht het niet goed verstaan te hebben.

'You are in Iran. In the General Hospital of Tehran.'

'How?'

'We found you next to our parking area. Without clothes, no papers.'

'Why?'

'We were hoping you could tell us.'

Hij wist het niet. Gevonden aan de rand van een parkeerterrein. Vergeefs zocht hij een houvast, maar zijn geheugen was leeg.

'What is your name?'

'Waldemar,' fluisterde hij, hoewel hij wist dat het niet waar was.

'Sorry?'

'My name is Waldemar Conrad.' Als mensen met ringbaarden aan zijn schouder gingen trekken was het een goed moment om met een nieuw leven te beginnen.

'Where do you live, mr. Conrad?'

'Netherlands.' Hij zei het zonder na te denken. Hij zag een flits van zonlicht op een zolderetage en een meisje aan de voet van een trap met een grote, roodbruine vlek op haar witte jurk, en toen was het weg.

'You are seriously injured, we've made some photos from your head. Two inches above your right ear we can see a fragment of metal.'

Een stuk metaal in zijn hoofd. Logisch dat hij zo'n koppijn had.

'Can you remember anything of an explosion? A fight?'

Hij schudde nee. 'Am I going to die?'

'Not when you're in my hands, I promise you. You're recovering rather quickly.'

'It hurts.'

'I understand. The tranquillizer needs some time.'

Hij had nog wat willen vragen over het oog boven zijn bed, maar een grote, roomwitte golf spoelde door zijn infuus en tilde hem op naar de sterrenhemel.

Een paar eeuwen later stond er een nieuwe man naast zijn bed. In een witte jas, dus hij nam aan dat dit ook een arts was. De man trok zachtjes aan zijn arm.

Hij verzette zich. Hij wilde niet dat mensen aan hem trokken.

'Easy. Today we'll try to get you out of bed.'

'No.' Hij bevrijdde zijn arm. Hij wilde zijn bed niet uit, zichtbaar voor iedereen. Snel trok hij het laken over zijn hoofd.

'Sir, please calm down.'

Hij gaf geen antwoord, nam zijn foetushouding aan en wachtte op het geluid van zich verwijderende voetstappen, maar het bleef stil. Een paar minuten bleef hij liggen. Misschien was zijn belager geruisloos weggeslopen? Droeg hij gympen onder die doktersjas? Heel voorzichtig tilde hij het laken op en keek door de kier.

De man zat rustig op een stoel, benen over elkaar en glimlachte. 'Aren't you curious? It can be an adventure, to find out if your muscles still work.'

Hij zei niets. Hij trok de spleet in het laken weer dicht.

'When you're up you can watch tv.'

Daar dacht hij over na. Hij wist wat een televisie was. Je kon het nieuws erop zien, CNN, Al Jazeera, RTL 4. Hij hoefde geen moeite te doen om zich de namen van televisiestations te herinneren, maar hij kon zich niet voor de geest halen wanneer hij er voor het laatst naar gekeken had. Televisie. Het was mogelijk dat er iets over Nederland op was. Iets wat een aanknopingspunt kon zijn.

'Shall we give it a try?' De stem van de vrouw. Van wie hij inmiddels wist dat ze Yasameen heette.

Hij aarzelde. In theorie was het mogelijk. Hij wist zeker dat hij kon staan. De pijn in zijn hoofd was er nog wel, maar het was dragelijk. Het ging meer om het idee van je bed uitkomen. Als je dat kon, kon je ook praten, of antwoord geven op vragen die hij niet begreep.

'Don't be afraid.' De smalle hand van de verpleegster werd zichtbaar in zijn tentspleet, palm naar boven. Indianentaal om aan te geven dat er vreedzame bedoelingen waren.

'We will help you.' De vingers strekten zich uitnodigend.

Mooie vingers, nagels in beheerst rood, een kleine ring van goud om de pink. Het deed hem aan zijn moeder denken, voordat ze die ring woedend van haar vinger trok en in de wc gooide. Het beeld van mama die snikkend voorovergebogen in de pot keek waar ze haar huwelijk en een paar honderd gulden aan edelmetaal had weggespoeld kwam zo onverwacht boven dat hij snel zijn ogen sloot in de hoop dat er meer loskwam van de zeebodem, en warempel, om hen heen plopten twee, drie kurken omhoog. De klap waarmee ze de voordeur dichtsloeg, op weg naar de eerste hulp omdat zijn vader de hand van haar minnaar had verbrijzeld, het haastige telefoongesprek dat hij als negenjarige met haar had gevoerd toen ze op Schiphol stond, de dienst op Westgaarde waar behalve zijn moeder nog een paar honderd andere slachtoffers werden herdacht.

Behoedzaam pakte hij de vingers die boven de rand van het matras zweefden. Koel en krachtig. Yasameen gaf hem een bemoedigend kneepje en trok haar hand, met de zijne erin, vervolgens langzaam door de spleet naar buiten. Toen was zijn schouder aan de beurt, en daarna zijn hoofd. Maar dat ging hem te snel. Hij was nog niet klaar om zijn veilige hol te verlaten. Opeens leek het hele concept van staan erg ingewikkeld. Als je erover nadacht, was het heel vreemd dat een paar enkelgewrichten een mensenlichaam overeind konden houden. Want hoe groot waren die voeten nou helemaal? Vijfendertig bij zeven centimeter, hooguit. En wat woog een volwassen mens, gemiddeld? Zeventig, tachtig kilo? Als je zo lang horizontaal gelegen had als hij, was het heel goed mogelijk dat het lichaam het verleerd was, rechtop staan. Als hij dan toch naar buiten moest, was het misschien beter om het op handen en voeten te doen. Eerst stak hij zijn rechtervoet naar buiten. Daarna zijn linker. Hij draaide op zijn buik en schoof zijn achterwerk over de rand waarbij zijn luier losschoot. Achter zijn rug sloot Yasameen de velcrostrip voordat het ding van zijn billen kon schuiven. Nu zat hij op zijn knieën voor het bed met alleen zijn hoofd nog onder het laken. Yasameens handen bleven op zijn heupen liggen en toen ze hem zachtjes naar zich toe trok, bijna als een minnares, drukte hij zijn gezicht diep in het matras. Straks zou hij van alle kanten zichtbaar zijn, het oog boven hem zou alles zien.

'Don't be scared. I'll help you.'

Hij was bang. Toch liet hij zich meetrekken, heel langzaam. Zijn hoofd schoof onder het laken door en hij probeerde niet omhoog te kijken, naar het plafond met het oog. Hij hield zijn blik strak op de vloer waar zijn verkrampte handen steun zochten op het rozerode linoleum.

Yasameen knielde naast hem. 'You see? That went really well.'

Hij gaf geen antwoord en bleef op zijn knieën zitten, zijn kont naar achteren, als een hond die wacht op een pak slaag. Na een tijdje hesen ze hem met z'n tweeën op, decimeter voor decimeter. Toen hij min of meer op zijn eigen benen stond, trokken ze voorzichtig hun handen terug om te applaudisseren en een paar seconden stond hij los – oude, gebogen babyman met afzakkende luier – wankelend op dunne benen die hij niet herkende.

Hoewel hij het helemaal niet wilde, en het prima had gevonden wanneer hij de rest van zijn leven in bed had moeten doorbrengen, vertoonde zijn revalidatie hierna een opgaande lijn. Ze trokken hem onder zijn laken vandaan, of hij het wilde of niet. Eerst één keer per dag, daarna twee, drie keer op een ochtend. Met behulp van een rollator en onder het wakend oog van een verpleger schuifelde hij naar de televisiekamer, waar hij naar Iraanse soaps kon kijken of door de staat gecontroleerde praatprogramma's. Er werd een nieuwe moskee gebouwd in Istafan. Het handelsoverschot in het laatste kwartaal was gestegen. Er kwamen steeds meer vluchtelingen uit Afghanistan die de grens probeerden over te steken. De Verenigde Staten overwogen vredesbesprekingen te starten met de Taliban. In Mashad was een vierling geboren.

Nooit zag hij andere patiënten, de kamerdeuren waren gesloten, de gang en recreatieruimte waren leeg als hij voorbijkwam. Soms hoorde hij achter een deur iemand Engels spreken, maar als hij dan zijn pas vertraagde in een poging iets meer te weten te komen, was er altijd een verpleegster of een assistent die hem maande door te lopen.

Elke ochtend kwam dokter Riahi een kijkje nemen, alsof hij in een ziekenhuisserie speelde, klembord in de hand. 'Ah, mr. Conrad. How do you feel today?'

Hoe voelde hij zich? Naar omstandigheden ging het niet slecht. De pijn in zijn hoofd was iets afgenomen. Hij was niet meer bang voor het oog als hij wakker werd. De elektronica achter de zwarte, ondoorzichtige cameralens stond in verbinding met het kantoortje van de hoofdzuster en was ongevaarlijk, wist hij nu.

Met een vingertop trok de dokter een ooglid naar beneden en inspecteerde het oogwit. 'Everybody is very curious about what happened to you.'

'I can't remember anything.'

'Nothing at all?'

'Sorry.' Hij wist niets meer van een leven waarin hij niet in een bed lag. Een leven waarin hij gewoon rechtop had gelopen, waarin hij een baan had gehad en waarin hij Perzisch en Engels had geleerd.

'Don't worry. It will come to you in time. Just as the use of your legs. Your head needs time to recover. Our brain is a very complex organ.' Hij ging op de bedrand zitten. 'You suffer from partial amnesia. You may remember things from long ago, your childhood, for example, but events that happened recently are not accessible. Sometimes, unexpected, you may remember something, in a flash.' Hij opende zijn rechterhand bij zijn slaap, alsof er plotseling een lamp aansprong. 'But. We can recover from serious brain damage. We are capable to make new synapses even when we are old.' Zijn wijsvinger ging omhoog. 'There is no need to accept our limits,' en hij zeilde de kamer weer uit met zijn klembord.

De dokter vergiste zich, dacht hij. Zijn limits waren overduidelijk en onoverkomelijk, alsof hij in een huis liep met lange, donkere gangen. Achter de gesloten deuren moesten kamers zijn, ruime vertrekken met witte muren en veel zonlicht, maar op geen enkele deur zat een klink.

Later die dag stond er opeens een grote kerel naast zijn bed. Hij was een jaar of veertig, met een blauwig waas op wangen en kin dat doorliep tot in de openstaande kraag van een zwart overhemd. Hij droeg een donker pak dat bij sommige bewegingen zilvergrijs werd en stelde zich voor met een onverstaanbare naam, gevolgd door iets wat leek op *ychiatrist*. 'So, mr. Conrad. I was wondering if we could spend some time together today. You and I.'

'Okay.' Hij glimlachte. Wat kon hij anders zeggen? Hij kon nergens naartoe en had geen andere afspraken. Heel anders dan deze psychiater, die waarschijnlijk een overvolle agenda had, met zijn beroep, in Iran.

'I heard you are having some problems with your memory.'

Hij knikte. Dat was nogal een understatement.

'And you live in Holland?'

'Yes.'

'Where exactly?'

'Amsterdam.' Dat wist hij vrij zeker. Hij woonde in Amsterdam.

'Do you have an address?'

Dat had hij niet. Wel zag hij bekende fietsroutes voor zich, de Spiegelstraat, drie bruggen over, linksaf langs de Herengracht naar het Koningsplein waar een wit gebouw vol boeken stond. Of Leidsegracht, Prinsengracht, Bloemgracht, ook een parcours dat om een raadselachtige reden in hem opkwam. Er was een grote zolder met veel hout die hij herkende, maar er hoorde geen voordeur of straatnaam bij.

'Can you tell me anything about your family? Are you married?'

'My mother died when I was young. My father was very angry.' Hij stopte, deed zijn best om meer wetenswaardige feiten te produceren, maar er kwam niets.

'Do you have any idea of your business in the Middle East?'

Hij zou willen dat hij het wist. Wat deed hij in godsnaam in dit land? Hij kende de taal, maar op de een of andere manier leek het hem onverstandig om dit te vermelden. Zolang iedereen Engels met hem sprak, hoefde dat ook niet.

'Have you been to Afghanistan?'

Hij dacht hier even over na. Het zou kunnen. Als de ander Australië of Zambia had gezegd, had hij nee geschud. Nu wist hij het niet. Afghanistan. Het klonk bekend.

'When is your birthday?'

In maart, dacht hij. Of november. Hij wist het niet zeker. Zijn wereld beperkte zich tot de twintig vierkante meter van zijn ziekenhuiskamer. Links van zijn bed was een raam, het zonlicht had er een pulserende oven van gemaakt. Hij was in staat om terug te halen dat het verkeer achter het melkglas geleken had op het geraas van sterrenvuur. Hij wist ook nog dat hij zich, niet zo lang geleden, volstrekt belachelijk had gemaakt door zich te verstoppen onder een laken omdat een camera boven zijn bed hem had doen denken aan een cycloop. Maar waarom een cycloop? Hij concentreerde zich op een denkbeeldig punt in het midden van zijn schedel, op zoek naar houvast. Als hij op de een of andere manier vanuit het midden van zijn hoofd een gang zou kunnen graven, loodrecht naar beneden, dan zou hij vroeg of laat op iets stuiten.

'We sent an e-mail to the Dutch Embassy. They never heard of a man named Waldemar Conrad.'

Deus. Hij heette Deus. Opeens kwam de naam bovendobberen, een reddingsboei aan een versleten touw dat losschoot van een gezonken schip. Met een knal kwam het naar de oppervlakte. Stil bleef hij liggen in afwachting van ander wrakhout. Maar er dreef niets voorbij. Behalve Deus, van Amadeus. Toch was hij blij. Hij had een naam, een anker, een steun, en hij stond op het punt om te vertellen wat hij net ontdekt had, toen er iets begon te steken. Blauwbaard leunde over hem heen en prikte met een vinger in zijn bovenarm. 'Waldemar Conrad doesn't exist. Can you explain that?'

Ergens in het donkere kostuum klonk een muziekje. Zijn gesprekspartner viste iets uit zijn binnenzak. 'Yes?' En na een paar seconden in het Perzisch: 'Nee, nog niets.' Hij luisterde even en toen: 'Het is een complexe aandoening.' De man liep naar het raam. Het colbertje glinsterde als de huid van een kabeljauw. 'Sommige delen van het brein zijn gewoon toegankelijk, om andere gebieden staat een groot hek. Zo kan hij zich het overlijden van zijn moeder herinneren, maar niet zijn eigen woonadres.'

De telefoon zei iets terug, de ogen van Blauwbaard bleven op Deus rusten. 'Het is niet zeker dat extra druk zal helpen. Volgens Riahi is er een kans dat hij dan terugvalt in een angstpsychose.'

Met zijn ogen dicht lag Deus te luisteren en stelde vast dat het medisch beroepsgeheim in dit land niet zoveel betekende. Met wie stond die kerel te bellen? Hoe kwamen ze erbij dat hij psychotisch was? Hij hoopte dat ze hem snel met rust zouden laten en dat Yasameen zou komen om haar koele handen in zijn nek te leggen.

De ander hing op en vroeg nu: 'What is your age?'

Hij wist het niet. Het gezicht in de spiegel van de toiletruimte had hij een tijdje geleden op eind dertig, begin veertig geschat. En als hij het wel had geweten, ging hij het niet aan deze kampbeul vertellen.

'Why don't they know who you are at the Embassy?'

'I have no idea,' zei hij. 'Maybe they should send somebody down here?'

Blauwbaard schudde langzaam zijn hoofd. 'I am afraid that is not going to happen. First they need proof that you are Dutch.'

Daar zat wat in, natuurlijk. Iedereen kon wel zeggen dat hij uit Nederland kwam.

'I will go there myself. Soon. With a taxi.' Het leek hem een gigantische onderneming: een autorit in zijn huidige conditie. 'I'll need a new passport.'

Het was even stil.

'We might have a problem there. This hospital is not allowed to let you go without a passport.'

'I see.' Je reinste Kafka.

'Try to remember facts that can help with your identification. An address, place of birth, anything. That is the best thing for you to do the next couple of days.'

Deus knikte. Ik zit in de shit, dacht hij toen het glimmende pak was verdwenen. Hij wist wie Franz Kafka was, maar zijn eigen adres kon hij niet oproepen. Hij maakte zich geen illusies, hij moest ze iets geven, een achternaam, een telefoonnummer, een geboortedatum, een postcode desnoods, anders zouden ze hem nooit met rust laten. Hij moest beter zijn best doen, graafwerk verrichten in zijn geteisterde hoofd, in zijn defecte geheugen zoeken naar relevante informatie. Hij maakte een lijstje.

1. Ik heet Deus.
2. de Ru.
   De achternaam kwam er vanzelf achteraan drijven, als een volgbootje dat vastzat aan het moederschip.
3. Mogelijk is mijn vader miljonair. Hij heet Thomas. Of Bernard.
   Ook die namen dienden zich uit eigen beweging aan.
4. Mijn moeder is omgekomen bij een brand. Misschien een bom. Of een meteoriet.
5. Ze heeft haar trouwring door het riool gespoeld. Ze heette Mies.
6. Mies had een minnaar wiens hand door mijn vader verbrijzeld schijnt te zijn.
7. Ik woon in Amsterdam.
8. Ik ben onlangs gevonden naast een parkeerterrein in Teheran.
9. Ik weet hoe je via de Prinsengracht op de Bloemgracht moet komen.

Het was een armzalige opsomming. Negen schamele puntjes in een leven dat misschien wel vier decennia omvatte. Beschamend.

'Ik wil graag wat dingen opzoeken, op internet,' zei hij tegen Yasameen.

Tot zijn verrassing bracht ze hem naar een kantoortje aan het einde van de gang. Ze waren alleen, het was lunchpauze. Er stond een bejaarde Dell, maar er zat een netwerkkabel aan, hij vond Google en Yahoo, zijn vingers gingen over het toetsenbord alsof ze na lange tijd weer thuiskwamen. Amadeus de Ru als gecombineerde zoekopdracht leverde niets op, afgezien van tientallen verwijzingen naar Mozart, een restaurant in St. Petersburg, en een Broadwaymusical. Verder was er een verfhandel in Amsterdam die De Ru heette.

Yasameen haalde haar schouders op. De providers waren allemaal schatplichtig aan de overheid, het world wide web was in Iran net zoiets als een fiets zonder wielen.

Terug in zijn kamer probeerde hij zich te concentreren. Hij heette dus Amadeus. Hij herinnerde zich opeens een schoolplein met aan de ene kant een langgerekte fietsenstalling, aan de andere kant de muur van de gymzaal en een brede trap die naar de ingang leidde. Daar had hij voor het eerst gemerkt dat er iets raars was met zijn naam. Op de trap zaten jongens en meisjes uit de zesde, hij zelf zat in de vierde. Hij had nog een redelijk functionerende moeder, tijdens het middageten maakte ze sandwiches met Nutella voor hem. De zesdeklassers vonden hem een moederskindje, hoe kon dat ook anders met zo'n naam. Op een dag pakten ze zijn tas af en gooiden hem in de struiken, het ding bleef hangen op anderhalve meter hoogte. Ze hielden zijn armen vast om zijn pianovingers te bekijken en een meisje lakte zijn nagels roze. Toen hij zijn rugzak wilde pakken, tilden ze hem op en gooiden hem de rododendron in zodat hij er beter bij kon. Huilend en onder de schrammen probeerde hij in het jongenstoilet met water en zeep de lak van zijn vingers te krijgen. De vernedering toen hij na de pauze voor de klas de provinciehoofdsteden van Noord-Nederland op de kaart moest aanwijzen. In de gang werd er mietje geroepen en poot en De Ru is een homo. Woedend liep hij naar huis. Waarom hadden ze hem niet gewoon Henk of Willem genoemd?

De keuken en woonkamer waren leeg, met lange uithalen riep hij mamamama, die daarop naar beneden kwam in haar peignoir, met rode ogen. Daar was hij aan gewend, zijn moeder huilde veel op het smalle bed in haar slaapkamer.

Verbaasd smeerde ze zijn boterhammen. Amadeus was juist een hele mooie naam, vond ze. En er zat een verhaal achter. Had ze al eens verteld hoe hij verwekt was?

Dat had ze niet, hij wist niet eens wat het was, verwekken. Hij wilde dat ze de nagellak van zijn vingers haalde.

Verwekken gebeurde als een vader en moeder heel lief tegen elkaar deden, zei Mies terwijl haar gezicht de uitdrukking kreeg die hij kende van gesprekken over toiletbezoek, strepen in je onderbroek, en die keer dat ze langs een etalage liepen met folders voor bikini's en plastic wortels. Haar hoofd draaide weg, de ogen gefixeerd op een punt in de ruimte, alsof ze zich ergens aan vast moest houden wanneer er dingen moesten worden uitgelegd over de lagere driften van de soort. Op de avond dat papa heel lief deed, zei Mies, had er een hoboconcert door het huis geschald, ze hadden die week een draaitafel gekocht die op repeat kon waardoor je er niet steeds naartoe hoefde om de naald op de plaat te zetten. Eerlijk gezegd was ze daar een beetje kriegelig van geworden, steeds maar die hobo, en ze was zo stom geweest om dat na het lief doen tegen papa te zeggen, die toen natuurlijk een van zijn driftbuien had gekregen, de lp doormidden had gebroken en in de vuilnisbak had gekieperd. Daar had ze nu wel spijt van, dat ze hem zo boos had gemaakt, want die plaat was bij nader inzien een mooi aandenken geweest aan een bijzondere avond, maar dat realiseerde ze zich pas na drie maanden, toen haar buik ging groeien.

Hij had zijn boterham op de grond gegooid en geschreeuwd dat het vreselijk stom was. Dat ze op school dus gelijk hadden. Welke ouders vernoemden hun kind nou naar een hobo?

Mies had dat van de boterham niet gezien omdat ze zich was gaan aankleden, en had van boven geantwoord dat homo's over het algemeen hele aardige mensen waren, zij kende er zelfs een paar, dat hij dit maar in de klas moest zeggen als hij gepest werd en dat een hobo iets anders was. Dat was een blaasinstrument van vroeger, een Oostenrijks wonderkind had daar lang geleden een heel mooi muziekstuk omheen gecomponeerd toen hij nog maar eenentwintig jaar oud was. Iemand die God bemint, dat betekende Amadeus. Wie zou zo'n naam niet willen?

Deus ging op de boterham staan, sprong op en neer en gilde dat hij nooit meer naar school ging.

Natuurlijk wel, suste zijn moeder vanuit de badkamer, het kwam er nogal kleinerend uit omdat ze tegelijkertijd haar lippen stiftte. Door het tuitmondje voelde hij zich niet serieus genomen.

Hij schreeuwde neeneeneenee en schopte klontjes deeg met chocoladepasta tegen de plint.

Mies zei ach liefje en stel je niet zo aan, maar haar stem klonk afwezig want ze had haar jas al aan om naar therapie te gaan. Ze zette hem bij school af en beloofde de kwestie op te nemen met de meester en fietste weg om twee uur over zichzelf te gaan praten. Deus kwam er pas achter dat ze vergeten was zijn nagels schoon te maken toen hij al op zijn plek zat, voor in het lokaal, waar iedereen zijn roze pootjes kon zien.

Zijn vader kon er die avond wel om lachen, maar ook hij klonk afwezig want hij was naar dezelfde therapie geweest als Mies.

'I'm beginning to remember all kinds of things,' zei hij tegen Yasameen toen ze zijn kamer binnenkwam om hem te helpen.

'That is great.'

'I'm not so sure about that.'

Gearmd liepen ze langzaam door de gang. Tot zijn verrassing leidde ze hem een lift in.

'Time to go outside,' zei ze.

Daar schrok hij wel van, na twee etages stonden ze al beneden. Kennelijk was het een dienstlift, want ze kwamen uit in een grote keuken, die om deze tijd van de dag verlaten was. Yasameen trok hem een gang in naar een betegelde kleedruimte met lange, smalle kasten op roestige poten. Buiten schitterde de zon.

Hij aarzelde. Was hij hier al aan toe? Kon dit wel, met alleen een pyjama en teenslippers? Welk jaargetijde was het? Hij had ergens gelezen dat het kon sneeuwen in Teheran.

'Don't be scared,' lispelde ze in zijn oor terwijl ze een jas over zijn schouders legde.

Dat was hij wel, natuurlijk. Je maakte toch ook geen proefrit in een auto waar een wiel aan ontbrak? Waarom lieten ze hem niet rustig boven in bed liggen om na te denken over vroeger? Hij wilde ergens gaan zitten, maar ze hield hem tegen.

'We have to go now.'

'Why? I'm not ready.'

'Yes, you are.'

'No.'

'You must go outside. Please. It's important.'

Hij zag aan haar gezicht dat dit niet gewoon een loopoefening was en gaf zijn verzet op. Ze opende een deur en nam hem mee, de wereld in. Het was niet koud, integendeel, de bomen op de parkeerplaats stonden in blad, het moest voorjaar zijn. Er was wel sneeuw, maar die lag ver weg, op de toppen van een bergmassief aan de rand van de stad. Op de gevel van het ziekenhuis gloeide 'General Hospital' in groene letters. Ze voerde hem mee langs de geparkeerde auto's naar een paar vuilcontainers.

'We found you over here.'

Hij keek naar een bruine grasstrook die omsloten was door gebarsten beton. Daar had iemand hem dus achtergelaten. Iemand die hem ook als een oud matras had kunnen dumpen ergens in een achterbuurt, had de moeite genomen om hem helemaal naar een kliniek te brengen met Engelssprekende artsen.

'Is there anything you can recall?' Verwachtingsvol keek ze hem van opzij aan.

Hij schudde het hoofd. Niets. Bruin gras, afvalcontainer, barsten. Nergens ging een belletje rinkelen.

Ze kneep even in zijn hand. 'Never mind. Will you excuse me for a second?'

Ze liet hem los en keek, haar hoofd een beetje schuin, of hij zelfstandig kon blijven staan.

Dat kon hij. Het was makkelijker dan hij gedacht had. Misschien had het met de buitenlucht te maken, of met het feit dat Yasameen buiten de ziekenhuismuren opeens geen afdelingszuster meer leek. Opeens zag hij een jonge vrouw in verpleegsteruniform. Hij ging iets rechter staan, en met zijn handen op zijn rug deed hij een paar stappen rond de plaats delict, zijn ogen gericht op de grond, op zoek naar aanwijzingen rond zijn miraculeuze verschijning.

'I have to go inside now.'

'Yes, yes. Go.'

'I'm not coming back.'

Hij dacht even dat hij het niet goed hoorde.
'It's about a hundred meters to the gate.'
'The gate? Why?'
'You have to go.'
'What?'
'It's for the best.'
Ze liep weg. Hij voelde een paniekgolf opkomen.
Bij de hoek draaide ze zich nog een keer om. 'Act normal. Read the message in the pocket of your coat.'
Toen was ze verdwenen.

3 | REX

'Zou je het leuk vinden als hij nog blijkt te leven?'
Rex keek naar zijn moeders in de serre, de ene op de bank, de andere bij het raam. Tatja en Puck lachten allebei, enigszins onzeker, alsof ze benieuwd waren hoe hij het cadeau zou uitpakken.
Hij stond op, ging weer zitten, verplaatste zijn glas. Zijn vader was dus niet dood.
Het was niet te bevatten.
Hij keek naar zijn blote voeten op de houten vloer. Er zat een schram op zijn wreef, op de plek waar hij gisteren de steiger had geraakt terwijl hij uit de vlet stapte met een arm vol boodschappen. Ook moest hij zijn teennagels knippen.
Aan zijn voeten had hij niet veel steun, op dit moment.
'Maar,' zei hij. 'Hoe?' Het leek of iemand zijn hoofd in een doos watten duwde, zijn stem leek vervormd en ver weg.
Ze gaven niet meteen antwoord.

‘Hoe lang weten jullie dit al?’

Zijn moeder stond op, zwijgend keek ze uit het raam.

‘Eh, best wel een tijdje,’ zei Puck.

Tatja draaide zich om. ‘Vanaf je geboorte. Eigenlijk.’

Hij strekte zijn armen, handpalmen naar voren, of hij een aanstormende truck wilde stoppen.

‘Maar,’ zei hij opnieuw. ‘Waarom…’

‘Waarom we niets hebben gezegd? Omdat, jajezus, dat kwam door, eh…’ Ze deed een stapje naar hem toe.

Hij sprong op en bewoog naar achteren. Het was nu belangrijk om afstand te houden.

‘We dachten dat het je van streek zou maken.’ Puck had zich niet verroerd. Sfinxachtig zat ze op de bank, haar benen onder zich.

Van streek. Dat kon je wel zeggen. Voor een zeventienjarige die zijn hele leven met twee vrouwen heeft doorgebracht omdat papa het leven had gelaten op een Turkse binnenweg, was het een regelrechte knock-out. De gezichten van zijn moeders werden groter en kleiner, de wanden van de serre bogen naar elkaar toe, net als toen hij zijn eerste jointje had gerookt op Uno’s kamer. Voorzichtig ging hij weer zitten, op een krukje bij de deur, met voldoende meters tussen hem en zijn moeders.

Een tijdje zaten ze zwijgend in de donkere serre tegenover elkaar. Hij probeerde te begrijpen wat ze net tegen hem gezegd hadden, maar het lukte niet erg.

‘Warm hè?’ Tatja maakte een slap gebaar naar de schuifdeur, dat ze ’m wel open kon doen, bedoelde ze.

Rex stond op. Wat hem betrof sloopten ze de hele zijgevel eruit, wat kon hem dat schelen? Opeens kon hij de aanblik van de twee niet meer verdragen, de spitse vingers rond de stelen van hun wijnglazen, de angst verborgen achter hun meelevende glimlachjes. Hij liep naar de keuken en zocht zijn schoenen. Op de een of andere manier leek schoeisel van cruciaal belang op dit ogenblik. Langzaam liet hij zich op de grond zakken, zijn rug tegen de handgeglazuurde Marokkaanse wandtegels, en schoof zijn voeten in twee versleten gympen.

De manier waarop ze de zin hadden uitgesproken galmde na in zijn hoofd. De zogenaamde nonchalance van de onvoltooid verleden toekomende tijd in 'zou je het leuk vinden…' was beledigend. 'Leuk' was een dwaze formulering, een woordje voor een aardigheidje. Dit was geen aardigheidje. Dit was serieuze shit. Een vader. Die niet dood was. Wat voelde hij?

Traag strikte hij een veter.

Niets. Hij voelde niets. Het had geen betekenis. Zowat achttien jaar zonder ouweheer hebben gezeten en er opeens een hebben. Kan niet.

Het bijna vrolijk uitgesproken '… als hij nog blijkt te leven' was mogelijk nog vernederender, alsof het gegeven dat beide moeders al die jaren hadden gezwegen, de mogelijkheid openliet om nog een decennium of twee hun mond te houden. Zullen we papa tot leven wekken of laten we hem nog een tijdje op het kerkhof liggen tot die arme Rex de waarheid aan kan?

Hij trok de andere schoen aan. Met zijn vingertop streek hij over het vuile canvas. Hij zou ze eigenlijk in een emmer sop moeten zetten zodat ze weer mooi wit werden. Maar dat zou wel raar zijn, nu, als hij een emmertje ging vullen.

Hij bleef er een hele poos zitten, op de keukenvloer. Gelukkig begrepen Puck en Tatja dat ze beter even niets tegen hem konden zeggen, want er kwam geen geluid uit de serre.

Soms hoorde hij ze fluisteren of hun glas bijvullen.

Hij zou blij moeten zijn. Huilen van geluk, zoals in die televisieprogramma's waarin mensen een verloren gewaand familielid in de armen sluiten. Maar hij was niet blij. Hij hoefde ook niet te huilen.

'Het spijt ons dat we je hiermee hebben overvallen,' klonk Pucks stem ten slotte uit de serre. Kennelijk had ze besloten dat de adempauze lang genoeg geduurd had.

Hij gaf geen antwoord. Het was geen overval. Het was een tackle, een trap onder de gordel, een dolkstoot in de onderrug, alle zenuwen doorgesneden, je spieren buiten werking, maar je ademde nog even door. Zijn vader leefde nog. Het was ongelofelijk. Niet alleen vanwege de onverwachte wederopstanding van zijn verwekker – dat denkbeeld kon hij nog even niet behappen – maar vooral door de leugen die erachter schuilging. Ontelbare keren was het verkeersongeluk in de verhalen van Puck en Tatja voorbijgekomen, altijd vergezeld van de dappere glimlach van de verdrietige achterblijvers, die ondanks het ontzaglijke verlies toch geprobeerd hadden iets van hun leven te maken. Soms had hij liggen janken om het gemis van een mannelijke ouder, met name als hij terugkwam van partijtjes waarop papa's van jarige vriendjes zo leuk iets met touwladders of kano's hadden gedaan.

En nu bleek hij 'm dus al die tijd gewoon gehad te hebben. Een vader.

Puck verscheen in de deuropening. 'We willen het graag uitleggen,' zei ze.

'Ja,' lalde Tatja vanaf haar bank. 'Kom nou even gezellig bij ons zitten.'

Hij was het huis uit gestormd, een orkaan in zijn borst. Vol gas raasde hij naar de stad, grote golven in zijn kielzog. Het was heel anders dan die paar keer dat hij ruzie had gemaakt en boos was weggevaren met het plan om over te steken naar Amerika en nooit meer terug te komen. Onder zijn emoties trilde nu iets berekenends mee. Een kille woede, heette dat. De razernij was koud, in het centrum zat een kolom vrieslucht waardoor hij met vooruitziende blik zijn jas en schooltas van de kapstok getrokken had met zijn portemonnee en bankpas. Honderd meter van het huis zette hij de motor in z'n vrij en keek om. Puck en Tatja waren hem in de tuin aan het zoeken in de veronderstelling dat er nog dingen uitgepraat konden worden. Toen ze merkten dat de vlet was verdwenen tuurden ze een tijdje over het water en riepen zijn naam, maar hij wist dat ze hem niet konden zien en reageerde niet. Duizend vragen woedden in zijn hoofd, maar zij waren de laatsten aan wie hij ze kon stellen. Op de Fondamenta San Girolamo meerde hij af bij het eerste het beste wifi-punt en toetste Amadeus de Ru in op zijn tablet. Dat had hij eerder gedaan natuurlijk, maar veel leverde dat toen niet op, zijn vader was immers overleden in de begintijd van het internet. In de zoekresultaten zocht hij naar een nieuwe aanwijzing.

Drie restaurants, respectievelijk in Wenen, New York en Melbourne, een popmuzieksite met een hitje uit de jaren tachtig, een hotel in Milaan, een musical in Londen, een film van Milos Forman, een krantenbericht over een Nederlandse militair die verdwenen was tijdens een NAVO-missie, een winkel in Amsterdam die gespecialiseerd was in autolak, en tientallen verwijzingen naar het wonderkind Wolfgang. Met de iPad op zijn knieën in het schommelende bootje zocht hij nog een tijdje door, en ontdekte dat De Ru in Nederland zo'n vijftig keer voorkwam, in België vier keer en in Duitsland bijna honderdtachtig. Het was onbegonnen werk. Er was eigenlijk maar één persoon die hem misschien zou kunnen helpen. Maar die woonde twaalfhonderd kilometer verderop.

Rex drukte de uitrijkaart in de gleuf van de slagboomautomaat, met bonzend hart zwaaide hij naar de nachtportier van het parkeerterrein. Er was weinig verkeer, binnen vijftien minuten was hij bij Padua. Veel te hard reed hij de lus in van het klaverblad waar de A4 en E70 samenkwamen, de zilveren flits van de vangrail slechts een paar centimeter verwijderd van zijn buitenspiegel. Hij schrok en bleef een tijdje voor de zekerheid onder de honderd.

Aan Uno (0039489382993O): Vriend, ik heb de VW even nodig, hoop dat je het goed vindt, jij kan 'm toch een tijdje niet gebruiken. Wanneer mag het gips eraf?

Ten noorden van Verona sloeg hij rechts af, richting Oostenrijk. Op de eerste Alpenhellingen zwoegden rechts de trucks met veertig kilometer per uur naar boven, links van hem zoefden de Audi's en BMW's met honderdvijftig voorbij. Uit angst een dodelijke fout te maken, bleef hij een tijdje achter een tankwagen hangen totdat hij zich realiseerde dat zijn reis op deze manier erg lang zou gaan duren. Met natte handen schoot hij de parkeerplaats op van een benzinestation, werkte een worstje naar binnen en verzamelde moed voor de resterende 1150 kilometer. Zijn telefoon zei piep.

Van: mama A (00398578499488)
Waar ben je? Waarom neem je niet op?

'Ze vermoorden me, op de snelweg,' had Tatja geroepen toen de uitnodiging was binnengekomen voor haar eerste internationale expositie. 'Ik ga niet.'

Rex was negen of tien geweest.

'Het is toch maar een klein stukje?' Puck stond met de programmagids in haar hand en liet haar de stadsplattegrond zien van Berlijn. 'Hier, nog geen vijftien minuten, vanaf het vliegveld.'

'Ik ga niet in een auto zitten.'

'We kunnen misschien om een grote vragen. Een Chevrolet?'

'Het kan me niet schelen of het een Renault of een Rolls is, ik doe het niet.'

'Waarom wil mama niet in een auto, maar jij wel?' vroeg hij aan Puck toen ze later die dag op de steiger zaten met hun blote voeten in het water.

'Dat komt omdat we ooit iets hebben afgesproken, samen.' Ze schopte tegen een golfje. 'Dat we er nooit meer in zouden gaan zitten.'

'Waarom niet?'

'Omdat ze gevaarlijk zijn.'

'Toch niet altijd?'

'Ze doen er alles aan om ze aan de buitenkant mooi te maken met golvende lijnen en lakverf. Zodat je niet kunt zien dat het eigenlijk kooien op wielen zijn, en dat er voorin een energievretende machine zit die de passagiers voortsleurt met volstrekt onnodige snelheden. Op een gegeven moment hebben we tegen elkaar gezegd: dat doen we niet meer.'

'Bedoel je zweren?'

'Ja. Alleen heb ik die eed gebroken. Tatja niet. Als het erop aankomt is zij de sterkste van ons twee.'

'Het is wel een beetje raar, hè? Ik ken niemand met zo'n eed.'

'Daarom moet je er ook sterk voor zijn, om je eraan te houden.'

Rex zei niets. Hij vond het moeilijk te begrijpen waarom een moeder die zo bang was voor auto's niet gewoon een zwakkeling was.

Van: mama A (003985784994 88)
Lieve Rex, waar ben je? Het spijt me zo. Bel ajb!

Als ze dacht dat hij ooit nog haar nummer zou bellen, was ze gek. Hij beet op zijn lip en nam zijn eerste Alpentunnel, voor de zekerheid bleef hij op de rechterstrook. Hij voelde zich uiterst kwetsbaar in het kleine autootje tussen de enorme vrachtcombinaties maar het was veiliger dan op de linkerhelft, waar de bolides nog steeds met dubbele snelheid voorbijschoten.

Van: mama B (0039885869968 8):
We snappen dat je boos bent. Waar zit je? We willen het graag uitleggen! Het verhaal over je vader heeft 2 kanten.

Hij wilde die twee kanten helemaal niet horen. Zijn woede was nog niet gezakt. Hij had natuurlijk terug moeten gaan naar Mazzorbo, met de deuren moeten slaan, servies op de grond keilen, opheldering eisen met het mes op tafel, maar nu was het te laat. Hij kon niet meer terug.

Waarom hadden ze gedaan alsof hij dood was? Wist zijn vader dat hij een zoon had? En zo ja, waarom was hij hem dan nooit komen opzoeken?

Vlak voor München leerde hij wat een dode hoek was. Nietsvermoedend volgde hij een richtingbord naar de E60, sorteerde naar links, zijn hart miste twee slagen toen er een gehoorbeschadigende harde claxon klonk en hij in zijn linkerbuitenspiegel de neus van een donkere Audi zag, angstaanjagend dichtbij. In een impuls gaf hij een ruk aan het stuur, schoot over de rechterbaan naar de vluchtstrook, een wiel kwam in de berm, hij pakte een hectometerpaaltje, bonkte over een paar kuilen en kreeg toen weer grip op het asfalt. Trillend en met kloppende keel nam hij de eerste de beste afslag, zette de auto stil achter een benzinestation, en stapte uit. Hij was een stommeling, om in één ruk naar Nederland te willen rijden na een nacht zonder slaap. Hij liep een tijdje heen en weer over de parkeerplaats tot hij enigszins tot rust was gekomen en probeerde een dutje te doen, maar daar was hij toch te opgefokt voor. Hij kocht een maxiverpakking chocoladerepen en een halve liter energydrank, werkte het allemaal naar binnen, zat met wijd open ogen achter het stuur en probeerde zijn angst te bedwingen. Hij moest verder. De Duitse Schnellstraße lag op hem te wachten, een brullende, sissende, veelkoppige slang die hem op zou vreten als hij te traag zou reageren. Hij tankte, maakte de voorruit schoon, en daarna nog een keer en kon er toen niet langer omheen. Kom op lafaard, dacht hij maar bleef vervolgens twintig kilometer hangen achter een truck met een meisje op de achterdeuren. Ze stond onder de douche, haar borsten verborgen achter een sierlijke arm, de druppels op haar huid glinsterden of ze speciaal voor de foto een voor een waren aangebracht. Hij had nog nooit borsten onder de douche gezien, in het echt, en ook nog nooit een achttien meter lange vrachttrailer met drogisterijproducten ingehaald. Toch kon hij niet de hele middag achter het natte meisje aan blijven rijden. Op een rustig en recht stuk snelweg greep hij het stuur stevig vast en trapte het gaspedaal tot op de mat in. De oude Volkswagen sprong naar voren, hij passeerde het douchende meisje zonder ongelukken en keerde opgewonden maar tevreden terug naar de rechter rijbaan. Even later deed hij hetzelfde met een verhuiswagen, een tankauto, een dieplader met stalen T-profielen, een koeltransport van snijbloemen, een vuilwitte truck met kippen en luchtspleten. Hij haalde ze allemaal in. Langzaam verloor hij zijn vrees, af en toe genoot hij zelfs van de snelheid. Door het open raampje hoorde hij boven de bulderende wind zwak gekakel. Nog tien uur tot de Nederlandse grens.

'Opa woont op een plek waar nog niet zo lang geleden tweeenhalve meter water stond.'

Nieuwsgierig had Rex, net elf, door het treinraampje gekeken: groen en plat, zo ver het oog reikte. Met de verrekijker die hij voor zijn verjaardag van Puck had gekregen zag hij hetzelfde: groen en plat. Zo zag de zeebodem er dus uit.

'Opapim komt ons van het station halen,' zei Puck. 'Met de auto. Maar alleen als jij je zakje goed vasthoudt, oké?'

Hij had aanleg voor wagenziekte. Meer dan eens had hij zijn maaginhoud in een geelbruine straal uiteen zien spatten op de hoofdsteun voor hem en had Puck met een sponsje en een eetlepel de achterbankbekleding van de huurauto of taxi moeten schoonschrapen. Tatja zag er een hemelse vingerwijzing in. Haar zoon was, net als zij, niet geschikt voor gemotoriseerd vervoer. Ook deze keer was het treinstation nog niet uit het zicht of hij spuugde zijn gal in een draagtas van Carrefour. De verrekijker hing nog om zijn nek, de braakvlekken op de lens zag hij pas toen ze in Veenhuizerveld waren uitgestapt, zijn opa het ding voor zijn ogen hield, en klaagde dat hij niets kon zien door die goedkope rommel uit China. En hij kon het weten, want hij was marinier geweest. Op zolder bewaarde hij een Amerikaanse nachtkijker in een legergroen en schokbestendig foedraal.

'Met deze jongen heb ik menig Ossie in het vizier gehad,' zei hij grimmig, en bij het raam mocht Rex er even doorheen kijken. Nog steeds groen en plat, alleen zat er nu een lichtgevende kompasroos vlak bij zijn oog. Opapim had zijn hele leven alleen maar geoefend, meestal op de Ginkelse Heide, en soms, als het meezat, op de Noord-Duitse laagvlakte wanneer de landmacht in NAVO-verband deed of de Russen begonnen waren aan de Derde Wereldoorlog. Dat was zijn grootste verdriet geweest, commandant van een reserve-eenheid te zijn die nog nooit tegen een echte vijand was ingezet. Pim had zich, enigszins laat, op het gezinsleven gestort, de foto's van zijn zes geadopteerde kinderen hingen op chronologische volgorde in de hal, net een collectie sporttrofeeën.

'Jongen, wat doe jij hier?' stamelde zijn opa toen Rex 's ochtends vroeg opeens voor zijn neus stond na een hectische autorit van zestien uur.

'Mama heeft het me eergisteren verteld.'

'Wat bedoel je?'

'Dat mijn vader nog leeft.' Zijn stem was iel en onbetekenend op het winderige, lege erf.

'Waar is mama?'

'Ik ben alleen.'

'Met de auto?' Ongelovig keek Pim naar de Scirocco om te zien of Tatja of Puck zich daar misschien verborgen had, voor de lol. 'Maar je bent toch nog geen achttien?'

'Volgende week. Een vader was onderdeel van mijn verjaarscadeau.' Het was cynisch bedoeld, maar het klonk hulpeloos.

'Misschien moeten we even naar binnen gaan.'

'Ik wil niet naar binnen. Ik wil de waarheid weten.'

'Wat heeft je moeder je verteld?'

'Niets.'

'Niets?'

'Ja, of ik het leuk zou vinden als mijn vader nog zou leven.'

'En verder?'

'Verder niks. Ik ben het huis uit gerend. Ik wil niet meer met ze praten. Ze hebben me zeventien jaar voorgelogen.'

Opapim zuchtte. 'Ik heb je vader maar één keer ontmoet. In '93. Bij de begrafenis van oma.'

'Dus voor het ongeluk in Turkije.'

'Ja.'

'Waarbij hij dus niet is doodgegaan.'

'Ik weet niet of ik degene moet zijn die...'

'Wat is er precies gebeurd in Turkije?'

Pim zuchtte. 'Ze waren op vakantie.'

'Was Puck erbij?'

'Ja, Puck was er ook. Ze waren op een uitstapje, geloof ik, met een huurauto. Wat er precies aan de hand was weet ik niet, er was een ruzie, een crisis, ze hadden gedronken, weet ik veel, Tatja heeft me nooit willen vertellen waar het over ging. Zullen we toch maar niet naar binnen gaan?'

*

'Is ie er al?'

'Nee.'

'Godsamme. Het is al tien uur.'

'Hij komt straks wel opdagen. Maak je geen zorgen.'

'Ik heb geen oog dichtgedaan. Jij?'

'Een beetje.'

'Dus jij maakt je ook zorgen.'

'Een beetje.'

'Waarom niet heel veel?'

'Hij loopt niet in zeven sloten tegelijk.'

'Dat weten we niet.'

'Hij zit gewoon in Esmeralda's Heaven.'

'Ik ben er geweest. Daar is ie niet.'

'Misschien heeft ie zich daar verstopt. Hij is boos en in de war.'

'Ja, precies. Dan ga je rare dingen doen.'

'Hij is toch al vaker bij Uno blijven slapen?'

'Vier keer.'

'Nou dan.'

'Toen heb ik ook geen oog dichtgedaan.'

'Jouw probleem is loslaten. We hebben het er al vaak over gehad.'

'Ik heb maar één zoon.'

'Ik ook.'

'Eh, ja.'

'Wat bedoel je daarmee, met eh, ja?'

'Eh… dat het ook jouw zoon is?'

'Vanwaar die aarzeling?'

'Gewoon, ik moest even nadenken.'

'Of het ook mijn kind wel was?'

'Natuurlijk is het jouw zoon, Puck. Zo hebben we het afgesproken.'

'Ik krijg het idee dat je er opeens niet meer zo van overtuigd bent.'

'Jawel, tuurlijkwel. Doeniezogek.'

'Ik doe niet gek. Ik zeg alleen maar wat ik denk.'

'Het is jouw zoon.'

'Ik ben officieel co-ouder.'

'Precies.'

'En for the record: ik was het er niet mee eens.'

'Met wat niet?'

'Dat we Rex op de hoogte moesten brengen.'

'Had je het nog langer willen uitstellen, dan? Misschien tot zijn veertigste verjaardag? Of nog beter: een briefje achterlaten bij de notaris, voor na onze dood?'

'Ja. Dat was misschien het beste geweest.'

*

Rex volgde de gebogen gestalte van Opapim een koele gang in naar de woonkeuken. Door kleine halfronde ramen viel wat grijs licht.

'Wil je thee?' Zijn opa hield een weckfles met blaadjes omhoog. 'Hou je van brandnetel?'

'Ze hadden ruzie, zei u.'

'Je moet het echt niet aan mij vragen.'

'Maar u weet...'

'Het maakt niet uit wat ik weet. Ik heb beloofd mijn mond te houden.'

'Aan wie heeft u dat beloofd?'

'Ik kan er niets over zeggen.'

Rex gebaarde naar de lege polder achter de ramen. 'Niemand komt te weten wat u hier aan mij vertelt.'

'Denk je echt dat het zo simpel is? God hoort alles.'

'Het kan Zijn bedoeling toch niet zijn dat een zoon z'n hele leven door zijn moeder wordt bedrogen?'

Pim zei niets.

Rex keek naar de bleke lippen in het gesloten gezicht. Dezelfde kale ongenaakbaarheid als het landschap waarin hij woonde. Welk geheim deze voormalige reserveofficier en varkensboer ook mocht bewaren over die rampzalige vakantie, hij zou het nooit vrijwillig prijsgeven. Misschien op een Russische pijnbank, hoewel het denkbaar was dat zijn grootvader ook die foltering zou doorstaan.

'Ik heb ook rozenbottel.'

Zijn schouders zakten naar beneden. Hij was voor niets het hele stuk naar Nederland gereden. Hij draaide zich om.

'Je kunt niet zomaar in die auto stappen, je bent niet verzekerd.'

Rex ging naar buiten. Het regende licht. Als hij straks het erf afreed zou er een Italiaans nummer gedraaid worden, zijn moeders zouden in het eerste het beste vliegtuig stappen. Hij moest maken dat hij hier wegkwam.

Pim liep hem achterna. 'Jongen, dat kan toch niet.'

'Jawel hoor, het gaat best.' De motor sloeg moeiteloos aan. Hij reed achteruit en richtte de neus van de vw op de polderweg. Zijn opa kon moeilijk aan de bumper gaan hangen, dacht hij grimmig en gaf gas.

Opapim deed een stap vooruit zodat hij niet verder kon. Met zijn handen in zijn zakken stond hij op het tuinpad. Het begon harder te regenen.

Een tijdje keken ze naar elkaar, door de smerige voorruit, twee cowboys op een verlaten erf, de ruitenwisser deed een machteloze zwiep langs honderden geplette autobahnvliegjes.

Hij is niet eens een echte opa, dacht Rex. Wat weet hij van de onzichtbare en onverbrekelijke band tussen vader en zoon? Hij gaf gas, de auto schoof een meter op, de grille een paar centimeter verwijderd van twee oudemannenknieën. Zijn onechte grootvader bewoog zich niet.

Rex liet het portierraampje omlaag. 'We kunnen zo nog een uurtje blijven staan, mij maakt het niet uit, maar u bent dan zeiknat.'

Geen antwoord.

'Bent u niet bang voor uw benen? Ik heb immers geen rijbewijs.'

Of het door de regen kwam of door de gedachte aan zijn broze onderstel, maar uiteindelijk deed de ander een stap opzij. Hij boog zich voorover, het getekende hoofd op gelijke hoogte met het autoraam.

'Ik kan je niet van je voornemen afbrengen, geloof ik.'

'Nee.'

'Waar ga je naartoe?'

'Ik weet het nog niet. Terug, denk ik.'

'Heb je geld?' Er kwam een versleten portemonnee tevoorschijn van bruin leer.

'Dat hoeft niet.' In Venetië had hij het dagelijkse maximum opgenomen van zijn rekening. Elke dag kon hij tweehonderdvijftig euro pinnen. Er stond nog bijna tweeduizend op.

'Het is onverantwoord om nu weer helemaal terug te rijden. Hoeveel kilometer is dat wel niet?'

'Twaalfhonderdnogwat.'

'Ik zou je heel graag willen vertellen wat je wilt weten, maar ik kan het echt niet doen.'

'Nee. Ja. Ik snap het.' Hij begreep het totaal niet.

'Waarom ga je niet eens praten met je andere opa?'

'Andere opa? Heb ik die dan?'

4 | DEUS

In zijn pyjama keek Deus naar de dienstingang waar de verpleegster was verdwenen en probeerde zijn paniek te bedwingen. Steunend op een vuilnisbak bekeek hij het briefje dat Yasameen hem had gegeven. Gebrekkig Engels, in een rond, vrouwelijk handschrift.

De autoriteiten, las Deus, dachten dat hij zijn geheugenstoornis simuleerde. Het was een kwestie van tijd voordat hij zou worden overgebracht naar een militair ziekenhuis. Daar konden ze naar hartenlust gebruikmaken van chemische hulpmiddelen om zijn herinneringen op te frissen, iets waar dokter Riahi geen toestemming voor wilde geven. Ze kwamen hem dus binnenkort halen. 'Start walking now', stond er. 'Go left after the gate, walk two blocks.'

Als een robot begon hij te lopen. Hij wist zeker dat Yasameen hem in de gaten hield, ergens vanachter een raam. Zijn hoofd bonkte.

De portier in het glazen huisje bij de ingang leek niet bijzonder alert, af en toe keek hij op als er een auto passeerde. Act normal, dacht Deus en strompelde zo gewoon mogelijk de poort uit. Wat kon hem gebeuren? Iedereen in Iran liep rond op slippers en in slobberbroek. Hij wilde geen injecties op een legerbasis, en als hij daarvoor honderd meter moest lopen, was de keus niet moeilijk.

Maar het viel hem behoorlijk tegen. Het terrein van het General Hospital lag op een helling in een tamelijk chique wijk, met ruime appartementsgebouwen van vier, vijf verdiepingen en mooie bomen. Ik loop weer, dacht hij. Na al die tijd horizontaal geleefd te hebben was hij weer buiten, in verticale positie, als een normaal mens. Het leek een wonder, maar niemand besteedde er enige aandacht aan. Voetgangers en voertuigen passeerden zonder te stoppen. Een politieauto draaide langzaam de straat in, maar reed gewoon voorbij.

Hij moest een heuvel op, en na een halve kilometer stond hij hijgend stil op een kruispunt bij een huizenblok tegenover een parkje. Hij had het warm, de lucht was dik en stonk naar uitlaatgassen, in zijn hoofd stak iemand in het wilde weg met een mes in het rond.

Hij had geen idee wat hij nu moest doen. Was dit het goede kruispunt? Om het park stond een ouderwets hek van zwart smeedijzer op een lage muur. In het gras lege sokkels van wit beton. Zittend op het muurtje keek hij om zich heen. De auto's stroomden op de maat van de verkeerslichten langs hem heen, mensen zeulden met boodschappentassen, net als in Amsterdam of Parijs. Nergens zag hij godsdienstwaanzinnige ayatollahs.

Naast hem stopte een aftandse crèmekleurige Peugeot. Een magere jongen van in de twintig boog over de bijrijdersstoel om het portier te openen. 'Mr. Conrad? I am Reza, Yasameens brother. Please get in.'

De auto rook naar komijn en koriander, aan de binnenspiegel hing een kleine gelamineerde familiefoto. 'Welcome to Tehran,' zei de jongen terwijl hij voorzichtig optrok. Hij sprak de plaatsnaam uit als één lettergreep, het klonk als Thraaaan. Hij had een smal gezicht, een beetje verfrommeld, alsof hij net wakker was. Gespannen stuurde hij door het chaotische verkeer, zijn stoel in de voorste stand, zijn neus bijna tegen de voorruit. Misschien heeft hij net z'n rijbewijs, dacht Deus, die een tijdlang niets durfde te zeggen uit angst hem van slag te brengen. Om het ijs te breken vroeg hij ten slotte in het Engels of het gezin op de foto zijn familie was. 'No,' zei de jongen en reed zwijgend verder.

'This car. Belongs to a friend,' vervolgde hij toen ze moesten wachten voor een stoplicht. 'He works for the government.'

'I see. And you? Are you a student?'

Het licht sprong op groen, zwijgend gaf de jongen gas.

'Work, maybe?' probeerde Deus.

De ander zei niets.

'Where are we going?'

Geen antwoord.

Deus zag af van verdere communicatiepogingen en liet zich meevoeren. Wat maakte het uit? Alles was beter dan een militair hospitaal. Hij draaide zich om en keek of ze gevolgd werden door mannen in witte doktersjassen. Dit was niet het geval. Gelukkig maar, want ze kwamen hopeloos vast te zitten op een groot plein.

'I just returned. From a two years' stay in Sebastopol,' zei Reza. Om de haverklap leunde iemand op zijn claxon. Het was Deus niet duidelijk hoe de voorrangsafspraken in deze stad geregeld waren.

'What did you do over there? Study?'

'Cleaning work.'

'Ah.'

'But. I can go to university. Easily. I speak Russian. English. Persian. German, a little bit. Four languages.' Trots stak hij vier vingers op. Ze reden een stukje verder en stonden vervolgens weer stil. 'Tourism is the future. For Iran.'

Deus wist het zonet nog niet. Waar moesten die toeristen dan naartoe? Bustripjes naar uraniumverrijkingsfabrieken?

Een vol uur reden ze door de stad. Straten, auto's, avenues, pleinen, nog meer auto's. De bebouwing was laag. Elke keer dat ze stilstonden voor een kruispunt of een stoplicht vertelde zijn chauffeur iets over zichzelf of over de stad, want tijdens het rijden wilde hij niet praten, vanwege het verkeer.

Autorijden, legde Reza hem uit, was vooral een kwestie van verantwoordelijkheid. Er waren maar heel weinig automobilisten die verzekerd waren, zelfs een kleine aanrijding kon grote gevolgen hebben.

'Your son. He is very responsible,' zei Deus nadat de jongen het geleende voertuig zorgvuldig had geparkeerd voor een lelijke flat en hij in een appartement op de derde verdieping voorgesteld werd aan een gedrongen man met grijs haar en dito baard. Aan zijn zijde een even ronde en compacte echtgenote die, wonderlijk genoeg, geen hoofddoek droeg. 'Very nice apartment,' voegde hij eraan toe terwijl hij om zich heen wees. De kamer werd gedomineerd door een lichtroze, achtzits bankstel waar de plastic hoes nog omheen zat.

De ouders keken hem uitdrukkingsloos aan. Deus liet het maar zo.

Reza schonk thee in. 'They don't speak English.'

Yasameen kwam binnen, gooide haar jas op een stoel, pakte Deus' hand en zei dat ze blij was dat hij het had gehaald. De afdeling was in rep en roer na zijn verdwijning, de beveiliging had iedereen ondervraagd. 'They didn't understand how you managed to get out. How are you feeling?'

'Not so good. My head.' Hij was doodmoe van de autorit en het sightseecollege.

Ze haalde een flesje met blauwe capsules uit haar tas. Deus hoopte dat dit het spul was dat hij de afgelopen weken had gehad, als een junkie draaide hij de dop eraf.

'Be careful. No more than two a day.'

De bebaarde vader schoof geïrriteerd op zijn stoel heen en weer. 'Geen Engels. Niet onder mijn dak,' zei hij in het Perzisch. 'Jullie gast is welkom, uiteraard. Maar waarom draagt hij een pyjama? Waar komt hij vandaan?'

'Uit Nederland. Dat ligt bij Duitsland. Hij blijft een paar nachten slapen.'

'En wat is zijn naam?'

'Conrad.'

'Amadeus,' viel Deus haar in de rede. En in het Perzisch tegen de vader: 'Mijn naam is Amadeus. Ik wil u alvast bedanken voor uw gastvrijheid.' Hij gooide een pil naar binnen.

De vader knikte instemmend, hij leek het normaal te vinden dat hij de taal sprak, maar Reza keek hem verwonderd aan.

'Onze gast is een man van verrassingen,' glimlachte Yasameen. 'But I knew that already.' Met haar vingers raakte ze even zijn knie aan. 'You were talking in your sleep.'

De vader gromde achter zijn baard. Deus kon niet uitmaken of dat bedoeld was voor de hand of voor de buitenlandse woorden.

'Papa. Ik heb deze meneer twee maanden lang verzorgd. En niet alleen zijn knieën.'

'Waarvoor bent u dan behandeld?' vroeg de man.

'Ik weet het niet,' zei Deus. 'Ik kan me veel niet herinneren. Ik wist niet eens dat ik uw taal machtig was.'

'Hij lijdt aan geheugenverlies, papa.'

'Ah. Nog steeds?'

'Ik ben bang van wel.'

'Waarom hebben ze u dan laten gaan?'

'Ze hebben me niet laten gaan.'

'Dus u bent weggelopen. En jij hebt hem daarbij geholpen.' Hij keek zijn dochter streng aan.

'Een beetje.'

'Moge Allah ons genadig zijn, geprezen zij Zijn naam.'

'Ik kon niet anders.' Ze vertelde over de dreigende overplaatsing.

'Als ik het dus goed begrijp was er een kans dat die geheugenproblemen konden worden verholpen, en jullie hebben die kans niet gegrepen?'

'Papa, alsjeblieft. Het is een proces waarvoor rust nodig is, maar daar heeft het ministerie geen geduld voor. Ze willen je volstoppen met drugs en chemicaliën om toegang te krijgen tot je geest. Het kan ze niet schelen hoe het lichaam er daarna aan toe is.'

'En waarom stoppen ze hem niet vol met drugs en chemicaliën in jouw ziekenhuis?'

'Omdat het General Hospital de enige plek is waar internationaal opgeleide artsen werken. Die willen ze niet voor het hoofd stoten, voor het geval ze zelf een keer ziek worden.'

'En wat zou de reden zijn, denk je, dat de autoriteiten zoveel belangstelling hebben voor onze gast?'

'Omdat ze paranoïde zijn.'

'Hoe weet je zeker dat *hij* dat niet is?' Hij keek Deus recht aan.

'Zoals ik al zei, ik heb twee maanden voor hem gezorgd.' Yasameen ging tussen hen in staan, alsof ze hem moest beschermen. 'Hij is geen buitenlandse spion. Hij is alleen de weg kwijt.'

Reza, die zich tot nu toe buiten het gesprek gehouden had, boog zich naar hem toe, pakte zijn handen en zei: 'Vergeeft u onze vader, alstublieft. Hij heeft ons geleerd altijd kritisch naar de feiten te kijken, maar nu gaat hij te ver. U bent onze gast.'

Deus, bang het onderwerp van een familieruzie te worden, bezwoer dat het standpunt van de vader zo gek niet was. Zijn gedrag gaf inderdaad aanleiding tot vragen. Hij begreep zichzelf soms ook niet.

Reza wuifde zijn excuus weg. 'My father is old-fashioned in matters of politics. The government is always right.'

'Geen Engels!' De hand van de vader sloeg krachtig op de tafel.

De jongen die daarnet zo beheerst achter het stuur had gezeten, sprong nu wild op en riep verontwaardigd: 'Maar wat wilt u dan? Iedereen ter wereld spreekt het! Alleen in Iran niet!'

Deus begreep dat Reza niet uit was op diplomatie. De aanwezigheid van een buitenlander gaf hem de mogelijkheid de confrontatie met zijn ouweheer aan te gaan.

De moeder, die zich na de eerste kennismaking teruggetrokken had in de keuken, kwam de zitkamer in met een schaal bladerdeeggebakjes. 'Reza, niet nu. Maak je vader niet boos.'

Het had geen effect. Terwijl vader en zoon ruziemaakten, nam Yasameen Deus mee naar het keukentje. 'Het spijt me dat je hier getuige van moet zijn. Meestal is dit een heel vredig gezin.'

'Het geeft niet.' Het gaf wel, hij geneerde zich.

'Vroeger was dit een grootse natie!' hoorde hij Reza's stem achter zijn rug. 'Jullie hebben van Iran een achterlijk land gemaakt!'

De ouders schreeuwden iets onverstaanbaars terug.

Yasameen glimlachte. Een achterhoedegevecht, legde ze uit, zittend op het aanrecht. Haar vader geloofde in gelijke kansen voor iedereen, hij wilde dat zijn kinderen vooruit zouden komen in de wereld en snapte dat dit zijn dochter niet zou lukken zolang zij een nikab of boerka zou dragen, dus dat hoefde van hem ook niet. Zijn bezwaar tegen het Engels kwam voort uit ongemak, niet uit principe. Hij begreep dat je het nodig had als je wilde studeren, maar voelde zich buitengesloten in gezelschap van mensen die het spraken. Het tastte zijn autoriteit aan. En dat wilde je niet, als gezinshoofd in een kleine flat met twee inwonende kinderen van vierentwintig en achtentwintig. Liberaal of niet, aan het gezag van een vader diende niet getornd te worden.

'U kunt uw hoofd niet in het zand steken, met onze Afghaanse broeders aan de grens die hulp nodig hebben!' riep Reza in de huiskamer.

'Ze zijn radioactief,' schreeuwde de vader terug.

'Dat is overheidspropaganda. Niets daarvan is bewezen.'

'Het is bewezen dat de Amerikanen erachter zitten.'

'U vindt alles wat ze doen verkeerd.'

'Inderdaad. Ik hoef hun hebzuchtige cultuur niet.'

In de keuken glimlachte Yasameen verontschuldigend. 'Mijn broertje wil de wereld veranderen, maar mijn vader wil daar niet altijd aan meewerken.'

'De zoon vermoordt zijn vader.'

Gealarmeerd liet ze zich van het keukenblok glijden. 'Wat?'

'Figuurlijk, dan. Er komt een tijd dat de man die jarenlang god en gids en baken is geweest, opzij moet voor de jongen die op weg is zelf god en gids te worden.'

Tussen haar donkere ogen verscheen een verticaal rimpeltje.

'Ik heb het niet bedacht,' zei hij.

'Wie dan?'

'Eh, de Grieken.'

'Die? Hoe kan dat? Die zijn failliet.'

Dat wist hij niet. 'Hoezo?'

'Een heleboel dingen komen bij ons niet op tv. Maar dit wel.'

Wat had hij nog meer gemist? 'Ik moet me laten behandelen.'

'Natuurlijk. Maar niet hier. In Nederland.'

Hij knikte. Hij moest naar huis, hoewel hij er geen gevoel bij had, bij het begrip thuis. 'Ik zal contact zoeken met de ambassade.' Het was belangrijk om een paspoort te regelen, geld. Een vlucht boeken.

'Ja. Je mag alleen niet vliegen.'

'Hoezo, niet vliegen?'

'Ik zal het je laten zien.' Ze haalde een grote bruine envelop uit haar tas met een kopie van zijn medisch dossier, compleet met vier röntgenfoto's van zijn schedel. Over de afbeeldingen was een soort rasterwerk van genummerde horizontale en verticale lijnen afgedrukt, zoals bij een wereldkaart. Yasameen probeerde de complexe medische tekst samen te vatten. Dokter Riahi had littekenweefsel aangetroffen van twee recente operaties, kleine stickertjes gaven de precieze coördinaten aan. Hoe het met het genezingsproces zat was onduidelijk, maar naar zijn mening was het hersenvlies na de ingrepen niet goed gesloten. Drukverschillen moesten dus vermeden worden. Verder wenste de dokter hem het allerbeste toe. De hiaten in zijn geheugen zouden hopelijk mettertijd verdwijnen, als hij maar niet in een vliegtuig of een onderzeeër ging zitten.

Deus hield de foto's voor de lamp van de afzuigkap, in een poging iets te ontdekken wat de specialist mogelijk over het hoofd had gezien. Hij liep rond met lekkende hersens, en er was niets wat hij eraan kon doen, niet eens naar huis vliegen voor een second opinion. Met geblakerde tanden grijnsde zijn doodshoofd hem tegemoet.

'Je kunt altijd de trein nemen,' zei Yasameen. 'Elke woensdagavond vertrekt er een slaaptrein naar Turkije.'

Deus deed een stapje achteruit. Er was een land dat Turkije heette. Dat was hij vergeten. Er was iets met dat land. 'Geen Turkije,' zei hij.

Ze keek hem bevreemd aan, maar besloot niet verder te vragen. Als een man uit angst voor een ziekenhuiscamera zich onder een laken verbergt, ga je niet moeilijk doen als hij niet naar Turkije wil. 'De boot, dan? Misschien via de Rode Zee en het Suezkanaal?'

Hij slikte. Een boot. In hemelsnaam dan maar.

'We zullen papieren nodig hebben, geld.'

Hij knikte. Morgen ging hij de ambassade bellen.

In de zitkamer hadden de ouders de ruzie beëindigd door Reza naar buiten te sturen. 'Jullie willen dat de wereld stopt met draaien!' riep die nog, voor hij de deur dichtsloeg. 'Maar de volgende omwenteling komt eraan, of jullie het willen of niet!'

Het politieke krachtenveld in de kleine flat was na de mislukte volksopstand van 2009 uitgekristalliseerd in een klassiek patroon: Yasameen en Reza waren voor verandering en hoopten dat de invloed van Khamenei en kornuiten zou verminderen door de hervormingen van een gekozen burgerregering, die meer mediavrijheid zou toestaan. Een volksbeweging zou vervolgens via een vrij internet een definitief einde maken aan de heerschappij van de ayatollahs. Hun vader, die de bezetting van de Amerikaanse ambassade in 1979 van nabij had meegemaakt maar ondanks zijn ingenieursdiploma nooit verder was gekomen dan plaatsvervangend hoofd bij de gemeentelijke kabelbaan, vond dat de democratie had gezegevierd en weigerde te accepteren dat de verkiezingen door de religieuze machthebbers geregisseerde toneelstukjes waren. Bovendien was hij ervan overtuigd dat Iran een sterke man nodig had op het vijandige internationale podium. Dat Reza en Yasameen de regering haatten omdat in hun vriendenkring mensen waren opgepakt en gemarteld door het regime, vond hij onbelangrijk.

Alle drie waren ze overigens van mening dat Iran het recht had om een kernbom te ontwikkelen, niet omdat ze Khamenei een plezier wilden doen, maar uit principe. Als landen als Israël of India en Pakistan 'm mochten hebben, dan zij ook. De moeder vond politiek van ondergeschikt belang en deed er alles aan om de partijen met elkaar te verzoenen, bij voorkeur door fantastisch te gaan koken zodat iedereen vergat waar de ruzie nou eigenlijk over ging. Al met al was het een redelijk liberaal gezin, niemand hoefde buitenshuis een tent te dragen, eigen initiatief werd aangemoedigd, de vader was een gelovig moslim, maar te goedhartig om met de Koran in de hand een tweede of derde vrouw af te dwingen. Als Allah wilde dat ik meer vrouwen zou bezitten, zou Hij me wel aantrekkelijker hebben gemaakt, was zijn berustende instelling. Als zijn vrouw erbij was veranderde hij het tweede deel van de zin in: zou God jullie moeder wel minder aantrekkelijk hebben gemaakt.

Vanwege Deus' aanwezigheid en de toegenomen spanningen in huis aten ze die avond dus soep met rode linzen, gerst en spinazie, abrikozen in lamsgehakt met amandelen, zoete rijst, kipfilet in gelei, gegrild vlees met paprika, plus het bladerdeeggerecht dat 's middags onaangeroerd was gebleven. Om te voorkomen dat het gesprek aan de eettafel opnieuw over politiek zou gaan, vertelde Deus na aandringen van Yasameen iets over zijn familie.

'Ik ben opgegroeid op een kostschool. Wegens omstandigheden,' mompelde hij.

Omdat Yasameens vader onbekend was met het begrip,

vertaalde Deus het met 'madrassa', Koranschool. Hoewel de oude heer snapte dat men in Nederland wellicht ook andere zaken bestudeerde dan het boek van de Profeet, behandelde hij zijn gast hierna met het respect dat hoorde bij iemand die een godsdienstige studie had afgerond.

Het maakte niet uit dat Yasameen aan haar vader probeerde uit te leggen dat hun gast niets met het geloof te maken had, de oude man stelde dat de wereldgodsdiensten in wezen allemaal op elkaar leken en dat hij vereerd was zulk voornaam bezoek te mogen huisvesten. Geheel in de oecumenische traditie maakte Reza daarop zijn verontschuldigingen aan de familie voor zijn onacceptabele gedrag eerder die dag. De vader stond onhandig op, liep met tranen in zijn ogen om de tafel heen om eerst zijn zoon aan het hart te drukken, en daarna zijn dochter, en toen zijn zoon nog een keer. De harige armen grepen ook naar de gast. Deus werd ferm op zijn schouder geslagen, er kwam verse thee en tot slot liet Yasameen ter lering en vermaak Deus' röntgenfoto's rondgaan.

Eerder dan hijzelf had ze in de gaten dat hij begon te knikkebollen en ze bracht hem, voor eventjes weer de afdelingszuster, naar haar broers kamer. Hij was te moe om te protesteren, maar eenmaal in bed kon hij niet slapen en werd overvallen door herinneringen waar hij niet op zat te wachten.

'Mies,' riep zijn vader soms, 'je ziet eruit als een zak aardappelen. Ga toch es rechtop staan, mens.'

'Ik ben moe, Thomas. Ik heb schoongemaakt, gedweild, de was gedaan, de winterkleren uitgehangen, boodschappen gedaan en eten gekookt.'

'Vroeger deed je dat ook allemaal plus dat baantje bij de

bibliotheek en zag je er niet uit als een zak aardappelen.'

'Dat was acht jaar geleden. Ik ben tegenwoordig sneller moe, denk ik.'

'Wat een slap gedoe.'

'Hoezo, slap?'

'We moeten blijven investeren in ons huwelijk. Als we de kantjes eraf gaan lopen is het voorbij voordat we het weten. Straks laat je de wc-deur nog openstaan omdat het te veel moeite is 'm dicht te doen.'

'Ik ben wie ik ben. Sorry.'

'Ik vind dat een vorm van kiezersbedrog. Ik ben getrouwd met een leuke, sportieve meid die politicologie studeerde, niet met een doedelzak.'

En dan sjokte zijn moeder toch naar boven om zich in een mantelpakje te hijsen dat ze eigenlijk niet meer paste en zag Amadeus, hoe jong hij ook was, dat het in de ogen van zijn pa niet uitmaakte. Ze kon hem niet meer behagen.

'Zullen we dit weekend iets leuks gaan doen?' probeerde zijn moeder soms krampachtig.

'Ik moet volgende week naar een congres in Kopenhagen.'

'Nou dan gaan we toch mee? Het is herfstvakantie.'

'Dat lijkt me geen goed idee. Lissabon was niet zo'n succes, weet je nog?'

En dan volgde er een discussie die uit de hand liep. Deus kon het uittekenen, de stemmen werden luider, het praten werd schreeuwen en het eindigde met de voordeur die in het slot viel en een huilende Mies die zich, nog steeds in haar knellende pakje, op de oranje-bruine bank opkrulde en jammerde: waarhebikditaanverdiend, waarhebikditaanverdiend.

Het verklaarde misschien waarom Deus zich vanaf dat

moment ontwikkelde van een aardig en gehoorzaam jongetje tot een ongezeggelijke pain in the ass. Gewoon, om wraak te nemen op een stel ouders die het te druk hadden met elkaar om naar hem om te kijken. Voortaan stond hij vooraan om een zak drop te jatten uit de plaatselijke Spar of iemand op zijn bek te slaan. Het kon hem niet schelen als hij daarbij het onderspit delfde, hij droeg de bloeduitstortingen als eretekens met zich mee, goed zichtbaar dankzij zijn mouwloze T-shirts. Een paar keer haalde zijn moeder hem op van het politiebureau, en soms moest hij praten met een man die hem tekeningen liet maken of puzzels liet oplossen. Hij spijbelde zo vaak hij kon, bleef zitten, zijn moeder huilde zo mogelijk nog meer en zei wat moet ik toch met je, ik heb al genoeg problemen. De enkele keer dat zijn vader thuis was riep die dat zijn brommer zou worden afgepakt als hij zich bleef misdragen, en een vrouw achter een groot bureau liet hem opnieuw tekeningen en rebusjes maken. Een IQ van honderdnegenendertig riep Mies vertwijfeld, waarom doe je daar niets mee, lapzwans, maar het getal zei hem niets, hij was allergisch voor woorden als begaafd en intelligent en wilde liever ergens een steen door een ruit gaan gooien.

De echtscheiding van zijn ouders hing in de lucht, maar werd nooit werkelijkheid.

Thomas, die op dat moment nog niet goochelde met namen en een goede baan had bij een gerespecteerd wetenschappelijk onderzoekslaboratorium, had tijdens de anderhalf jaar durende relatietherapie met Mies geen vorderingen gemaakt. Hij ontkende tijdens de tweewekelijkse sessies stelselmatig dat hij de oorzaak was van de verwijdering waar zijn vrouw over klaagde, hoewel ze haar grieven helder en krachtig kon formuleren: A, hij was nooit thuis. B, als hij een keer thuis was, gedroeg hij zich afwezig. c, als hij thuis was en zich niet afwezig gedroeg, praatte hij alleen maar over wat zij allemaal fout deed.

Thomas' verdediging bestond uit een messcherpe analyse van het huidige tijdsgewricht, waarin vrouwen na de bevochten overwinningen van de seksuele revolutie begrijpelijkerwijs op zoek waren naar een nieuwe rol, terwijl ze tegelijkertijd van de mannen eisten dat die bleven doen wat ze al eeuwenlang deden, namelijk geld verdienen. Volgens hem had Mies last van een irreëel verwachtingspatroon en vervolgens kwam hij met zoveel welbespraakte huiselijke details dat hij de therapeut op zijn hand kreeg.

Mies was zo wanhopig door het gebrek aan inlevingsvermogen van de beide mannen dat ze soms haar stoel omgooide of het bijzettafeltje een trap gaf – uitbarstingen die totaal niet pasten bij haar meegaande karakter. Zijn vader keek daar dan meestal glimlachend naar, maar toen ze de leeslamp van het therapeutenbureau griste om naar zijn hoofd te gooien, was de maat vol en verplaatste de mediator de sessies naar de wachtkamer, waar in de lunchpauze toch geen cliënten zaten en de stoeltjes van onbreekbaar plastic waren.

Niet lang daarna betrapte Thomas zijn vrouw op het aanrecht met het geslachtsdeel van een collega in haar vagina. Uit woede brak hij met een klap van een klauwhamer alle middenhandsbeentjes van deze onfortuinlijke minnaar, waardoor er geen gelegenheid meer was voor een harmonische afwikkeling van de huwelijkscrisis – de wederpartij zat meteen op het spoor van een strafrechtelijke vervolging. Een voornemen dat niet ten uitvoer kon worden gebracht omdat Mies en haar minnaar hand in hand stierven op het asfalt van de startbaan van Tenerife.

Amadeus zat in de vierde klas toen zijn vader die middag het lokaal binnenkwam, bleek en grimmig, alsof hij altijd al geweten had dat vakanties op de Canarische Eilanden levensgevaarlijk waren. Het was de grootste catastrofe in de mondiale burgerluchtvaart, samen met de slachtoffers uit het Amerikaanse toestel kwam het dodental ruim boven de vijfhonderd. Hij hoefde de hele verdere maand niet naar school en werd ondergebracht bij verre familie, letterlijk en figuurlijk, helemaal in Westkapelle, zijn vader vloog eerst naar Tenerife en daarna naar een resort aan de Golf van Akaba om de gebeurtenissen te verwerken, zoals hij zelf zei. Tijdens zijn verblijf in Zeeland lag Deus voornamelijk op zijn bed in het kleine logeerkamertje, luisterend naar de koerende duiven in de dakgoot. De oudtante liet hem met rust, ze was al in de zestig, woonde alleen en bracht het grootste deel van haar tijd door achter de televisie. Huilen deed hij niet, dat was voor meisjes of tweedeklassers. Hij was ook helemaal niet verdrietig. Hij was razend op zijn moeder, die ertussenuit geknepen was met een vreemde man. Die, nadat ze zijn bebloede hand verbonden had in een geblokte theedoek uit hun keuken, op een eeuwige vakantie was gegaan zonder hem ook maar gedag te kussen. Ze had hem overgeleverd aan een onbekwame vader, een man die zelden tijd voor hem had, met een mond die nooit stilstond, ongeduldig argumenterend, klagend, belerend, drammend, die hij bijna nooit had zien lachen, die het immer over zichzelf had, zonder humor, zonder zelfspot, altijd onbegrepen, verkeerd behandeld en onderschat, een vader die niet van voetballen hield of vingerverven, en die nooit vroeg hoe is het nu met jou? Een enkele keer klom pa uit zijn vesting omdat het niet anders kon: een beroerd rapport, een brief van het schoolhoofd, een telefoontje van de wijkagent. In de tirade die Deus dan over zich heen kreeg klonk vooral irritatie door over het feit dat hij, de kleine man, het in zijn hoofd had gehaald om hem, de grote man, te storen met zoiets onbenulligs als ongehoorzaamheid of slordigheid of luiheid. De strafmaatregelen waren vaak draconisch: permanent huisarrest, invordering van drie maanden zakgeld, dat soort dingen, maar het waren holle woorden, aangezien hij geen tijd had voor de handhaving. Over Mies werd een tijdlang niet gesproken, sterker nog, zijn vader was niet eens aanwezig op de herdenkingsplechtigheid in Amsterdam omdat de naam van zijn moeders minnaar ook voorkwam op de lijst. Wij hoeven er niet naartoe, jongen, riep hij vanuit Eilat, je moeder heeft een keus gemaakt en is nu bij Rolf, for better and for worse. Wat hij niet vertelde, was dat de lichamen van de twee geheime geliefden niet geïdentificeerd hadden kunnen worden. Ze waren onherkenbaar met elkaar versmolten.

Deus ging wel naar de herdenking; ook als hij de macabere details had geweten, had hij geen idee gehad over wat hij zich moest voorstellen bij lichamelijke resten. En zo reed hij met zijn tante vanuit Zuid-Beveland naar de Randstad, een rit die hij zich zijn leven lang zou heugen omdat de DAF Variomatic niet harder ging dan zeventig, en ze voortdurend werden ingehaald door bulderende vrachtwagencombinaties. Hij had het gevoel de hele reis in een aanhangwagentje gezeten te hebben, murw en halfdoof luisterde hij naar de burgemeester en de directeur van de KLM, het grootste deel van de plechtigheid ontging hem omdat de nabestaanden van de andere passagiers hem het uitzicht belemmerden, maar hij vond het niet erg. Als je een dierbare moest opgeven kon het eigenlijk het beste via een vliegramp, merkte hij, want het persoonlijke verlies komt in een ander daglicht te staan door de honderden rouwenden om je heen. Net of het minder erg is.

Vier weken na de ceremonie belde pa, nu uit Egypte. Hoe zou hij het vinden om op zeilkamp te gaan, in de vakantie? De oudtante had hem namelijk per brief laten weten dat zijn zoon alleen maar op bed lag.

Kom je niet terug, dan? vroeg Deus, niet omdat hij zijn vader miste, maar hij verlangde naar zijn kamer, zijn spullen, de vertrouwdheid van een huis dat hij kende.

Thomas vertelde dat hij nog even wegbleef, hij was met ziekteverlof, het was niet niks om te dealen met zo'n persoonlijke tragedie, iedereen op zijn werk snapte dat, dus hierna ging hij nog naar Malta, en mogelijk ook nog even naar Cyprus. 'Ik ben zo verschrikkelijk boos, Amadeus, begrijp je dat? Ik kan pas thuiskomen als ik dat een beetje kwijt ben.'

Deus begreep daar alles van en stemde in met de zeilschool. De watersport kon hem gestolen worden, maar alles was beter dan de duiven in Westkapelle.

Brielle was een openbaring. Niet het gedoe met aanleggen en windrichtingen of dat je stuurboord moest zeggen als je rechts bedoelde, maar het gegeven dat hij met vier andere jongeren de hele dag op het water was, dat er meisjes bij zaten die al borsten hadden en dat die nergens naartoe konden op een bootje van vijf bij twee. In de loop van de ochtend ging het windjack uit, de bootschoenen, de trui, de blouse, de jeans, en ten slotte zaten ze in bikini naast hem of tegenover hem, op tien centimeter afstand; hun bovenarm of kuit raakte die van hem. Het waren onbedoelde maar opwindende stripteases, hij vergat zijn moeder op Westgaarde, zijn vader in de woestijn, en binnen twee dagen stond hij achter het botenhuis al te zoenen met een blonde elfjarige schoonheid uit Assen. Het mooiste was dat de meeste cursisten een week bleven, maar hij een hele maand. Elke zaterdag was er aanvoer van verse zwempakjes en hoewel hij qua zeiltechniek niet veel opstak, gold hij na een tijdje toch als veteraan, mogelijk ook dankzij een akkefietje in de eerste week, toen hij een jongen die drie jaar ouder was en die ook een oogje had op de Drentse blondine, in het water had gegooid. Dat de vrouwelijke deelnemers achter deze ruwe bolster in zijn mouwloze shirts een jongen vonden die bezig was de dood van zijn moeder te verwerken, zorgde ervoor dat Deus weinig weerstand ontmoette tijdens de erotische ontdekkingsreisjes die zijn handen die zomer ondernamen.

Aan het einde van de vakantie stond zijn vader gebruind en fit op het parkeerterrein van de zeilschool te wachten totdat Amadeus klaar was met het uitwisselen van adressen. Pa wilde geen Thomas meer genoemd worden, die naam had hij als een oude huid in de schaduw van Cheops afgeworpen. Zijn zuivere ik heette voortaan Reinhart, en ook had hij nu een cabriolet, een tweedehands Triumph die eruitzag als nieuw. Onderweg naar Amsterdam had Deus wederom de sensatie van een aanhangwagen, zij het dat de luchtdruk deze keer veroorzaakt werd doordat hij het vrachtverkeer voorbijstoof, en niet andersom. De wereld zag er fris uit, pas gewassen, hij merkte het aan alles, het colbertje van spijkerstof van zijn vader, het interieur van de auto, de manier waarop Thomas/Reinhart afrekende toen ze even stopten voor een drankje. Ook deze rit zou hij niet snel vergeten, want hoewel hij het destijds niet in de gaten had, werd tijdens de anderhalf uur durende rit naar huis in grote lijnen vastgelegd hoe de nabije toekomst er voor hem uit zou zien. Ik heb veel nagedacht, zei zijn vader, in het Dal der

Koningen en op Malta. Met mensen gesproken, brieven geschreven, dat soort dingen. Ze willen me graag hebben in Melbourne, op de universiteit. Zou je dat leuk vinden? Verhuizen naar Australië?

Eerlijk gezegd leek hem dat helemaal niets, met de adressen van Brigitte, Lauretta en Chantal in zijn borstzakje. Dan zou hij helemaal opnieuw moeten beginnen, onder aan de ladder, zonder vrienden, een taal leren die hij niet kende. Hoe lang zou het dan duren voordat je iemand een grote bek kon geven?

'Ik heb het huis verkocht, ik hoop dat je dat niet erg vindt,' riep Reinhart tegen de wind in.

Dat vond hij natuurlijk wel erg, sterker nog, hij vond het vreselijk, maar dat liet hij niet merken. Het was ondenkbaar dat hij zou gaan huilen, in deze nieuwe wereld, op het rode leer van de twoseater. En toen zijn vader zei dat zijn spullen weliswaar waren ingepakt, maar dat ze er later wel even langs konden rijden, haalde hij zijn mouwloze schouders op alsof het hem niets kon schelen. Hij was nu een volwassen kerel, met vingerervaring, dan ging hij hier niet zitten miezemuizen.

Reinhart negeerde alle snelheidsbeperkingsborden, vloog langs Rotterdam en Delft, en riep boven het lawaai uit dat hij ook naar een internaat kon gaan, natuurlijk, als hij niet meewilde naar Melbourne. Deus wist niet precies wat een internaat was, hij dacht daarbij aan een permanent zeilkamp, met heel veel beschikbare meiden maar zonder die stomme boten. Hij knikte enthousiast.

In zekere zin, dacht Deus, terwijl hij luisterde naar het verkeer in de straten van Teheran, markeerde het verscheiden van Mies het begin van zijn seksualiteit, als een omgekeerde

Oedipus. Suf lag hij een tijdje te kijken naar een popaffiche met Freddy Mercury boven het bed. Hoe kon het dat de dingen uit zijn jeugd allemaal terugkwamen, maar dat hij zich het nummer van zijn bankrekening in Nederland niet kon herinneren?

Hij rolde om en stak een vijgenkoekje in zijn mond. Hij zou hier permanent kunnen blijven, in deze Iraanse jongenskamer waar de pijn in zijn hoofd te verdragen was mits hij niet te veel bewoog en op tijd zijn pillen slikte. En het eten was beter dan in het ziekenhuis. Hij dwong zichzelf op te staan, duwde zich moeizaam een stukje omhoog, liet zijn knieën op het tapijt zakken en hees zich met beide handen op het matras overeind. Iets in de kamer rook naar zweet, maar dat bleek hij zelf te zijn. Terwijl hij steun zocht aan de deurposten in de nauwe gang, ging hij op zoek naar een douche.

Het appartement was leeg, op de vormeloze bult na van Reza, die op het plastic bankstel onder een gifgroene synthetische slaapzak lag, zijn lange magere benen in een ongemakkelijke hoek over de leuning. Toen hij Deus zag sprong hij op. Kon hij ergens mee helpen? Ontbijt? Bed verschonen? Ambassade bellen? Hij deed het alle drie terwijl Deus zich terugtrok in de badkamer. Tevergeefs draaide hij aan de badkraan, een antiek verchroomd geval met een handvat van wit porselein, en vond na enig zoeken een halfvolle emmer water naast de wastafel.

'Te weinig sneeuw afgelopen winter,' deelde Reza mee aan de ontbijttafel. Het stadsbestuur draaide daarom al in de voorzomer om de dag de watertoevoer dicht. Sommige flatbewoners in Teheran sloten om deze reden verticale allianties en investeerden gezamenlijk in waterreservoirs op het dak, vaak in combinatie met zonneboilers. Maar aangezien hun benedenburen soennieten waren en er boven Armeense mensen woonden, was de kans op een waterovereenkomst in hun gedeelte van het complex nihil omdat de soennieten de Armeniërs het licht in de ogen niet gunden en vice versa. Reza's ouders, die het met beide buren goed konden vinden, hadden vele bemiddelingspogingen ondernomen die stuk voor stuk niets hadden opgeleverd. Men behielp zich liever met een emmertje en een washandje dan dat de culturele meningsverschillen werden overbrugd. Verder was de ambassade dicht tot maandag. Wilde Deus in de tussentijd iets speciaals doen?

Dat wilde hij wel. Hij was een beetje opgeknapt door het koude water. Om te beginnen had hij geld nodig. 'Ik moet eigenlijk naar een internetcafé,' zei hij.

Reza bracht hem naar een internetcafé in de buurt van het vliegveld. Het centrum was te gevaarlijk, het risico dat een verkeersagent naar hun papieren zou vragen was te groot. Deus leende het equivalent van tien dollar, googelde 'telefoonboek.nl' en vond het nummer dat hij zocht.

'Miesscher Zonnewende Centrum.'

'Goedemorgen. Ik ben op zoek naar meneer De Ru.'

'Met wie spreek ik?'

'Zijn zoon.'

'Met wie?'

'Zijn zóón,' riep hij. Behalve Reza en de uitbater was de ruimte leeg, toch geneerde hij zich dat hij zo hard moest praten. In plaats van de Bijbelse nadruk had hij de twee woorden willen wegmompelen.

'Een ogenblik.'

Een klik, een muzakje, weer een klik. Een andere stem: 'U wilt meneer De Ru spreken?'

‘Heel graag.’
‘Met wie?’
‘Zijn zoon.’
‘Ah. Hij heeft het af en toe over u gehad. Zat u niet in het Midden-Oosten?’
‘Inderdaad.’
‘Meneer De Ru is er sinds vorig jaar niet meer.’
‘Is hij dood?’ Een flits van een kist met een chagrijnige oude hippie erin.
‘Dood? Nee, nee. Integendeel. In gezamenlijk overleg is hij overgeplaatst.’
Was ie niet meer gek dan? wilde hij vragen, maar in plaats daarvan: ‘Was hij genezen?’
‘Daar ga ik niet over. Hij woont nu op een andere afdeling – met meer begeleiding. Ik denk dat hij het erg leuk zal vinden u te spreken, zal ik u het nummer geven?’

‘Reinhold.’ De onmiskenbare schriele stem van zijn vader, net een half octaaf te hoog, klaar om verontwaardigd verder omhoog te schieten als iets hem niet aanstond.
‘Dag pa.’
‘Ja?’
‘Ik ben het.’
‘Ik hoor het.’
Hij wachtte op de rest; jongen, waar zit je, waar heb je uitgehangen, wat ben ik blij iets van je te horen, maar er kwam niets.
‘Hoe gaat het?’ vroeg Deus ten slotte.
‘Ik krijg om de haverklap bezoek van een coördinatrice die hetzelfde vraagt en dan zeg ik: beroerd.’
‘O.’
‘Ze komen om met me te praten maar volgens mij luiste-

ren ze helemaal niet. Het is erg jammer, want communicatie kan zo zinvol zijn, als het gemeend is tenminste. Waarom bel je?'

'Ik zit in het buitenland.'

'Ja?'

'Eerst wist ik niet welk buitenland, maar nu weet ik dat het Iran is.'

'Ah Perzië. De oude erfvijand.'

'Wat?'

'Dat heb ik je al eens uitgelegd. Als je die dingen niet kunt onthouden, heeft het geen zin ze nog een keer te vertellen.'

'Ik ben wakker geworden in een ziekenhuis in Teheran, geen idee hoe ik daar terecht ben gekomen.'

'Wat is er dan gebeurd?'

'Dat weet ik niet.'

'Je zat toch in Afghanistan?'

'O. Wat deed ik daar?'

'Je wilde er nooit iets over vertellen. Im- en export? Ik was er overigens op tegen dat je ging.'

Im- en export. Het zei hem niets. Het verklaarde wel waarom hij Perzisch kon verstaan.

'Je moeder wilde je een keer meenemen naar Persepolis. Daar heb ik toen een stokje voor gestoken. Wat moet die jongen bij een hoop oude stenen? vroeg ik, maar ze wilde toch haar zin en toen heb ik gezegd over mijn lijk, wat zij best vond, natuurlijk, en ten slotte riep ik over jouw lijk dan, lelijke heks, en toen dreigde ze het meldpunt huiselijk geweld te bellen, maar ik rukte de telefoonstekker eruit enfin, het werd een heel gedoe, maar het eind van het liedje was dat jullie niet naar Persepolis gingen. Ben je nu wel in Persepolis geweest?'

'Nee.'

'Heel goed. Een berg oude stenen, verder niets.'

'Pa...'

'Reinhold.'

Zijn vader experimenteerde met namen. Hij verwees daarbij naar sommige indianenculturen waar je naamloos opgroeide tot het moment dat je iets bijzonders presteerde. Enkele Amerikaanse sport- en muziekhelden gebruikten nog steeds middlenames zoals Johnny Guitar Watson en Mark Action Jackson. Zijn vader vond dat hij voortdurend opzienbarende dingen deed die een tussennaam verdienden, maar de betekenis ontging Deus meestal.

'Ik dacht dat het Reinhart was.'

'Hold is beter. Het bewaren van zuiverheid is een hoger goed dan alleen je hart rein houden.'

'Ik zal het proberen te onthouden.'

'Heel graag. Waarom bel je? Ik heb maanden niets van je gehoord.'

Deus keek naar het draaiende Skypesymbooltje en negeerde het venijn. 'Ik zit een beetje met een probleem.' Het kostte hem moeite, hij had niet gedacht ooit nog eens zo diep te zinken. 'Ik heb geld nodig.'

'Wie niet?'

'Ja, maar ik heb het nu nodig, hier in Teheran.'

'Ze hebben daar vast wel een bank.'

'Ze zien me aankomen. Ik heb geen papieren, ik kan me niet legitimeren.'

'Dus je wilt dat ik geld naar je overmaak.'

'Niet naar mij. Naar de familie waar ik een paar dagen logeer.'

Hij las het bankrekeningnummer en het adres voor dat Reza voor hem had opgeschreven. 'Het is morgen vrijdag.

Ik zou het bijzonder op prijs stellen als je het voor het weekend in orde kunt maken.'

'Ik zal zien wat ik kan doen. Is duizend euro voldoende?'

Met duizend euro zou hij thuis kunnen komen, als zijn lichaam hem niet in de steek liet. 'Dank je wel. Je krijgt het uiteraard terug.'

'Ik krijg altijd alles terug, of ik wil of niet,' antwoordde zijn vader cryptisch en verbrak de verbinding.

'En, heb je iemand kunnen bereiken?' vroeg Reza in de auto.

Deus knikte. 'Het geld is er maandag.'

'Insjallah.'

Op de terugweg nam Reza een kleine omweg om hem het graf van Khomeini te laten zien. De Leider van de Revolutie was bijgezet in een speciaal voor hem gebouwd futuristisch mausoleum aan de rand van de stad: vijf verlichte, hoge torens om een reusachtige groengouden koepel zo groot als een voetbalstadion. Pal naast de internationale luchthaven, de bezoekende toerist wist op deze manier meteen uit welke hoek de wind waaide in dit land. Aan de kant van de weg stonden enorme, twintig meter hoge handen met één gestrekte vinger en één gekromde. Deus dacht dat het misschien de handen voorstelden van de Stichter van de Republiek, met een gewichtige verwijzing naar de Allerhoogste, maar het bleken reclameborden te zijn waarin alleen de zeven meter hoge gsm's ontbraken, vertelde Reza. De nieuwe modellen zouden er waarschijnlijk volgende week per kraan in worden getild.

'De moslims hebben alles verpest,' zei hij terwijl ze in een file stonden voor een hagelwitte moskee die tussen de betongrijze laagbouw stond te blinken in de zon. 'Wij waren een trots en vreedzaam volk. Zoroaster wees ons de weg, tot de Arabieren kwamen met hun gewelddadige profeet.'

Deus glimlachte welwillend, hoewel hij het niet snapte. Ondanks een blauwe pil bonsde en klopte zijn hoofd als een smederij.

'Zevende eeuw na Christus. Mohammed verovert het Midden-Oosten. Opeens moesten we het in een boek opzoeken, wat goed was of slecht. Eeuwenlang had Zoroaster ons onderwezen dat de waarheid niet gevonden kon worden in een geloof, maar in onszelf. Als je simpelweg het goede denkt en doet, heb je helemaal geen godsdienst nodig. Maar al dertienhonderd jaar kunnen we dat niet meer hardop zeggen zonder het risico te lopen dat je hoofd wordt afgehakt.'

De file kwam weer in beweging, er ging een luikje open in Deus' hoofd. Zoroaster. Zarathustra. De filosofie van de übermensch. Hij vroeg zich af of hij het zou vertellen: dat er in de negentiende eeuw een Duitse denker was geweest die het gedachtegoed van zelfmaakbaarheid had omgewerkt tot een beroemd boek waar de nazi's van Hitler vervolgens mee op de loop waren gegaan.

Tot zijn verrassing zei Reza bij de volgende opstopping: 'Het begrip übermensch is nu besmet, maar Nietzsche bedoelde daar hetzelfde mee als de boeddhisten. De verlichte mens wordt zelf god door studie en zelfinzicht.' Ze schoven weer een stukje door. 'Mijn vader begrijpt er natuurlijk niks van.'

Deus knikte. De spanningen in de ouderlijke bovenwoning waren niet alleen het gevolg van een klassieke vaderzoonworsteling, maar ook van een ondergrondse godsdienstoorlog.

De maandag daarop namen Yasameen en Deus een taxi naar een bank in het centrum. De instelling maakte gebruik van een antiek en romantisch zuchtend buizenpostsysteem. Misschien was dat de reden dat het geld van zijn vader nog niet was aangekomen.

'Reinhold.'

'Dag pa, is het nog gelukt met die overboeking?'

'Dat geld. Ja. Ik heb een beetje rondgevraagd, maar wist jij dat er allerlei sancties tegen Iran van kracht zijn?'

'Wat bedoel je precies?'

'Ik kan je geen geld sturen.'

'Wat?'

'Het is verboden door de Verenigde Naties.' De stem klonk hol, echode rond in de cyberspace tussen Amsterdam en Teheran.

'Kom op, pa. Er is vast wel een manier.'

'Ik zou niet weten hoe. Alle financiële instellingen in Iran staan onder staatstoezicht. Straks hacken ze die rekening en gebruiken ze mijn duizend euro voor hun plutoniumcentrifuges.'

'Hoe moet ik dan thuiskomen?'

'Je hebt in Nederland toch nog wel ergens een bankrekening? Je kunt toch eisen dat ze je geld sturen?'

'Sancties. Je zei het net zelf al.'

'Nee hoor, dat heb ik uitgezocht. Je kunt gewoon een kasopname doen.'

'Ik weet mijn nummer niet meer.'

Het was even stil. 'Hebben ze je gehersenspoeld of zo?'

De pijn in zijn hoofd sneed dwars door de blauwe pijnstillers heen. 'Ik zou willen dat ik het wist.'

Dr. Friedrich Miescher Geriatrisch Verzorgingscentrum, stond er, in fletse grijze letters boven de ingang. Daarachter: een troosteloze, grauwe laagbouw in de buurt van het klaverblad A9/A2.

Een verpleger wees hem de weg. 'Ben je hier al eens eerder geweest?'

'Nee,' zei Rex.

'Je grootvader spreekt veelvuldig en openhartig over zijn familie, maar we wisten niet dat hij een kleinzoon had.'

'Dat weet hij ook niet, denk ik.'

Ze kwamen in een lange gang met rauhfaserbehang en pastelkleuren. Na een bescheiden klopje opende de man een deur naast een inschuifbordje waarop met grote viltstiftletters RU was geschreven, de poten van de R en U schoten wild over de rand, als een noodkreet in rood.

In het kleine kamertje stond een oude man gebogen over een geopende verhuisdoos.

'Hallo,' zei Rex.

Met kleine schokjes kwam de ander overeind en rechtte zijn rug, als een houten pop. Een scherp, langwerpig gezicht, een bril in een montuur van metaal op een benige neus, halflang grijs haar dat in sliertjes op de kraag van een smoezelige kamerjas hing. Rex schatte hem op een jaar of tachtig.

De verpleger bleef in de deuropening staan. 'Meneer De Ru, heeft u gevonden wat u zocht?'

'Wat zou er kunnen mislukken met zoiets simpels als zoeken naar een boek?' De stem was hoog, een beetje nasaal.

'Hij zit nu in Begeleid Wonen,' zei de verzorger. 'Het is hier vlakbij. Maar zijn boeken staan nog hier. Dit is zijn oude kamer.'

'De derdepersoonsvervoegingen kun je hier wel achterwege laten, Achmed. Ik ben volledig aanspreekbaar, heel anders dan het rapaille verderop in de gang.'

'Ik wilde alleen maar...'

'En dat jullie het wonen willen begeleiden is geheel en al jullie keuze. Voor mij hoeft het niet.'

'U heeft bezoek. Is dat niet leuk?'

'Dat kan ik nog niet beoordelen, Achmed.' Hij boog zich over een stapel tijdschriften. 'Wie is het?'

'Uw kleinzoon.'

Opnieuw de kleine rukjes, het strekken van de rug, en een kleine stap achteruit, het eenpersoonsbed als een smalle barricade tussen hen in.

'Mijn zoon heeft helemaal geen zoon.'

'Uw naam is toch Bernard? Of Thomas?' vroeg Rex.

'Ik geef de voorkeur aan Reinhold.'

'En uw zoon heet Amadeus?'

De oude man bewoog zich niet.

'Was hij betrokken bij een tragisch ongeval in Turkije, in 1993?' vroeg Rex.

'Wat gaat jou dat aan?'

Het was even stil in het kleine kamertje.

'Zal ik een kopje thee brengen?' vroeg Achmed.

De man negeerde zijn verzorger en kwam achter het bed vandaan. 'Kom mee,' zei hij.

Rex volgde de magere gestalte een lange gang door, op de vloer het zielloze grijze ziekenhuismarmoleum waar incontinentiepatiënten fijn en risicoloos op konden lekken. Om de zoveel meter passeerden ze een schuifelende bejaarde, vastgeklampt aan de stang van roestvrijstaal die over de hele lengte van de corridor liep. Op een overdekt pleintje bij de liftkoker zaten bleke senioren bij elkaar op vuilwit tuinmeubilair, sommigen in pyjama of trainingspak, anderen opzichtig opgetut. Hoofden werden nieuwsgierig omgedraaid.

'Niet terugkijken,' siste Reinhold. 'Die horen bij Mies.'

Rex wist niet wie Mies was.

'We zitten nu op Imca Marina. Mies Bouwman is de afdeling hiernaast. Voor de hopeloze gevallen. Roddelen, dat is het enige wat ze nog kunnen, met hun tandeloze praatorganen. Gedementeerd in hun koffiekopjes roeren en met hulp naar het toilet gaan. Als je daar eenmaal zit is het heel moeilijk om nog overgeplaatst te worden naar een normale unit, ik spreek uit ervaring. Het is een gesloten en deprimerend systeem van alzheimer en uitwerpselen. Alles wat ervandaan komt is onrein.' Ze sloegen een hoek om. 'In de laatste bewonersvergadering heb ik voorgesteld de hele boel daar te sluiten, of een muur neer te zetten van gewapend beton, maar ik kreeg er geen meerderheid voor, helaas.'

Hij loodste hem een ruimte in met gele kuipstoeltjes, buiten zag Rex het parkeerterrein van een transportonderneming. De dreun van de snelweg in de verte kon je dwars door het gelaagde glas heen horen.

'Ik weet eigenlijk niet of ik je wel iets wil vertellen over Amadeus.'

Rex bedwong zijn ongeduld. 'Ik hoef alleen maar te weten of dat ongeluk echt is gebeurd.'

'O ja, dat is echt gebeurd. Zijn vriendin is daarbij omgekomen. Heel tragisch. Maar het is nooit bewezen dat het zijn schuld was.'

'Ik ben de zoon van die vriendin. Ze heet Tatja.'

'Nee hoor, ze had geen kinderen, dat weet ik heel zeker.'

'Ik ben geboren na het ongeluk.'

'Dat is heel bijzonder. Vooral omdat haar stoffelijk overschot is gecremeerd. In Emmeloord.'

'Was u daarbij dan?'

'Nee, ik was bij mijn zoon in het ziekenhuis.'

'En die was niet dood?'

'Nee, hoe kom je erbij?'

'Dat is wat ze me zeventien jaar lang verteld hebben.'

'Wat bedoel je?'

'Mijn moeder, onder anderen. Je vader is omgekomen in de heuvels van Troje, zei ze altijd.'

'Dat klinkt als een heldenepos van Homerus.'

'Mijn andere moeder zei dan meestal: lul niet.'

'Je hebt twee moeders? Hoe heet die andere dan?'

'Puck.'

Reinhold liet zijn armen zakken en ging langzaam op de bank zitten. 'Puck en Tatja,' fluisterde hij, met zijn ogen dicht, alsof hij verblind werd door twee felle koplampen. Opeens een scherpe blik schuin naar boven. 'Hoe oud ben jij dan?'

'Bijna achttien.'

'Achttien.' Hij hield zijn hoofd schuin, scheen iets na te rekenen.

'Dus jouw moeder is niet dood?'

'Nee.'

De twee keken elkaar aan, in de recreatieruimte van het Friedrich Miescher Verzorgingscentrum, grootvader en kleinzoon, allebei een dode op het netvlies die door de ander tot leven was gewekt.

'Ik kan het niet geloven.'

Rex herkende zijn grootvaders reactie, nog geen dertig uur geleden had hij hetzelfde gevoeld. 'Ik wist ook niet wat ik hoorde. Maar dacht u dat ik dat hele eind hiernaartoe zou rijden om u een leugen te vertellen?'

'Waar kom je dan vandaan?'

'Venetië.'

‘O.’ De ander keek naar buiten, ging zitten, zei jezusnogantoe en liep weer naar het raam. Op de snelweg stond een file.

Een tweede verpleger, ook allochtoon, bracht een dienblad met twee kopjes thee en vroeg hoe het ging.

‘Kut op,’ riep Reinhold.

‘Heeft u wifi hier?’ vroeg Rex.

‘Jammer genoeg wel. Ze denken dat het geen kwaad kan.’

Rex klapte zijn iPad open.

Ondanks de slechte resolutie kon hij zien dat ze niet geslapen had. Ze zat in haar officina, haar bleke huid stak scherp af tegen de donkere muur van het atelier.

‘Goddank,’ zei Tatja.

‘Dag mam.’

‘Waar zit je?’

Rex gaf geen antwoord. Ongetwijfeld wist zijn moeder dat hij in Nederland was. Daar had de andere opa wel voor gezorgd.

‘We stonden op het punt de politie te waarschuwen.’

‘Dat hoeft niet. Met mij is alles oké.’

‘Ik heb geen beeld hier. Zet eens aan.’

‘Beter van niet.’

‘Het is heel, heel onverantwoordelijk wat je gedaan hebt.’ Ze begon te huilen.

‘Vind je?’ Koel keek hij naar het kleine vierkantje met de wanhopige moeder, hij voelde een grote afstand, en dat waren niet alleen die dertienhonderd kilometers. Als iemand zich onverantwoordelijk had gedragen, was zij het geweest, met haar angst voor de verbrandingsmotor. Hij draaide het scherm een kwartslag, zodat Reinhold kon meekijken.

‘Het spijt me,’ zei ze. ‘Dat het zo gelopen is. Ik had het me zo anders voorgesteld.’

'Je dacht dat het een blije happening zou worden, een papa in een cadeauverpakking naast een verjaardagstaart?'

'Je bent boos. Dat is heel begrijpelijk. We hebben het niet goed gedaan. Maar kom alsjeblieft naar huis. We zullen je alles vertellen wat je weten wilt.'

'Ik weet het niet, mama.' Hij sprak nu tegen de achterkant van de tablet, alsof hij al offline was, zijn blik gericht op het gezicht van zijn grootvader, die voorovergebogen naar het scherm keek, het blauwe licht van de Skypeverbinding weerspiegeld in de brillenglazen.

'Je moet terugkomen. Je bent mijn kind.'

'Ik weet niet wiens kind ik ben.'

'Rex, alsjeblieft, hang nog niet op.'

'Dag mam.'

'Pokkenwijf,' zei Reinhold.

'Wat? Wie is dat?' vroeg Tatja.

Rex zette de iPad uit en leunde achterover. 'Zo. Gelooft u het nu?'

Schokkerig kwam Reinhold overeind. Een volle minuut stond hij, enigszins zwaaiend op zijn benen, te kijken naar het donkere scherm, achter hem schoof de file een stukje op. 'Pokkenwijven,' zei hij nog een keer en begon mompelend en zacht vloekend te ijsberen. Ten slotte hield hij op en ging langzaam zitten.

'Dus het is waar,' zei hij.

'Ja.'

Ze keken elkaar aan, gegeneerd door het besef dat ze genaaid waren, achttien jaar geleden. Gepiepeld door twee mooie meiden van in de twintig, die inmiddels rond de veertig waren en woonden in een villa bij Venetië.

'Waarom Italië?' vroeg Reinhold na een tijdje.

'In verband met de Lombardische schapen. Ze maakt objecten van wol. Vilt, eigenlijk.'

'Hoeden, bedoel je?'

'Nee, man. Het zijn soms huizenhoge installaties van huiden en haar.' Hij was blij dat hij ergens anders over kon praten. 'Ze maakt ook haute couture, jurken, jassen, ceinturen, oorbellen, sieraden, schaakstukken, dobbelstenen, noem maar op. Ze heeft het complete interieur van het Oval Office nagemaakt, in vilt.'

'Het Oval Office? Het kantoor van de Amerikaanse president?'

'Ja. Ik snap het niet, maar ze heeft er een prijs mee gewonnen. En nu is ze al heel lang bezig met een gigantisch kleed. Een wade, noemt ze het zelf.'

'Een wade? Dat doet me ergens aan denken. Een weduwe aan een weefgetouw.' Reinhold stond op. Met zijn handen diep in de zakken van zijn kamerjas keek hij naar het viaduct in de verte. Op de andere weghelft stond nu ook een rij auto's, witte en rode lichten wisselden elkaar af. 'Hmja,' mompelde hij en trok met een magere schouder. 'Het geheel krijgt klassieke dimensies.' Hij draaide zich om, glimlachte vaag naar Rex. 'Het is niet belangrijk.' Langzaam liet hij zich weer op zijn stoel zakken. 'Je wilde iets weten over dat ongeluk.'

Rex hield zijn mond, bang dat de ander zou worden afgeleid.

'Jouw vader was een antirealist. Hij zag maar een heel klein deel van de wereld, door een vergrootglas zeg maar, en in het brandpunt van de lens stond hijzelf. Als ik met hem praatte had ik het gevoel dat er nog geen vijf procent aankwam van wat ik zei. Hij studeerde taalwetenschappen, maar wist niets van communiceren, terwijl de taal, dat zul je met me eens zijn, de spiegel van de ziel is. Mijn zoon was een gesloten vat, een tombe vol duistere gedachten, hij leefde achter een kluisdeur en op zich zou ik dat nog wel kunnen begrijpen met zo'n loeder van een moeder, ik heb het echt geprobeerd, zeven, acht jaar lang, we lagen op een gegeven moment in scheiding natuurlijk, nooit uitgesproken overigens, want ze stapte ertussenuit, definitief zou je kunnen zeggen, en daar krijg je als jochie van negen uiteraard een opdonder van. Maar een kind moet zich losweken van zijn ouders, bij Amadeus is dat proces gewoon iets eerder begonnen, zeg ik altijd. Hij is ook echt niet de enige, meer dan een derde van alle huwelijken ontploft, eind jaren zeventig waren dat er vast nog meer. Hij was dus in gezelschap van talloze anderen die allemaal wat eerder volwassen werden. Denk je dat al die mensen gemankeerd zijn opgegroeid? Welnee, er zitten succesvolle wetenschappers bij, kunstenaars, politici, ze hadden er juist baat bij dat ze vroeg op eigen benen stonden, laatst legde iemand dat heel goed uit in een talkshow, bij die man die praat alsof tijd geld is. Enfin, in de middeleeuwen kreeg de jeugdige landadel met twaalf al de eerste wapenrusting, maar dat was geen reden om het dag en nacht te dragen, en nu is het helemaal belachelijk om de klok rond je harnas aan te hebben, zeker met alle maatschappelijke hulp die je links en rechts ongevraagd wordt opgedrongen, dus waarom Deus dat deed is me een raadsel. Hij was onbereikbaar in dat eigenhandig geklonken kurasje van hem.'

Hij gooide een koekje naar binnen en spoelde het weg met lauwe thee.

'Hij is naar de beste internaten van het land geweest, ook zoiets, in Engeland is dat volstrekt normaal, een kostschool, je zou denken dat je dan iets opstak van teamgeest, samenwerken en zo, maar nee hoor, Amadeus zat in zijn zelfgebouwde bunker en klaagde erover dat hij met niemand contact kon krijgen. En op de universiteit was het precies hetzelfde. Ik denk wel eens dat ie daarom in drugs is gaan handelen.'

'Wat?'

'Ja, o ja. Dat was zijn communicatiepoortje. Zo heeft ie je moeder in ieder geval leren kennen. Helemaal hoteldebotel, gek was hij op haar. En zij op hem, zeker in het begin, lag ook aan zijn pistool natuurlijk, een Glock meen ik, totdat ze doorkreeg dat zij ook niet aan boord kwam. Dat heb ik natuurlijk allemaal pas later begrepen, van Deus hoorde ik niets. Ik wist bijvoorbeeld pas dat hij Perzisch studeerde toen hij al in z'n derde jaar zat. Goed businessplan dacht ik nog, de papaver komt immers uit die regio, dat zei ik ook tegen hem, eindelijk doe je iets consistents, al is het illegaal. Misschien viel Tatja daar wel op, dacht ik later, op dat criminele kantje van hem.'

Rex had moeite om het bij te benen. Een taalwetenschappende vader in de narcotica. Hij probeerde het zich voor te stellen: zijn wereldvreemde, autofobe moeder die overstuur kon raken van een claxon, aan de zijde van een zwijgzame drugsdealer op de voorbank van een Amerikaanse slee. Zij droeg een netpanty, hij had een schouderholster en zijn elleboog in het open raampje.

'Ik heb haar een paar keer ontmoet,' ging Reinhold verder terwijl hij een tweede biscuitje wegkauwde, 'bijzonder lief meisje, heel anders dan haar boezemvriendin Puck, die op mij tamelijk poolstreekachtig overkwam. Ik mocht haar wel, Tatja, ik vond haar ingetogen, intelligent ook, het was vreselijk dat ze dood was. Ik bedoel ze is dus niet dood, maar toen dacht ik van wel, en ook daar kon mijn zoon niet over praten. Hij wilde het verlies helemaal alleen verwerken, in dat stalen jasje van hem, jaren is hij ermee bezig geweest, allemaal voor niks want ze was in de tussentijd dus gewoon jouw luiers aan het verwisselen. Had hij dat maar geweten.

Hij haalde adem. 'Goed. Dat ongeluk. In het najaar van '92 kreeg je moeder de kans om onderzoek te doen in Italië. Ze deed iets met Etruskische geschriften in een Venetiaanse bibliotheek, ik weet er het fijne niet van, maar ze was een paar maanden weg. Puck ging met haar mee, maar Deus niet; die kon zijn winkeltje natuurlijk niet in de steek laten. Hij vond het moeilijk, afgunstig type, mijn zoon, maar na een paar weken kreeg hij het te kwaad en besloot haar te gaan verrassen. Dat is niet ongevaarlijk kan ik je vertellen, onverwacht je geliefde bezoeken, in het beste geval vind je haar voor de tv op de bank met ongepoetste tanden en haar hand in een zak onionchips, maar het is evengoed mogelijk haar te betrappen in een compromitterende houding met een elektricien, ik noem maar wat. In het allerzwartste scenario tref je haar aan terwijl ze twee anderen een beurt geeft.'

'Met twéé mannen?' vroeg Rex ongelovig. Hij zag een flits van een gescheurde visgraatpanty en twee kerels met gleufhoeden.

'Nee, met Puck. En een zwemkampioen, geloof ik.'

'Zwemkampioen?'

'Hij had iets met watersport, weet ik veel, Tatja werd gemaltraiteerd op een keukentafel – offerblok, offerblok, spuugde Deus toen hij het me vertelde, stikkend van opgekropte spanning en woede – enfin, veel gedoe, je vader vloog linea recta naar huis, jouw moeder er schuldbewust achteraan, trouwens zonder dat Puck het wist, dus die stapte de volgende dag ook op het vliegtuig. Een hele optocht door de lucht, een hoop verbrande kerosine, maar het mocht niet baten. Deus was boos en bleef dat ook. Pas na veel vijven en zessen liet hij zich overhalen voor die wiedergutmachungsvakantie. En dat had hij natuurlijk nooit moeten doen.'

'Hoezo? Verdiende mijn moeder geen tweede kans?'

'Je bedoelt dat iemand die haar partner heeft bedrogen en dat misschien wel bij voortduring had gedaan als ze niet gesnapt was, een herkansing dient te krijgen? Waarom in godsnaam?'

'Iets kan een vergissing zijn. Een misverstand.' Hij wilde het voor Tatja opnemen.

'Je kan het niet echt een misverstand noemen, de lul van een zwemkampioen in je mond.'

'Je kan iemand een misstap vergeven, misschien?'

'Uiteraard kan dat. Ik zeg niet dat Deus zijn lot niet verdiende, ik hoef niet te weten hoe zijn liefdesleven eruitzag, misschien bond hij je moeder aan het bed vast, of onthield hij ook maar vijf procent van wat ze hem vertelde, het kan me niet schelen. Mensen kwellen elkaar onophoudelijk, soms is daar vergeving voor mogelijk, maar niet altijd. Verraad is zo'n dingetje. Je denkt misschien dat het iets voor Griekse tragedies is, dat we daar nu wel toch overheen zijn met onze mobiele telefoons en iPads en iPods, maar dat is niet zo, kan ik je vertellen. Overspel is verraad, omdat de overspelige te beroerd is geweest om de confrontatie met zijn of haar partner aan te gaan en te zeggen: ik hou niet meer genoeg van je. Dat is niet leuk natuurlijk, om zoiets te melden, maar het is de waarheid en de ander heeft er recht op. Als je te bescheten bent om je geliefde deze dienst te bewijzen, en denkt stiekem aan je gerief te kunnen komen met iemand anders, een onenightstand, iemand die je oppikt in een bar of bij de koffieautomaat, laat staan dat er sprake is van een langdurige geheime relatie waarin je als het ware de andere geliefde elke keer in zijn of haar hol neukt zonder dat ie het in de gaten heeft, dan roep je een klassieke wraak over je af, met bloed en dood en de hele mikmak.'

*

‘Hij moet het al die tijd geweten hebben, denk je niet?’

‘Wie? Rex?’

‘Nee, Deus natuurlijk.’

‘O gezellig, we gaan het weer over HEM *hebben.’*

‘Heb jij daar nooit over nagedacht? Ik bedoel, op een gegeven moment moet hem toch iets opgevallen zijn, een artikel, een interview, een advertentie...?’

‘Hij lijkt mij niet het type om buitenlandse modebladen te lezen.’

‘Kom op, Puck, je ziet iets liggen bij de tandarts, vangt iets op tijdens een feestje...?’

‘We hebben de Nederlandse media altijd gemeden.’

‘Heb jij hem wel eens gegoogeld?’

‘Deus? Alsjeblieft zeg! Jij toch ook niet hoop ik?’

‘Nee. Maar ik heb wel eens op het punt gestaan. Jij niet?’

‘Nooit.’

‘Ben je niet benieuwd wat er van hem geworden is?’

‘Totaal niet.’

‘Zou hij mij wel eens gegoogeld hebben?’

‘Waarom zou ie?’

‘Iemand kan een klassenfoto van het atheneum op het net gezet hebben.’

‘Dat kan. Maar dan heeft hij naar je gezocht onder je oude naam.’

‘Denk je?’

‘Absoluut.’

‘Ik ben altijd bang geweest dat ie ons op een gegeven moment zou vinden.’

‘Dom meisje.’

‘Dood meisje.’

‘Dom dood meisje.’

'Dutch Embassy in the Islamic Republic of Iran, how can I help you?'

'Ik spreek Nederlands.'

'I don't understand.'

'I would like to talk to a Dutch speaking staff member, please.'

'Hold the line.'

Terwijl Deus wachtte, luisterde hij naar een synthetische cover van 'Singin' in the Rain'. Na een tijdje hoorde hij dezelfde juffrouw weer die in het Engels zei dat het de Dutch embassy was, toen weer 'Singin' in the rain', en ten slotte kreeg hij inderdaad een Nederlandssprekende medewerker aan de lijn. Hij noemde zijn naam, het feit dat hij zijn paspoort kwijt was en dat hij geen geld kon opnemen.

'U zult nieuwe identiteitspapieren moeten aanvragen.'

'Hoe lang duurt dat?'

'Normaal zes tot acht weken.'

'Wát?'

'Maar op dit moment kan het wel oplopen tot zestien.'

'Dat meent u niet.'

'Alles staat op stand-by sinds vorige week. U weet vast wel dat de Iraanse regering in verband met de situatie in Afghanistan een testlancering heeft uitgevoerd van een nieuwe raket voor de middellange afstand. De ambassadeur is teruggeroepen voor overleg.'

'Meneer, luister. Ik ben mijn paspoort kwijt. Ik heb geen geld. Ik moet terug naar huis voor een operatie. Voor een kasopname bij mijn bank moet ik me kunnen identificeren.'

'Inderdaad.'

'Maar ik kan me dus niet identificeren. Ik heb van jullie dus een noodpaspoort nodig.'

'Het spijt me, de procedure voor zo'n document kost gewoon tijd.'

Zijn hoofdpijn werd erger. 'Hoe moet ik dan aan geld komen?'

Het bleef stil op de lijn.

'Heeft de ambassade niet een fonds voor noodgevallen? Ik betaal alles terug.'

'Nee, helaas niet.'

'Kunt u me verbinden met uw superieur? De attaché of zo?'

'Het spijt me. We werken hier met een minimale bezetting. Wat ik al zei: alles staat op dit ogenblik op een laag pitje.'

'Maar ik ben Nederlands staatsburger. U bent verplicht me te helpen.'

'Ik wil u graag helpen. Daarom adviseer ik u snel een nieuw paspoort aan te vragen.'

'Wat heeft u daarvoor nodig?'

'De formulieren kunt u downloaden van onze site en uitprinten, maar u moet die wel persoonlijk komen inleveren, met vier recente pasfoto's.'

'En dan zestien weken wachten.'

'Inderdaad.'

Hij weerstond de neiging om te gaan huilen en te roepen dat hij wakker was geworden in een Teheraans ziekenhuisbed met een geheugenstoornis en dringend medische hulp nodig had in het thuisland, waar MRI-apparaten waren en echoscopieën, en waar deskundige artsen hem zouden kunnen helpen met zoiets stoms als het herinneren van een bankrekeningnummer, maar in plaats daarvan zei hij dikke lul en hing op.

'Weet jij iets van een raketlancering?' vroeg hij aan Yasameen op de terugweg. Ze waren de enigen in het aftandse taxibusje.

'Ja, het was op het nieuws. De druk op onze regering neemt toe vanwege de situatie in het Midden-Oosten. Wat zeiden ze op de ambassade?'

'Niet echt iets positiefs. Ik kan niet eens betalen voor de rit.'

De bestuurder – een oudere, enigszins flegmatieke heer in een versleten wollen vest – zette het busje stil aan de kant van de weg en draaide zich om naar de achterbank. 'Wat zei u?'

Yasameen trok wat papiergeld uit haar tas en wisselde een paar woorden met de chauffeur. Die wierp een achterdochtige blik op het geld, gaf gas en maakte een U-bocht.

Yasameen klopte ter geruststelling even op zijn knie.

Deus schaamde zich. Waarom deed deze vrouw zoveel moeite? Die paar rial waren voor haar belangrijk. Hij zag het aan de manier waarop de biljetten in haar portemonnee gerangschikt waren, met aparte vakjes voor muntgeld.

'Ik weet niet hoe het nou verder moet.' Somber staarde hij voor zich uit. Iemand was weer bezig met snijgereedschap bij zijn binnenoor, hij nam een killerpil. Ze reden door een deel van de stad dat hij vaag herkende. 'Waar gaan we eigenlijk naartoe?'

'We gaan kijken of we je geldproblemen kunnen oplossen.'

Na een paar minuten stopten ze voor de ingang van het General Hospital. In verwarring keek Deus naar zijn begeleidster.

'Hier wachten we,' zei ze.

'Waarop?'

'Je kunt veel op hem aanmerken, maar hij is een man van vaste gewoontes. Ik heb wel eens meegemaakt dat hij een incisie tijdelijk liet hechten om na de lunch verder te gaan.'

Hij keek omhoog. Boven hun hoofd glansden de groene letters van het ziekenhuis waar zijn wederopstanding had plaatsgevonden, hergeboorte van een onmachtige zuigeling van vijfentachtig kilo die niet eens geld had voor een telefoongesprek. 'Je had me beter hier kunnen laten,' zei hij. Wellicht zou hij dan nu in de kelder van een martelcentrum zitten, maar hij had er wel een paar elektroshocks voor over om te weten wat er de afgelopen maanden was gebeurd.

Anderhalve minuut later kwam hij inderdaad de poort uit wandelen. Riahi droeg een strak gesneden, westers kostuum. Als hij een paraplu onder de arm had gedragen, had hij door kunnen gaan voor een Britse bankier. Yasameen stapte snel uit en stak over.

Deus zag ze even overleggen, en na een korte aarzeling liet de dokter zich meevoeren naar de auto. Hij boog zich naar het open raam. 'Wel, wel. mr. Conrad, ik ben blij te zien dat u zo snel geneest. Officieel was ik uiteraard niet op de hoogte van uw voortijdige vertrek, maar ik had er wel alle begrip voor. Ook ik ben het niet altijd eens met hetgeen onze regering onderneemt.'

'Het is…' begon Deus, maar Riahi viel hem in de rede.

'Ik heb begrepen dat u zelfs onze taal spreekt. Wel is het zaak om ergens anders naartoe te gaan. We willen immers niet dat deze ontmoeting ongewenste aandacht trekt. Is dat een bezwaar voor u?' Hij wierp een onderzoekende blik op Deus, om een indruk te krijgen van het revalidatiestadium van zijn voormalige patiënt.

'Geen probleem.'

Riahi nam ze mee naar een pizzatent in oosterse stijl, op het uithangbord torste een man met een sombrero een halvemaan boven zijn hoofd waarin de letters MARCO in reliëf oplichtten. Het interieur bestond uit een wansmakelijke combinatie van bruingelakte tafels, Arabische tegeltjes en Romeinse zuiltjes van nepmarmer. In een glazen vitrine lagen vierkante deegplakken met gehakt en paprika, maar er waren ook een soort tortilla's met bonen en vleessaus. Het was dus geen maansikkel die de man op de gevel in zijn handen had, dacht Deus, maar het Iraanse equivalent van een Mexicaanse maisomelet. Hij durfde niet te speculeren over de uitkomst van dit internationale gastronomische geweld, zijn eetlust was verdwenen.

'Graag had ik u uitgenodigd bij mij thuis, maar u zult begrijpen dat dit onder de huidige omstandigheden niet verstandig is. En hoewel de keuze van dit etablissement enigszins onder druk tot stand is gekomen en dit niet een plek is waar ik normaliter een gast mee naartoe zou nemen, hoop ik wel dat u mij toestaat u te fêteren.' Hij wees naar de vettige menukaart. 'My treat, zoals onze aartsvijanden zeggen.'

Yasameen en hij bestelden vruchtensap, Riahi koos een burrito Acapulco. 'Een enkele keer bezondig ik mij eraan, een snelle hap uit het Westen. Je moet het niet elke dag doen, maar het is mooi dat het er is.'

Deus wilde zeggen dat het eten uit een willekeurige Nederlandse snackbar waarschijnlijk een stuk beter was dan de lappen karton die hier in de toonkast lagen, maar hield zijn mond.

Yasameen nam een slok van haar sapje. 'De reden dat we naar u toe zijn gekomen...'

'Ik weet waarom. Het antwoord is dat ik het niet weet. In de jaren tachtig heb ik het natuurlijk wel eens meegemaakt toen we in oorlog waren met Irak, verschillende vormen van psychosomatische amnesia, meestal veroorzaakt door een traumatische ervaring. Bent u in een oorlog geweest?'

Deus werd overvallen door de directe vraag. 'Ik dacht van niet.'

'Wat u heeft is, en ik kan het natuurlijk mis hebben, een vorm van retrograde amnesia.' Hij zei het in het Engels, op de een of andere manier klonk het daardoor behoorlijk ernstig. 'We hebben beschadigingen vastgesteld aan de mediale temporale cortex. Het is onbekend wat ze met u gedaan hebben, maar het gebeurt vaker, partieel geheugenverlies als gevolg van een hersenoperatie.'

Deus knikte, onzeker. Was dit waarvoor Yasameen hem had meegenomen?

'Partieel betekent dat het zou kunnen dat u zich wel de haarkleur van uw geliefde kunt herinneren, of de geur van haar parfum, maar niet haar achternaam of telefoonnummer, omdat die informatie op een andere plaats wordt bewaard. Over het algemeen zijn gebeurtenissen die zijn opgeslagen in combinatie met een gevoel iets toegankelijker.'

Het eten werd gebracht. 'Het gebied rond de hippocampus vertoont veel overeenkomsten met een computer,' zei Riahi terwijl hij de Acapulco in drie stukjes sneed. 'Als de bedrading is aangetast of een gedeelte op de verkeerde plek ligt – het hoeft maar een minieme wijziging in het weefsel te zijn – kunt u zich wel dingen herinneren die zijn opgeslagen in uw langetermijngeheugen, maar recentere data zijn dan niet beschikbaar. Soms is het echter mogelijk, net zoals bij een harde schijf die een opdonder heeft gehad, dat iets plotseling terugkomt, zonder enige aanleiding, en vaak ook zonder enig verband. Volgens sommige studies kunnen ontspanningsmiddelen als alcohol of cannabis dit proces versnellen.' Hij nam een hap. 'Hoe het ook zij, in Europa zullen ze u beter kunnen behandelen dan ik.'

Deus knikte weer.

'Derhalve raad ik u sterk af te gaan vliegen. Misschien over zeven, acht maanden, als het littekenweefsel enigszins hersteld is. Enfin, ik heb dit allemaal ook aan Yasameen verteld.' Hij nam weer een hap.

'Inderdaad. Intussen heeft meneer Conrad onze hulp nodig.' Ze legde een hand op zijn arm. 'Zoals u weet hebben we hem gevonden zonder papieren. Hij heeft geen geld, geen familie die hem kan helpen en de ambassade kan momenteel niets voor hem doen vanwege de sancties.'

Riahi stopte het laatste stuk burrito in zijn mond. 'Het is op.'

'Maar...'

'Het geld. Het is op. Nagenoeg.'

Deus begreep er niets van. 'Welk geld?'

Verrast hield de arts op met kauwen. 'Weet hij het niet?'

'U stond erop dat ik het aan niemand zou vertellen.'

'Wat mocht je niet vertellen?'

'Toen u bij ons werd binnengebracht had u twintigduizend dollar bij u,' zei Riahi droog.

'Wat bedoelt u?'

'Toen ze u vonden bij de vuilcontainers.'

'Ik dacht dat ik naakt was.'

'U had ondergoed aan.'

Deus keek naar het plafond. Twintig mille. In zijn onderbroek.

'Op de envelop stond: "Schuld Vereffend", in het Arabisch. Met viltstift. Ze hebben de beelden van de beveiligingscamera's bekeken om te zien wie u daar heeft neergelegd, maar zonder resultaat.'

'Heeft u die envelop nog?'

Riahi leunde naar achteren, stak een arm op en bestelde een pizza Mediterrané, met tonijn. 'Ik kan het niet helpen,' zei hij verontschuldigend. 'Het is sterker dan ik. Het zal wel met een diepe en onbewuste destructiewens te maken hebben, want als geneesheer weet ik natuurlijk maar al te goed hoe slecht de Italiaans-Mexicaanse fastfoodkeuken is voor het vasculaire systeem. Die envelop heb ik helaas weggegooid, het was een soort pakpapier, bruin, er zaten twee elastiekjes om.'

'En waar is dat geld gebleven?'

'Ah. Weet u wat bij ons een ziekenhuisbed per dag kost? Rond de tweehonderd dollar, sommige expats die het kunnen betalen worden voor het driedubbele aangeslagen, en u lag ook nog eens apart, een hele kamer voor u alleen. Plus een intensieve behandeling, zeker in die eerste weken. Twee operaties, anesthesie, verpleging, laboratoriumkosten, psychiatrische hulp, noem maar op.'

'Volgens mij was die psychiater door de overheid ingehuurd.'

'Mogelijk. In ieder geval is het geld op. Waarom denkt u dat ik u heb laten gaan?'

'Ik dacht omdat u het ministerie van Informatie dwars wilde zitten.'

'Mijn waarde heer, ik zet me in voor de medische wetenschap, mijn politieke standpunten hou ik zo veel mogelijk voor me. Ik heb u beter gemaakt, althans beter dan u was toen u op mijn afdeling werd afgeleverd. Uiteraard had ik het bedrag ook voor mezelf kunnen houden, of althans kunnen delen met de verpleegster hier, want zij was het die het in uw ondergoed aantrof.'

Ze hadden hem dus behandeld tot hij het niet meer kon

betalen, dacht Deus. Wie was die gulle gever geweest? Dezelfde die in zijn hersens had laten graven? Hadden ze hem gewassen voor ze hem voor dood hadden achtergelaten, of had hij als een bedelaar in zijn eigen viezigheid gelegen? Wat had Yasameen aangetroffen? En waarom twintigduizend en geen zestig, of drieduizend? Welke schuld werd ermee afgelost?

De pizza werd gebracht, maar Riahi sloeg er geen acht op. Met professionele belangstelling keek hij naar Deus, die op zijn beurt mijlenver van Marco's eetgelegenheid rondzweefde in een knarsende wereld van louter vraagtekens.

'Weet u wat we doen?' besliste Riahi terwijl hij de eigenaar beduidde de pizza in te pakken. 'Ik geef u het resterende geld terug. Ik meen dat het rond de zeshonderd dollar is. Zo te zien heeft u het harder nodig dan ik, en die rekening voor uw laatste bloedonderzoek moffel ik wel weg in de ziekenhuisadministratie. Ik zal het bedrag morgen overhandigen aan Yasameen. Op één voorwaarde. Dat u mij op de hoogte houdt van de ontwikkelingen. Ik ben bang dat ik net zo nieuwsgierig ben als u naar de toedracht van uw aandoening.' Hij keek erbij of het allemaal een goede grap was.

Buiten namen ze afscheid. Deus keek Riahi na terwijl hij met energieke pas wegliep, de doos met de pizza uit de Middellandse Zee onder de arm.

Hoewel zijn financiële moeilijkheden dus ten dele waren opgelost, en Yasameen opgetogen thuis over de ontmoeting met Riahi vertelde, kon Deus niet delen in de vreugde. Hij had het gevoel er een probleem bij gekregen te hebben. Met een stekende pijn bij zijn linkeroor ging hij op bed liggen en probeerde zich te herinneren waarom het getal 20.000 bleef rondspoken in zijn hoofd, als een lichtsnoer met flikkerende lampjes dat overal achter bleef haken.

Toen Yasameen de avond erna inderdaad thuiskwam met 567 dollar, gaf hij meteen twee vijftigjes aan de heer des huizes. Reza kreeg hetzelfde bedrag en beloofde de tickets te regelen voor de nachttrein naar Istanbul op woensdag. Deus had nog steeds een aversie tegen Turkije, en nog steeds wist hij niet waarom, maar het was de beste en goedkoopste manier om zonder papieren het land uit te komen.

Die avond nodigden Yasameen en Reza hem uit voor een vriendenfeestje.

'Onze gast gaat niet mee,' riep de vader. 'Hij is herstellende van een ernstige aandoening.'

'Het gaat best,' zei Deus. Hij voelde zich inderdaad beter. Weliswaar was hij niet in een feeststemming, maar hij wilde geen spelbreker zijn.

'Hij is twee keer zo oud als jullie!'

'Maar papa, dat maakt niets uit. Onze vrienden willen heel graag een keer praten met iemand uit Europa.'

En zo was het. Ze namen hem mee naar een besloten club in een buitenwijk, met een dansvloer en gedempt licht en een dozijn mensen die met hem wilde praten. Over zijn visie op religie, zijn mening over de Iraanse buitenlandse politiek, de hoogte van zijn maandsalaris, en of het waar was dat je in Europa geld kreeg van de regering als je een film of toneelstuk wilde maken.

'Het komt voor.'

'Krijgen jullie duizend dollar per maand van de staat als je vijfenzestig bent?'

Hij kon het niet ontkennen. Vragen over ziektekosten, autolease, sociale woningbouw, vrije pers, het aantal televisiekanalen; met een grote Sinterklaasglimlach probeerde hij ze allemaal te beantwoorden, voor zover hij het zich kon herinneren. Het was de eerste keer sinds lange tijd dat hij op deze manier onder de mensen kwam en hij genoot van de aandacht. Met twintig man en drie auto's reden ze rond middernacht naar iemands flat, de gordijnen gingen dicht, de hoofddoekjes af en de wijn open. Hij vroeg hoe dat kon, qua religie; een jongen met lange zwarte krullen gaf hem een glas en zei: 'je moet eens gaan rondkijken bij een willekeurige studentenflat, op donderdagmiddag,' vertrouwde hem toe. 'Iedereen loopt dan te sjouwen met rinkelende zwarte vuilniszakken.' Allah was geen politieagent. Je moest Hem toelaten in je hart, en dan kwam het vanzelf in orde; seks en drank waren vooral een zaak van je eigen geweten. Ze praatten over de sjah, die niemand had meegemaakt, maar die ze haatten uit de grond van hun hart, over Khomeini die ze zo mogelijk nog dieper haatten omdat die de Revolutie van '79 had gekaapt met zijn religieuze fanatisme, over de toekomst van Iran, dat ze zonder uitzondering allemaal het mooiste land ter wereld vonden. Deus voelde zich opgetild door jeugdige opwinding. Zijn hoofdpijn was verdwenen. Hij nam nog een glas wijn.

'Het toerisme,' riep de jongen met de krullen, 'is de sleutel naar economische vooruitgang en liberalisering. Waar hotels en musea en natuurschoon zijn, ontstaan verplaatsingen, worden vliegvelden gebouwd, wegen aangelegd, zijn er taalinstituten en gidsopleidingen nodig. Het is voor de Iraanse bevolking essentieel om buitenlanders te ontmoeten.' Hij hief zijn glas naar Deus, die daarop een korte toespraak hield over het warme onthaal dat hem hier te beurt was gevallen en vervolgens in een nieuwe discussie belandde over de kansen die de jonge generatie gemist had tijdens de Groene Revolutie, een opstand die in feite nog steeds aan de gang was, zij het ondergronds, en de inspiratiebron was geweest voor de Arabische Lente die de regimewisselingen mogelijk had gemaakt in de hen omringende landen.

Een meisje met een woeste bos kastanjebruin haar, dat haar geschiedenis kennelijk op orde had, riep dat dit de ironie van de remmende voorsprong was.

Deus wist niets van een lente in het Midden-Oosten, maar kon dat met goed fatsoen natuurlijk niet toegeven. Draaierig accepteerde hij een glaasje whisky.

'Onze oorspronkelijke cultuur is verwoest,' zei ze hees in het Engels. 'Dertienhonderd jaar geleden. Door de moslims.'

'Echt waar?' vroeg hij alsof hij het voor het eerst hoorde. Hij wilde niet dat ze dit meisje iets aandeden. Ook niet als het dertien eeuwen geleden was.

'Van oudsher ligt Perzië op een kruispunt van de handelsroutes tussen Europa, Arabië en India. Maar niemand is er hier rijk van geworden. We werden gebruikt, we waren zoroastriërs, we waren verleerd hoe we moesten vechten.' Als ze zich opwond boog ze bij elke klemtoon door haar knieën. 'Eerst liepen de Grieken over ons heen, toen de Parthen, de Arabieren, de Mongolen en ten slotte de Turken. We waren de hoer van het Midden-Oosten.'

'Men zegt dat de Perzische vrouwen de mooiste vrouwen ter wereld zijn.'

'Misschien. Het zou de verklaring kunnen zijn waarom de islam zo populair is geworden onder de mannelijke bevolking. Het gaat allemaal over onderdrukking, ik heet trouwens Imène.'

'Dus jij bent niet zo gelovig?' vroeg Deus terwijl hij zijn glas leegdronk.

'Natuurlijk wel. Religie wordt door iedereen anders beleeft. Ik draag mijn eigen versie mee.'

'Zonder de onderdrukking, neem ik aan?'

‘Soms is een beetje repressie wel lekker.’

Hij wist niet zeker of hij het goed hoorde, hij stond te zwaaien op zijn benen, zijn lichaam was de alcohol ontwend, en hij moest opeens heel erg nodig gaan zitten. Yasameen kwam naar hem toe om te vragen hoe het ging.

‘Prima.’

‘Je mag geen alcohol. Dat weet je toch?’

‘Tuurlijk.’

Imène bracht hem naar het keukentje en zette het raam open voor wat frisse lucht. Een verkeersvliegtuig met knipperende lichten vloog laag over de stad.

‘Denk jij dat het zin heeft om je met geschiedenis bezig te houden?’ vroeg hij. ‘Ik vind het altijd nogal deprimerend.’

‘Natuurlijk heeft het zin!’ Ze sprong omhoog. ‘De identiteit van een natie vindt haar oorsprong in het verleden. Wie zal zich over honderd jaar nog Khamenei herinneren? Maar de bouwwerken van Darius en Xerxes staan er in 2100 nog steeds.’

Hij vond het vermoeiend om naar haar te kijken, haar lichaam ging op en neer als een jojo.

‘Ik ben van plan een buitenlandse beurs aan te vragen voor mijn master,’ zei ze zonder overgang.

‘Wat voor master?’

‘Informatica. Probleem alleen is dat ze je ervoor moeten uitnodigen.’

‘Wie?’

‘Maakt niet uit. Een instituut of een universiteit. Veel wetenschappelijke opleidingen hebben daar budget voor. Bestaat dat niet in Denemarken?’

‘Ik zou het niet weten. Waarom Denemarken?’

‘Daar komt u toch vandaan?’

‘Nee hoor, uit Nederland.’

'O. Nederland. Bestaat dat systeem van buitenlandse beurzen niet bij jullie?'

'Vroeger wel, dacht ik. Wil je dat ik dat eens uitzoek, als ik terug ben?'

'Graag.'

Hij knikte. Daar ging het dus om. Daarom stond ze zo geïnteresseerd met hem te praten in een morsig buitenwijk-keukentje. Hij was een ticket naar Europa. Zou dat ook de reden zijn waarom Yasameen zich over hem had ontfermd?

'Het is natuurlijk een tijdje geleden dat ik zelf studeerde,' zei hij, om geen verwachtingen te scheppen.

'Waar was dat?'

'In Amsterdam en Leiden. Taalwetenschappen,' zei hij tot zijn verbazing. Hij had er niet bij nagedacht, het borrelde vanzelf op, en in het bellenspoor van de gedachte werd hij overspoeld door een verwarrende reeks beelden en gevoelens. Twee paar vlechten in een collegebank, twee meisjes op een fiets, een euforische nacht met dezelfde meisjes boven een horizontale spiegel in een badkamer, een opwindende scène waar de twee met elkaar lagen te vrijen op een keukentafel tot hij zag dat de man die erbij zat niet hijzelf was, een ruzie onder een zoldertrap, een wilde rit door heuvelachtig terrein die eindigde in een zwart gat waar ze gedrieën met auto en al tollend in verdwenen.

Hij vond zichzelf terug op de vloer van de wc, steunend op zijn ellebogen, zijn knieën op het geribbelde porselein aan weerszijden van een gat in de vloer. Zijn maag schokte zich leeg, een lint roze braaksel liep vanaf de drempel tussen zijn benen door naar de afvoer. Hij wist het weer. Hij wist waarom hij in het Midden-Oosten was.

'Jouw vader,' zei Thomas/Bernard/Reinhold, 'is een mislukkeling. Altijd al geweest, eigenlijk. Het geslacht van de De Ru's gaat ver terug, oeroude landadel zeg maar, een fiere familie, ontstaan bij het eerste hanengekraai van de genealogie. Maar jouw vader is een minkukel.'

Rex zei niets, keek naar de benige, okerkleurige handen vol ouderdomsvlekken die de dop van een gifgroene thermosfles draaiden. 'Een softe slapjanus, een jammeraar. Je wilt geen koffie zeker?'

'Nee, dank u wel.'

'Er zit cognac in.'

'Nee, echt niet.'

'Koekje?' Een hand verdween in de slobberige kamerjas en kwam terug met een aangebroken pak biscuit. 'Ik heb altijd een eigen voorraadje bij de hand, ze hebben hier een consequent uithongeringsbeleid. Wekelijks moeten er mensen aan het infuus met ondervoedingsverschijnselen, maar dan is het meestal al te laat. Het management mikt op een hoge omloopsnelheid, bejaarden er verticaal in, en zo snel mogelijk er horizontaal weer uit.'

Rex accepteerde een koekje. Buiten werd het donker. Lange slierten auto's stonden stil op de snelweg. Hij voelde zich verloren, met deze onaangepaste, smoezelige oude man tegenover hem. 'Weet u waar mijn vader is?'

'Ik heb hem vernoemd naar de stamvader van de Savoies.'

'Ik begrijp het.'

'Je begrijpt er niets van. Jij denkt natuurlijk: ik moet deze mafkees te vriend houden, anders vertelt hij me niet wat ik wil weten.'

'Neenee, ik dacht alleen...'

'Je hoeft mij niet te vertellen wat je denkt.'

Rex hield zijn mond.

Tevreden leunde Reinhold achterover. 'Amadeus was de eerste hertog van Savoie. Ben je wel eens in de Savoie geweest?'

'Nee, sorry.'

'Het ligt tussen Frankrijk en Italië. Prachtig gebied. Bergen. Wijn. Handelsroute naar Genua. Strategisch nogal fijn als je het in handen hebt. Amadeus van Savoie was twintig toen hij Frankrijk op de knieën dwong. En begin dertig toen hij de Turken verdreef uit Gallipolli.'

Rex knikte beleefd.

'Maar mijn zoon hield niet zo van die naam. Hij noemde zichzelf Deus. Je snapt zeker wel welke hovaardij daaruit spreekt.'

Hij knikte weer.

'Jij gelooft dat als je maar geduldig luistert dat deze ouwe lul vanzelf wel vertelt wat er gebeurde, zeventien jaar geleden in Turkije, met de man die zichzelf God noemde.'

'Inderdaad.'

'Waarom?'

'Waarom wat?'

'Waarom moet je dat weten? Wat maakt het voor verschil? Over het algemeen worden we niet wijzer door kennis van het verleden.'

'Ik heb toch recht om te weten waar ik vandaan kom?'

'Hou toch op. Iedereen denkt dat het zin heeft, iets te weten over je afkomst, de geesteswetenschappen voorop. Het is belangrijk voor je identiteit, zeggen ze, blabla. Adoptiekinderen die na vijfentwintig jaar naar Venezuela afreizen om hun biologische ouders op te sporen, allemaal quatsch. Identiteit hoef je niet te zoeken, die zit de hele tijd in je. Je moet het alleen een schop geven zodat het wakker wordt.'

Hij knikte, hoewel hij het idee had dat er op deze stelling wel het een en ander af te dingen was.

'Als je dan echt moet gaan spitten naar je afkomst, kun je Amadeus beter overslaan.' Reinhold trok de koekjes naar zich toe. 'Hier zit de bron. Ik ben het familiehoofd. Jij stamt van mij af, dat moet voldoende zijn.'

Rex was van zijn stuk gebracht. 'Ik wil alleen maar weten...'

'We hoeven niets te weten van onze oorsprong. Het is een deprimerende, treurige lijn naar beneden. We leren er niets bij, we maken dezelfde fouten als onze ouders. In het belang van de menselijke soort zeg ik: hoe minder we weten, hoe beter.'

Rex glimlachte onzeker.

De ander hield zijn hoofd schuin, leek hem te observeren met ogen die nauwelijks zichtbaar waren in de geplooide gezichtshuid achter het brilmontuur. 'Ben jij in staat om die spiraal te doorbreken?'

Hij wist niet wat hij hierop moest zeggen. 'Voor mij is het belangrijk om de waarheid te weten,' zei hij ten slotte. 'Mijn moeders hebben die een heel leven voor me verzwegen.'

De ogen in het gerimpelde hoofd gingen dicht. 'Moeders zijn leugenachtige sekreten. Ze zijn de kanker in elke gezonde familielijn.'

Rex nam een knabbeltje van zijn biscuitje.

'Er was ruzie geweest,' zei het hoofd langzaam. 'Je vader had je moeder betrapt terwijl ze iemand lag te pijpen en een ander aan haar snee liet likken.'

Rex stopte met knabbelen.

'Het was de bedoeling dat die vakantie in Antalya een nieuwe start zou zijn, of zoiets. Alsof dat iets zou uithalen.

Wat we elkaar aandoen kan niet worden uitgewist. Onze ziel zit vol remsporen.'

Rex legde de rest van het koekje terug. 'Ze kregen dus een ongeluk,' zei hij in een poging het gesprek in een meer concrete richting te sturen.

'Heb je haast? Is het te abstract voor je?'

Hij zei niets.

'Als je wilt weten wat er gebeurd is zul je geduld moeten hebben. Heb je een beetje geduld?'

'Ja, ja, natuurlijk.'

'Denk jij dat er zoiets als één waarheid bestaat?'

'Ik weet het niet.'

'Wat weet je niet?'

'Eh, de werkelijkheid is vaak minder zwart-wit dan we denken, het hangt af van de interpretatie van...'

'Er is maar één waarheid. Uiteraard is het zo dat er van een bepaalde gebeurtenis verschillende percepties kunnen bestaan, maar er is altijd maar één feitenrelaas. Eerst dit, toen dat. Causaliteitsbeginsel. Pure natuurkunde. Onthou dat.'

'Oorzaak en gevolg, oké.'

'Het hele plan om naar een ander land te gaan en daar je relatie te gaan redden, was natuurlijk onzinnig. Weer een hoop kerosine verspild. Deus had er nooit mee moeten instemmen, als je eenmaal genaaid bent zoals je moeder met je vader deed, ben je aangeschoten wild en blijf je je leven lang kreupel, dat had hij moeten weten toen hij achter het stuur ging zitten van die Renault Clio.' Grommend drukte hij zich op uit zijn stoel. 'Ik moet even pissen.'

Rex keek hem na terwijl hij de deur uit schuifelde. Hij moest aantekeningen maken, de voicerecorder van zijn telefoon aanzetten. Het was veel meer dan hij had durven hopen, maar in hoeverre kon hij erop vertrouwen dat de ander de waarheid sprak?

Reinhold kwam terug, zijn broek nog open, en begon al terwijl hij nog in de gang stond. 'Nou, ik heb het gevonden hoor,' hij gooide een dikke plastic ringband op het tafeltje. *Burn Before Reading*, las Rex. 'Het is een drukproef van de handelseditie van je vaders dissertatie. Wetenschappelijk stelt het niet veel voor,' zei hij, 'en ook vind ik het niet zo goed geschreven, voor een man die talen studeerde. Hijzelf kennelijk ook niet, te oordelen naar de titel.'

Rex keek naar de jaartallen op het titelblad: 1999/2000. 'U wilde nog iets vertellen over die vakantie in Antalya, weet u nog?'

'Natuurlijk weet ik dat. Wat denk je nou, dat ik niet meer weet waar we het over hadden omdat ik even naar de wc ben gegaan? Ik heb destijds heel goed naar Puck geluisterd, en ook naar Deus. Tevens heb ik de vertaling gelezen van het politieverslag en het ziekenhuisrapport. Bij elkaar leverde dat naar mijn mening een behoorlijk coherent beeld op.'

'Ja?'

'Die weg was vier meter breed, verdeeld in twee helften minus een middenstreep van vijf centimeter. Dan heb je als automobilist dus ruim één vijfennegentig over tussen de markeringen. Amadeus zat achter het stuur. Hij heeft een IQ van honderdvijfenveertig. Hij wist dus hoeveel ruimte hij overhad, op een weg van ruim één vijfennegentig met een auto van één meter zestig. Hij had gedronken, niet veel, maar wel wat. Het was donker, weinig verkeer, geen lantaarnpalen. Een betrekkelijk rechte weg waar je makkelijk honderd kan, maar ze reden tachtig. En opeens zijn daar dan drie snoeischerpe haarspeldbochten, in de buurt van een dorpje dat Nosferatu heet. Ik zou subiet langzamer gaan rijden als ik een bord met zo'n naam zag, maar hij dus kennelijk niet. Het was een perfecte plek voor een catastrofe.' Hij leunde naar voren en pakte Rex' halve koekje. 'Eet je die nog op? Zonde om te laten liggen.'

'Toch vlogen ze uit de bocht,' zei Rex. Hij moest de ander bij de les houden.

'Jij wilt mij zeker bij de les houden?'

'Nee, nee. Ik heb alle tijd. Oorzaak en gevolg.'

Rex schoof de schaal naar de overkant van de tafel. Zijn opa mocht al het banket van de wereld in zijn mond stoppen zolang hij maar vertelde wat hij wilde weten.

'Ze zeggen dat Amadeus de situatie verkeerd inschatte. De eerste lus kwamen ze nog door, maar bij de tweede kwam de auto op de verkeerde weghelft en raakte een tegemoetkomende tankauto met vliegtuigbrandstof.' Hij goot de koffie naar binnen. 'Weet je zeker dat je niets wilt?'

Rex stak een afwerende hand op. 'Kerosine?'

'Een stalen cilinder van achttien bij twee meter veertig op wielen. Je kan je wel voorstellen wat er gebeurt als een rafelige rotswand de tankwand opentrekt over een lengte van zes meter.'

Rex kon zich er niets bij voorstellen.

'De chauffeur van de tankauto heeft het niet overleefd.'

'Jezus.'

'Wanneer je in Turkije als buitenlandse toerist een verkeersdode op je geweten hebt, en er is alcohol in het spel, dan ben je nog niet jarig. Dan moet Amnesty International je na twintig jaar komen bevrijden.'

'Dus?'

'Hoe ze het gedaan hebben weet ik niet, mogelijk hebben ze gelogen over wie er achter het stuur zat. In ieder geval vloog Deus terug per hospitaalvliegtuig. Hij ging kapot natuurlijk, door het besef dat hij de dood van je moeder op zijn geweten had. Hij is zelfs naar Afghanistan gegaan, als een soort bedevaart. Om een onverantwoord groot bedrag naar het weeshuis te gaan brengen waar je moeder was opgegroeid. Twintig mille als ik het goed heb. En vijftien jaar later is hij er weer naartoe gegaan. Kennelijk had hij voor zijn gevoel nog niet genoeg boete gedaan, Puck heeft 'm goed in de tang gehad. Als ik in deze kwestie niet aan de andere kant stond, zou ik zeggen dat ze het tamelijk geniaal heeft aangepakt.' Het gerimpelde hoofd op de lange dunne nek wiebelde waarderend heen en weer. 'Ik vraag me alleen af wie er nog meer op de hoogte zijn van wat er werkelijk is gebeurd. Hoe zit het met Tatja's pleegvader, bijvoorbeeld?'

'Ik weet het niet. Hij wil nergens over praten.'

'Ah. Je hebt je andere opa dus al gesproken?'

'Natuurlijk. Hij zit te wachten bij de receptie.'

*

'Je telefoon gaat over.'

'Ik ben niet doof. Dat is Pim. Maar daar heb ik nu even geen zin in. Ik had net de familie Umbasso aan de lijn. Ze hebben Rex niet gezien. Uno's auto is nog niet terug.'

'Kalm, Tat.'

'Niks kalm. Er is geen enkele reden om kalm te blijven. We zouden in paniek moeten zijn.'

'Dat hoeft helemaal niet. Hij heeft net toch geskypt?'

'Dat is het nou net. We weten niet waarvandaan. Voor hetzelfde geld is ie ontvoerd en zat er iemand met een pistool naast hem.'

'Ik denk...'

'Nee, hij klonk gespannen. Alsof er iemand naast hem zat, met een geweer.'

'Er is niets om je zorgen over te maken, geloof me.'

'Jawel Puck. Vanochtend geloofde ik je ook, toen zei je dat hij bij Uno was, en dat blijkt dus nu niet zo te zijn.'

'Oké, prima. Zit ie niet in Esmeralda's Heaven, maar bij een vriendinnetje. Wat maakt het uit?'

'Heeft ie een vriendinnetje?'

'Nou ja, vriendin. Er was iemand met wie hij het gedaan heeft.'

'Gedaan? Waarom weet ik dat niet?'

'Hij durfde het niet aan je te vertellen.'

'Maar wel aan jou?'

'Ja, wel aan mij. Weet ik veel waarom.'

'Omdat ik altijd veel te emotioneel reageer, daarom.'

'Tat. Ik denk dat...'

'Nee, het is waar. Ik ben te bezitterig, te veeleisend. Ik zou alles van dat meisje willen weten, hoe het ging, waar het was, hoe hij zich erna voelde. Dat soort dingen. Jij niet. Jij neemt de eerste vrijpartij van Rex voor kennisgeving aan en vraagt waarschijnlijk alleen of het een beetje veilig gebeurd is. Ik begrijp heel goed dat hij dan liever jou in vertrouwen neemt dan mij.'

'Ik weet het niet.'

'Wat heeft hij je nog meer verteld?'

'Niets.'

'Je kunt het me gerust vertellen, hoor.'

'Er is niets te vertellen.'

'Ik vind dat moeilijk te geloven. Als er een vriendin is waar ik niet van weet, als mijn zoon geen maagd meer blijkt te zijn, zijn er vast meer dingen die jullie achter mijn rug bespreken. Hoe lang is het al aan de gang?'

'Er is niks aan de gang, Tatja.'

'Tegenwoordig beginnen kinderen al heel vroeg met seks. Ik vroeg me al af waarom het met hem zo lang duurde. Als er sprake is van een serieuze schoondochterkandidate, wil ik dat nu heel graag weten.'

'Hij zit niet bij dat vriendinnetje. De vader van het meisje in kwestie is overgeplaatst naar Brazilië. Hij werkte voor een groot zaadveredelingsbedrijf.'

'Zaadveredeling?'

'Ja.'

'Kut.'

'Nee hoor. Hij vond het niet erg. Dacht er al over om het uit te maken.'

'Ik bedoel, kut, als ie niet bij dat meisje zit, en ook niet bij Uno, weten we dus nog steeds niets.'

'Je telefoon gaat weer over.'

'Ja Puck, dat merk ik. Het is Pim weer. Ik vraag me af wat ie wil.'

'Laat maar gaan. Ik bel hem later wel terug.'

*

De ontvangsthal van het Friedrich Miescher Verzorgingscentrum zag er net zo geestdodend uit als de rest van het gebouw: tegels in een laffe suèdekleur, vierkante neonverlichting en systeemplafonds, een receptiebalie van witte kunststof. Opapim stond in het midden van de ruimte, borg zijn telefoontje op en vouwde zijn handen op de rug. Een veldheer in afwachting van een beslissend treffen.

Toen Reinhold hem zag bleef hij stokstijf staan. 'Deze man is een leugenaar,' zei hij luid.

'Dag Thomas,' zei Pim rustig.

'Zo heet ik niet meer.'

'O.'

'Jij hebt lef om hier te komen, na al die jaren.' Hij richtte zich tot het meisje achter de balie. 'Deze turfjurk heeft me voorgelogen. Terwijl ik aan het ziekbed van mijn zoon zat.'

De receptioniste, een Marokkaanse met kort, krullend haar, produceerde een nietszeggende, professionele glimlach.

‘Ik had geen keus,’ protesteerde Pim. ‘Puck zette me voor het blok. Had je liever gezien dat je zoon in een Turkse gevangenis was beland? Er zat ruim één promille in zijn bloed.’

‘Jij weet net zo goed als ik dat de medische wetenschap in dat land op een heel ander niveau staat dan hier. Wie weet hebben ze zich in de komma vergist. Wie weet zat die vrachtwagen wel over de middenstreep in plaats van de Clio.’

‘Mijn dochter was bijna dood.’

‘Wie zegt dat dat de schuld was van Deus?’

‘Iedereen. Maar misschien zie ik het wel helemaal verkeerd en zit ik in een psychiatrische kliniek in plaats van jij.’

‘Ik weet niet hoe jij aan die informatie komt, maar het enige wat ze hier doen is mijn wonen enigszins begeleiden. En ik heb net mijn kleinzoon hier verteld dat zelfs dat niet nodig is. Ik voel me prima.’

‘Het is ook mijn kleinzoon.’

‘Nee hoor. Jij bent een adoptieopa. Tatja komt uit Afghanistan.’

‘Dat neemt niet weg dat…’

‘Dat neemt alles weg. Jij bent geen familie van deze jongen hier.’

Rex grijnsde ongemakkelijk naar het meisje achter de balie. Hij zou willen dat ze dit buiten uitvochten, op een braakliggend industrieterrein met modderige plassen, of op een open plek diep in het bos, waar geen toeschouwers waren. Hij wist niet wat hij zou doen als ze werkelijk met elkaar op de vuist gingen. Zijn rare nieuwe grootvader, de stramme houten klaas die hij vandaag voor het eerst gezien had, riep dingen die hij maar half begreep, en leek geen partij voor de gedrongen boer uit de polder.

'Je hebt niet eens echt in het leger gezeten,' zei Reinhold, 'je bent tweede keus, een burgersergeantje.'

'We waren oproepbaar in tijden van nood,' antwoordde de ander afgemeten.

'Reservist!' Het klonk als fascist, met één hand hield hij zich vast aan de receptie en spuugde het woord naar buiten.

Ook Pim legde een hand op het balieformica, en wierp een veelbetekenende blik op het meisje. Werd het geen tijd om een verpleger met een injectiespuit te halen?

Ze gaf geen krimp. Vanachter haar kleine verhoging keek ze stoïcijns van de een naar de ander.

'Deus is mijn zoon,' riep Reinhold pathetisch. 'Ik had niet om hem gevraagd. Hij maakte fouten. Zoals ieder kind. Hij koos voor taalwetenschap in plaats van een fatsoenlijk beroep. Hij bezocht me niet vaak genoeg. Hij had misschien vijf centimeter meer naar rechts moeten sturen. Hij werd misschien verliefd op de verkeerde, wie zal het zeggen?'

De ander deed een stap naar voren. 'Ik zal je vertellen hoe het zat. Hij was helemaal niet verliefd. Hij heeft mijn dochter binnengehengeld met gratis drugs, ze wist van niets, gaf zich over zonder bedenkingen. Hoe vaak ze niet bij mij aan de keukentafel heeft zitten janken omdat er niets terugkwam. Ze ging met hem mee naar zijn werk; theatercafés, nachtclubs, vernissages of waar hij zijn klanten dan ook vond. Ze lag met hem in bed tot één, twee uur in de middag, deed alles wat hij wilde, ik moet er verder niet over nadenken, maar het was eenrichtingverkeer. Hij zei niets, was nergens in geïnteresseerd, was soms dagenlang onvindbaar, "werk" zei hij dan, en behandelde haar als een meubelstuk. Maar wel een meubel dat op zijn plek moest blijven staan, want als ze er een keer niet was, ging hij over de rooie.'

'Strikt genomen is het jouw dochter helemaal niet, maar daar zal ik nu geen punt van maken omdat het ook wel iets heeft: het je niet voortplanten. Je voorkomt in zekere zin een hoop teleurstelling. In het geval van Deus is dat evident, ik zei het al: er worden fouten gemaakt, zoals bijvoorbeeld verslingerd raken aan een meisje dat bij nader inzien nogal flegmatiek en depressief en ook een beetje psychotisch bleek te zijn. Ik zal je dat niet aanrekenen, meestal is dat een kwestie van genen, het lukt niet altijd om daar iets positiefs tegenover te stellen in de opvoeding, helemaal als de Bijbel in het spel is. Ik wil hier echt niet discrimineren, zeker niet in aanwezigheid van u, edelachtbare,' zei hij en knikte naar het baliemeisje, 'maar vrouwen zijn echt anders dan wij. Wij denken dat ze zielig en hulpbehoevend zijn, en intussen hebben ze ons bij de ballen.'

'Ik kan je verzekeren dat Tatja er geen dubbele agenda op na hield.'

'Ik zeg niet dat het allemaal bewust was, hoewel we daar nog over zouden kunnen twisten. Het is hun natuur, hun oorsprong, de biologische bakvorm zeg maar waardoor ik denk dat het eerder jouw dochter was die Deus heeft binnengehengeld dan andersom. Die doortraptheid kan ze alleen niet van jou hebben geërfd bij gebrek aan een bloedband.'

Pims hoofd was rood, op zijn lippen zat een spuugbelletje, hij leek nu meer op een psychiatrisch patiënt dan de ander.

'Want hoe je het ook wendt of keert, beste Pim, feit is dat Tatja en haar vriendin de boel belazerd hebben, achttien jaar geleden. En nu is niet meer te achterhalen wat er precies gebeurd is, er is met stoelen geschoven, en alles waarvan jij zeker denkt te zijn, is gebaseerd op giswerk. Op het verhaal van Puck.'

Rex moest hem gelijk geven. Zijn andere opa had al die tijd vrolijk meegedaan met de huichelpartij in Mazzorbo. Hoe dat mogelijk was voor iemand die altijd de mond vol had over Jezus en oprechtheid, snapte hij niet.

'Ik heb Tatja een belofte gedaan,' stamelde Pim, 'het heeft me heel veel moeite gekost me eraan te houden.'

'Dat interesseert me hoegenaamd niets. "Ik heb mijn dochter gecremeerd," vertelde je me huilend, toen je uit Emmeloord terugkwam. En het was een leugen. Daarmee heb je wat mij betreft het diepste, meest verachtelijke punt bereikt in de put van het onvaderschap.'

Pim zei niets, Rex zag dat hij tranen in zijn ogen had. Opeens had hij medelijden met zijn opa uit Veenhuizerveld, die zijn hand nog steeds op de rand van de receptiebalie had, in afwachting of er van hogerhand nog zou worden ingegrepen. Het meisje was echter alweer verdiept in haar tijdschrift.

Reinhold glimlachte en liet de balie los, zijn lichaam zakte een stukje in, alsof er lucht uitliep. Hij draaide zich om. 'Nu ben ik moe en zou ik graag terug willen naar mijn kamer. Zoals eerder gemeld is begeleiding hierbij ongewenst.'

Hij wankelde weg, terug naar de geestbeledigende lelijkheid van het verzorgingscentrum waar hij niet verzorgd wilde worden.

In de auto op de terugweg naar de polder zeiden ze niet veel.

'Heb je kunnen vragen wat je weten wilde?' vroeg Pim ten slotte toen ze de A6 opdraaiden.

'Af en toe.' Op Rex' schoot lag het proefschrift van zijn vader dat je moest verbranden voor je het mocht lezen. Hij was moe.

'En wat ga je nu doen?'

'Weet ik nog niet.'

Zwijgend passeerden ze Almere. Rex had nog tientallen dingen willen vragen aan zijn andere opa en nam zich voor zo snel mogelijk met de Scirocco terug te gaan naar Amsterdam. Misschien woonde zijn vader daar ook. Het zou het eerste zijn dat hij Reinhold moest vragen.

Hij probeerde te slapen, zijn hoofd tegen de ruit, maar dat lukte niet erg. 'Is het waar,' vroeg hij ten slotte, 'dat mijn ouders niet van elkaar hielden?'

Geschrokken liet Pim het gaspedaal los. 'Hoe kom je daarbij?'

Rex dacht aan de kille, berekenende heroïnedealer die zijn moeder (volgens Pim) als seksspeeltje onder de knoet gehouden had totdat ze haar snee (volgens Reinhold) door iemand anders had laten likken. Hij kon het niet helpen, het was juist dit triviale detail waar hij voortdurend aan moest denken. Misschien was die ander er wel voortdurend geweest, zijn hand de hele tijd ongemerkt in het broekje van zijn moeder, en had Reinhold gelijk gehad toen hij zei dat zijn vader het echte slachtoffer was geweest in een doortrapte driehoeksrelatie.

'Ik denk dat jouw vader wel van Tatja hield, op zijn eigen manier.' Pims stem klonk schor. 'Anders zouden ze niet naar

Turkije zijn gegaan. Dan is er toch hoop, als je zoiets met elkaar doet.'

Hij werd wakker doordat de motor van de Volvo werd uitgezet. Het was erg donker, een eenzaam lampje brandde boven de voordeur van de woonboerderij.

Zijn opa stapte uit. 'Kom. Ik maak een bed voor je op.'

Rex bleef zitten. Hij was doodmoe, maar hij kon hier niet logeren. Puck en Tatja zaten ongetwijfeld al in het vliegtuig. Hij moest weg, hoewel hij er enorm tegen opzag, overnachten op een parkeerplaats langs de snelweg.

Pim opende het portier vanaf de buitenkant. 'Je hoeft niet bang te zijn. Ze komen pas morgenochtend.'

'Wat? Heeft u...'

'Ik heb gebeld, ja. Natuurlijk. Wat kan ik anders? Ze hebben meteen geboekt, maar alle vluchten voor vanavond waren vol. Ze vliegen nu om halfzes, geloof ik.'

In het tegenlicht van de buitenlamp kon Rex het gezicht van de ander niet goed onderscheiden. Hij aarzelde. Verderop stond de vw te glimmen in de nacht.

'Geloof me nou maar, ik ben erop tegen dat je zonder rijbewijs in dat ding gaat zitten, en al helemaal met slaaptekort.'

Hij capituleerde, hunkerend naar een plek waar hij even zijn hoofd kon neerleggen, en kreeg hetzelfde kamertje als zeven jaar geleden, het was de slaapkamer geweest van zijn moeder, die met de beste bedoelingen uit haar warme landje was gehaald en hier met gemengde gevoelens door de beregende ramen naar de eindeloze, grijsgroene polderhorizon van haar nieuwe leven had gekeken. Pim had destijds speciaal voor haar de naargeestige boerenschrootjes verwijderd en vervangen door een fris en wereldlijker behangetje met rode luchtballonnen dat inmiddels ook weer langzaam aan het vervagen was. Over tien jaar, dacht Rex voordat ook hij wegzweefde, zijn alle ballonnen opgelost in het lichtblauw van de achtergrond, die tegen die tijd verbleekt zal zijn tot wit.

Hij had het natuurlijk kunnen weten. Het was nog nauwelijks licht toen ze de kamer in stormde.

'Wat ben jij een ongelofelijk egocentrisch ettertje,' zei ze terwijl ze de deur dicht schopte.

Hij kwam half overeind, de plotselinge overgang van slaap naar paraatheid deed pijn in zijn borst.

'Tat was gek van angst. Ze dacht dat je dood was, verdronken in de lagune.' Hijgend stond Puck bij het bed, ze keek de kamer rond op zoek naar iets om mee te gooien, de lange blonde paardenstaart zwiepte mee als een zweep. 'Je had ontvoerd kunnen worden, misbruikt en verkocht als schandknaap.'

'Waar is mama nu?'

'Ze zit beneden. Opa probeert haar te kalmeren.'

'Is ze met *de auto* gekomen?'

'Vanaf het vliegveld naar hier. Ik heb haar valium gegeven.'

Rex was onder de indruk. Zijn moeder in een auto.

'Het was geen prettige reis.'

'Sorry.'

'Hou je kop. Het spijt je helemaal niet. Je wist toch waar je aan begon?'

'Het spijt me.'

'Gistermiddag belde school, de examens beginnen straks, ik moest een heel verhaal ophangen over dat ik niet wist waar je was maar dat je elk moment terug kon zijn terwijl Tat in mijn oor krijste dat ze je nooit meer wilde zien.'

'Het spijt me.' Ze heeft helemaal geen hekel aan verhalen ophangen, dacht hij. Dat kan ze heel goed.

'In godsnaam,' riep ze, 'praat met ons, we begrijpen dat je veel vragen hebt, maar ga niet in je eentje iets doen wat helemaal niet kan, in een oude Volkswagen die niet van jou is en waar ik weet niet wat mee had kunnen gebeuren.'

'Er kon niet veel gebeuren. Ik kan heel goed rijden.' Hij voelde zich iets rustiger worden en trok zijn dekbed recht.

'Hou op. Niet opnieuw die discussie. Het maakt niet uit of je een goede of slechte chauffeur bent, het gaat erom dat het gevaarlijk is. Heb jij enig idee wat de gevolgen zijn als je frontaal wordt geraakt door een truck? Nee, dat heb je niet. Maar wij wel. Wij weten dat wel.'

'Ik wilde alleen maar...'

'Wat dan? Wat wilde je? En waarom hier? Wat heeft Pim ermee te maken?'

'Die zat toch ook in het complot?'

'Er is geen complot, doe normaal. We hebben een afweging gemaakt, je moeder en ik, we vonden dat het beter was om het je pas te vertellen wanneer je wat ouder was. Misschien was dat een verkeerde beslissing, we zijn bereid om daar met je over te praten, hoewel ik eerlijk gezegd niet weet hoe we het anders hadden moeten doen.'

Hij keek naar zijn lange, strijdbare en zaakwaarnemende moeder, zoals ze daar voor het verbleekte behang stond, handen in haar zij, de paardenzweep nu buiten het zicht op haar rug, als een Scandinavische wraakgodin, een Volköre, of hoe ze ook mochten heten. Ze zou Tatja altijd blijven verdedigen, ook als ze ongelijk had.

'Wanneer hadden we het je moeten zeggen?' Ze liep voor het bed langs naar het tafeltje bij het raam waar zijn moeder ooit Engelse woordjes had zitten leren. 'Toen je zestien werd? En het hele jaar ontroostbaar was omdat Deirdre je in de steek gelaten had?'

'Ik was niet het hele jaar ontroostbaar, kom op.'

'Of met vijftien? Toen je vier onvoldoendes had voor kerst? We waren bang dat je je daardoor nog minder zou kunnen concentreren en zou blijven zitten. Op je twaalfde, misschien, of tiende? Kan een kind dat aan? Hoe zit dat met zijn psychische ontwikkeling? Heeft zo'n kind voldoende onderscheidingsvermogen om te begrijpen dat iedereen het beste met hem voor heeft? Ik weet het niet. Weet jij het? Er is geen handleiding of zo, die je van internet kunt plukken en waarin staat hoe je het moet doen.' Ze ging op het bureautje zitten, armen gestrekt, haar handen plat op het blad, opeens zag ze eruit als een tienermeisje, het litteken op haar wang onzichtbaar door de lichtval uit het raam.

Je kunt het nooit van haar winnen, dacht hij, sneller dan het licht schakelde ze van meesteres naar slachtoffer, ze kreeg je altijd waar ze je hebben wilde, zelf had je meestal niet in de gaten hoe je er gekomen was. Maar hij had nog geen zin om het op te geven. 'Mijn vader had mama dus betrapt met een ander.'

'Heeft Pim je dat wijsgemaakt?'

'Doet er niet toe. Is het waar?'

'Ja, er was een ander. Daar had je vader het ook wel naar gemaakt.'

'Het was geen gewone ruzie dus, in Turkije?'

'Ik wil er nu niet over praten.'

'Hoe kan het dat jullie dat allemaal hebben overleefd, maar de truckchauffeur niet?'

'Zoals ik al zei: ik wil er nu niet over praten.'

'Wil je weer een tijdje wachten? Gaan jullie samen vergaderen om te beslissen of ik ermee om kan gaan, straks, als ik achtentwintig ben, of achtendertig?'

'Alsjeblieft, doe niet zo kinderachtig.'

'Ik heb recht op de waarheid.'

'Nee, dat heb je niet. Het is niet zo dat je geboren wordt en zeventien jaar later met je vingers kan knippen om je ouders ter verantwoording te roepen over een periode waarin je er nog niet was. Het was ons leven, wij moesten dealen met een man die totaal niet spoorde, toevallig jouw vader, maar dat wisten we toen nog niet.'

Beneden klonk rumoer. 'Stuur hem naar beneden,' gilde Tatja.

Rex hoorde zijn opa iets terugroepen, toen een deur die dichtsloeg.

'We moeten opschieten.' Pucks staart zwiepte vervaarlijk heen en weer. 'Straks hebben we hier tijd genoeg voor.'

'Wat gaan we doen dan?' vroeg hij terwijl hij onder het dekbed vandaan kwam. Als ze dachten dat hij vrijwillig mee zou gaan naar het vliegveld waren ze gek. In zijn onderbroek ging hij naar de deur. 'Kan ik nog even douchen?'

'Als je snel bent.'

Hij liep naar de badkamer. Door het raam zag hij een huurauto staan van Avis. 'Ik ben bij Thomas geweest, eh, Reinhart, of hoe die ook heet,' zei hij over zijn schouder.

'Wat?' Ze schrok, zag hij met enige voldoening.

'Ja. Apart figuur, wel.' Hij pakte een handdoek uit de badkamerkast.

Ze kwam hem achterna. 'En wat zei ie?'

Hij trok zijn onderbroek uit alsof ze er niet was. Zolang hij zich kon herinneren liepen ze op Mazzorbo buiten zonder kleren rond, als het weer het enigszins toeliet. Op de leeftijd dat andere jongens zich begonnen te schamen voor hun lichaam, lag hij bloot tussen zijn naakte moeders in het gras alsof het de normaalste zaak ter wereld was, de blonde en donkere venusheuvels aan weerszijden van hem als twee bakens die de ingang markeerden van een veilige haven. Op warme dagen kwam het regelmatig voor dat Tatja poedelnaakt uit haar officina kwam, haar handen en onderarmen zeegroen of purper, afhankelijk van de verfklus waar ze mee bezig was. Als er vriendjes of vriendinnetjes op bezoek waren natuurlijk niet, dan verschenen Puck en Tatja in precies de juiste lichte en soepele vrijetijdskleding uit de hippe internationale modetijdschriften, wat onbedoeld zijn populariteit op school verder verhoogde. Iedereen wilde graag met hem afspreken om met eigen ogen te zien of het waar was dat hij samenleefde met twee bloedmooie moeders die eruitzagen alsof ze eind twintig waren en van wie er één een piratenmerk op haar wang had.

'Wat zei Reinhold precies? Hoe wist je waar hij woonde?'

'Van opa.'

'Pim?' vroeg ze ongelovig, en een seconde erna: 'Godsamme.' Ze bolderde de trap af.

Een minuut later ging hij geruisloos naar beneden. Hij hoorde de hoge sopraan van Tatja uit de keuken. Met zijn schoenen in de hand bleef hij even staan.

'Het was vreselijk. Ik dacht, het moet, het is een noodsituatie. We reden weg, en ik voelde het meteen. Het is achttien jaar geleden, maar het was net of ik mijn hoofd in een zwarte doos stak die steeds kleiner werd. Mijn maag kwam omhoog, alsof je in een zweefmolen zit, en toen kwam die tunnel. Ik was vergeten dat die er was, je bent het vliegveld nog niet af of je zit in die zwarte schacht. Het was gewoon Turkije, ik dacht dat ik gek werd.'

'Het is oké, Tatliefje. We zijn er nu. Voorlopig gaan we niet meer in een auto.'

'We moeten toch terug, op een gegeven moment? Daar zie ik enorm tegen op.'

'Dat doen we heel rustig, afgesproken? Ga eerst nou even liggen, Rex komt straks naar beneden. Pim, kan ik jou intussen even spreken?'

Hij hoorde voetstappen, het knierpen van de tuindeuren, Stil glipte Rex via de voordeur naar de andere kant van het huis.

Uit de achtertuin kwamen opgewonden stemmen. Hij hoorde Puck fluisterschreeuwen: 'je had Reinhold erbuiten moeten laten.' En het antwoord van zijn opa: 'die jongen heeft toch recht op de waarheid?'

'De waarheid? Wat weet die idioot in dat gekkenhuis ervan? Trouwens: wat weet jij ervan? Was je er soms bij, op die dag?'

'Eh, nee, maar…'

'Als je er niet bij was, zouden we het op prijs stellen wanneer je je onthield van commentaar.'

'Je hebt gelijk. Ik had me er niet mee moeten bemoeien.'

Ongezien sloop Rex naar de Scirocco. Zijn grootvader had een tankeenheid gecommandeerd op de Duitse laagvlakte, maar tegen Puck kon hij niet op. Hij startte de motor en reed langzaam het erf af. De adrenaline klopte in zijn keel, na vijftig meter durfde hij pas gas te geven. Lukraak sloeg hij links af, rechts af, om de twee seconden wierp hij een blik in de spiegel in de verwachting het Avis-logo te zien opdoemen, maar de polderweg achter hem bleef leeg. Na tien kilometer bereikte hij een grote verkeersweg en leunde hij voorzichtig achterover. Hoe hard Puck straks het gaspedaal zou indrukken als ze eenmaal de sleutels hadden gevonden, ze zouden hem niet kunnen inhalen. Hij was blij dat hij de gekwelde uitdrukking op het gezicht van zijn moeder niet had hoeven te zien. De rode, behuilde ogen, de ach-jongen-wat-heb-je-ons-aangedaan-omhelzing tussen Pims donkere, eikenhouten meubilair; hij kon het allemaal uittekenen en was opgelucht dat hij het achter zich liet.

Hij klikte zijn telefoon aan, er waren vierentwintig berichten, hij las alleen de bovenste drie:

Van: Uno (00394893829930): Rex, waar zit je? We hebben de auto nodig!

Van: mama A (00398578499488): Je rijdt peens weg!

Van: mama B (00398858699688): Kom onmiddllijk terug!!

Hij stopte even en sms'te: *Als ongeluk Turkije = ruzie in auto = gevolg van overspel mama, hoe weten jullie dan zo zeker wie mijn vader is?* Hij stuurde het bericht naar zijn beide moeders en schakelde het toestel uit. In de nieuwe wereld waarin hij twee dagen geleden terecht was gekomen, was alles mogelijk. Als vaders in een handomdraai tot leven gewekt konden worden, konden ze ook van identiteit wisselen omdat zijn moeder rond zijn conceptie gunsten had verleend aan verschillende penissen. Het was niet leuk om zo over haar te denken, en in wezen had mama B gelijk gehad met haar opmerking dat het hem niets aanging met wie zijn moeders hadden verkeerd voordat hij er was. Maar tegelijkertijd was dat voor hem natuurlijk van het allergrootste belang. Was hij verwekt door een heroïnekoning of door een flirt voor één nacht? In het laatste geval was die idioot in het verzorgingshuis geen familie, en was Tatja's bedgenoot uit 1993 nu misschien wel een oliebaron of president van De Nederlandsche Bank. Dat vond hij wel een aanlokkelijk idee. Alles was eigenlijk beter dan een verwantschap met die raaskallende, omgevallen boekenkast die geen hulp accepteerde bij wat van zijn leven restte. Met wie had Tatja het allemaal gedaan, in het jaar voorafgaand aan zijn geboorte? Kon je als achttienjarige je ouders alsnog ter verantwoording roepen? Hij vond van wel.

Hij zette zijn BlackBerry weer aan.

> *Van: mama A (0039857849948 8): Lieve Rex, zet de auto aan de kant en laat Puck je ophalen. Ik hoop dat we kunnen praten.*

En even later:

> *Van: mama A (00398578499488): Het is waar dat het een wilde tijd was in de periode dat ik studeerde. Ik besef dat het raar is om je moeder als onverantwoordelijke 20-jarige te zien, toch waren er in die jaren maar 2 mannen in mijn leven. De een was ongecompliceerd, grootmoedig maar onvruchtbaar. De ander een soort genie, ingewikkeld, met een groot hoofd en een klein hart. Dat is dus jouw vader, dat weet ik zeker. Geen idee waar hij is, maar als het moet, dan help ik je zoeken. Liefs, mama.*

Hij stopte op een parkeerplaats met een paar verregende picknicktafels en dacht na. Er waren dus drie minnaars: een kleinzielig genie (Amadeus), een onbekende man met ruimhartige opvattingen (wie?), en Puck. Want dat was mama A vergeten: terwijl zij experimenteerde met jongens, was Puck de hele tijd in de buurt geweest, deelgenoot, hartsvriendin, geliefde. Maar wie zei dat er geen vier mannen waren geweest, of veertig? Hoe kon hij Tatja's bewering over steriele minnaars geloven? Hadden die kerels een doktersverklaring bij zich gehad? Het zou een ongelijke strijd worden, straks. Zijn moeder zou hem alles kunnen wijsmaken. 'O hemel, ja, nu ik erover nadenk, we waren de godganse dag stoned, het kwam wel eens voor dat je wakker werd en dacht met wie heb ik het ook alweer gedaan, hadden we nou een condoom, of was dat gisteren? Was het misschien die grote neger daar op de canapé? Of nee, toch die andere, die had een motorfiets waarvan ik zo lekker de schokbrekerstang kon vastgrijpen als we bezig waren.' Hij wilde dat allemaal niet horen, de ontboezemingen die zonder twijfel stuk voor stuk gênant zouden zijn, en – veel belangrijker – waarvan hij het waarheidsgehalte niet kon controleren.

Hij draaide het nummer van het Miescher Verzorgingscentrum en liet zich doorverbinden.

'Reinhold.'

'Met Rex.'

Het bleef stil.

'Ik ben gisteren bij u geweest.'

'Ja?' De a bleef vragend in de lucht hangen, het kon van alles betekenen: een vermoeide herkenning, een aanmoediging om verder te gaan. Of de verdwaasde uitroep van een demente bejaarde die geen idee had wie hij aan de telefoon had.

'Mijn moeder beweerde dat uw zoon mijn vader zou kunnen zijn, weet u nog? Ik heb het u laten zien op mijn tabletcomputer.'

'Natuurlijk weet ik dat nog. Waarom is het opeens hypothetisch geworden? Ben je niet meer zo zeker van je zaak?' De stem klonk koel en kalm, geen spoor van seniliteit.

'Ik ben erachter gekomen dat ze meerdere minnaars had.'

'Ah. Het oude liedje. Het zou dus kunnen dat wij helemaal geen familie zijn.'

'Inderdaad.'

'Persoonlijk vind ik dat niet zo erg. Je maakte op mij een nogal twijfelachtige indruk. Helemaal niet een echte De Ru.'

'Ik weet niet wat ik moet denken.'

'Dat zijn grote woorden voor iemand wiens leven nog moet beginnen. Als de mens stopt met denken kunnen we wel inpakken met z'n allen. Deductie. Analyse. Hou op met jammeren.'

'Ja maar...'

'Wil je een eerlijk antwoord? Vrouwen zijn leugenachtige serpenten, ik wil niet in herhaling vervallen, maar Puck en Tatja spannen de kroon. Het zou heel goed kunnen dat ze jou iets op de mouw hebben gespeld en je echte vader Wim heet of François of Jim. Ricardo kan ook, natuurlijk. Per slot van rekening zat ze in Italië.'

Rex keek langs de lege parkeervakken. Verderop wapperde een stuk plastic uit de muil van een afvalbak. 'Wanneer heeft u voor het laatst contact gehad met mijn vader?'

'Gisteren. Maar het komt voor dat ik jaren achtereen niets van hem hoor.'

'Tjezus. Waarom heeft u me dat niet verteld?'

'Ik vond het niet zo relevant. Je wekte de indruk dat je meer geïnteresseerd was in het verleden.'

'Weet u dan waar hij nu zit?'

'Ga je ze zoeken? Je roots?'

Rex staarde naar de bedrijventerreinen aan weerskanten van de snelweg. 'Wat zou u doen?'

'Dat heb ik je al uitgelegd. Ik vind die hele preoccupatie met de generaties vóór ons zonde van de energie. We moeten vooruitkijken, niet achterom.'

'En de hertog van Savoie dan?'

'Dat is een uitzondering. Begin dertig toen hij de Ottomanen versloeg. Heel ander verhaal dan Amadeus. Die heeft nog niets klaargespeeld. Momenteel is hij bijvoorbeeld op reis zonder een cent op zak. Niet heel slim.'

'Belde hij daarom? Om geld?'

'Ja, maar ik kreeg meteen de NAVO en de VN op mijn dak toen ik iets probeerde te regelen en nu komt er een verpleger binnen die me wil helpen, maar Dat Wil Ik Niet.' De laatste vier woorden schreeuwde hij.

Rex luisterde naar de onverstaanbare achtergrondgeluiden. Na een halve minuut kwam Reinhold weer terug. Zijn stem was kalm. 'Ik moet ophangen. Het ruikt hier naar riool, en ze denken dat het uit mijn luier komt. Maar ik draag helemaal geen luier. En ik kan het bewijzen, maar daar heb ik twee handen voor nodig.'

*

'Je moet hier links.'

'Niet zo schreeuwen, Tat.'

'Je wilde bijna die woonwijk in.'

'Ik dacht dat ik iets donkerblauws zag.'

'Hij is zwart.'

'Uno's auto is donkerblauw.'

'Zwart. Wie van ons twee heeft er nou verstand van kleuren?'

'Je zit onder de diazepam. Misschien zie je het niet zo goed.'

'Je had hem moeten opsluiten. Vastbinden op zijn bed.'

'Tat, kalm.'

'Dat zeg je de hele tijd. Kalm, kalm. Kut toch op.'

'We vinden hem wel, rustig maar.'

'Ja? Hoe dan?'
'Hij is bij Reinhold geweest.'
'O, god.'
'Het schijnt dat Reinhold weet waar Deus zit.'
'Ik… Dan moeten we daarnaartoe.'
'Hij woont in Amsterdam, in een soort verzorgingstehuis.'
'Deus?'
'Nee. Reinhold. Thomas.'
'Godsamme. Wat nu?'
'We weten niet wat Reinhold hem heeft verteld. Voor hetzelfde geld woont Deus tegenwoordig in Kopenhagen en is Rex op dit moment op weg naar Denemarken.'
'We hadden hem allang moeten zien.'
'Ja.'
'Die daar? Die is blauwzwartachtig.'
'Nee. Dat is een Fiat.'

9 | REX

Langzaam stroomde de eetzaal leeg. Een vijftal bejaarden bleef achter in een aprèslunchslaapje, scheef achterover hun stoelen, als zacht reutelend bezinksel in de dagelijkse voedercyclus.
'Wilde u geen toetje?' vroeg een vriendelijk verpleegmeisje met zware wenkbrauwen en een hoofddoek aan Reinhold terwijl ze de tafel afruimde.
'Wat denk je zelf, Samira?'
'Eh, de vorige keer…'

'Elke keer is anders, meisje. Misschien is dat in de verpleging niet altijd te zien, met iedere dag hetzelfde gekanker van dezelfde afgeleefde lichamen, toiletgang na toiletgang, dat wordt op den duur een mensbeledigende afstomping natuurlijk, maar van mijn kant bekeken, het academische perspectief zeg maar, moeten we ons proberen los te zingen van het alledaagse, en al helemaal van het verleden. De geschiedenis, Samira, is als een slecht functionerend riool. Elke keer wanneer we doortrekken en denken dat we onze behoefte naar zee spoelen, stroomt ons afval terug naar de pot. Dat is dus altijd hetzelfde. Wel of geen toetje is elke keer anders, want dat hangt af van wat het nagerecht behelst.'

Met lichte slagzij zocht Samira steun aan de trolley met etensbladen. 'Eh, chocoladepudding, dacht ik.'

'Je bent hier nieuw, nietwaar?'

'Derde week.'

'Dan zou je moeten weten dat ik daar niet van hou.' Reinhold hees zich overeind.

Ze stak een hand uit om hem te helpen.

Hij negeerde haar, zocht even steun aan de tafelrand voordat hij op weg ging naar de uitgang.

In de deuropening stond een gebruinde jongen met donkerblond piekhaar.

Reinhold leek niet in het minst verrast. 'Ben je daar weer? Ik neem aan dat je nog het een en ander wilt vragen. Het was een onbevredigend telefoongesprek vanochtend, gelet op het feit dat de verbinding verbroken werd vanwege een sanitair misverstand.'

'Bent u niet boos?'

'Zeker. Ik vind het vreselijk, die belangstelling van het verplegend personeel voor alles wat zich onder de gordel bevindt. Sommigen vinden mij een humeurige ouwe zak.

Dat is vanzelfsprekend overdreven, toch kan ik niet ontkennen dat er zich van mij soms een milde gramschap meester maakt. Ik vind dat zelf zeer vervelend, maar ik kan er niets aan doen. Er zijn te veel dingen die mij verontrusten.'

'Ik bedoel kwaad op mijn moeders.'

'O, juist. Natuurlijk ben ik kwaad. Ik ben laaiend. Het is een nieuwe brandhaard in de vuurzee die de vrouwelijke soort in mij teweegbrengt, dag in dag uit. Aan de andere kant, wat zou je anders kunnen verwachten van die twee? Ik weet nog dat ik tegen je vader zei: kijk uit met die dame toen hij me voorstelde aan Tatjana. Momenteel loopt hier ook zo'n boerkamevrouw rond, in haar proeftijd gelukkig, maar een en al problemen.'

'Mijn moeder...'

'Is een verhaal apart. Ik kan er nog steeds niet over uit dat ze nog leeft. Ze heeft ons allemaal bij de kloten gehad.'

Rex deed zijn mond open om iets te zeggen, maar Reinhold pakte zijn arm en trok hem een eindje de gang in. 'Je wilt natuurlijk weten hoe, en waarom, en mogelijk ook waartoe. Heel begrijpelijk allemaal, het heeft mij ook af en toe beziggehouden. Hoe hebben ze het voor elkaar gekregen, vraag je je af.'

'Hoe dan?'

'Ik heb een wedervraag: hoe ben je hier?'

Alsof het de normaalste zaak van de wereld was liepen ze naar buiten. Reinhold had zich verkleed, hij droeg een smetteloos wit overhemd en een donkerblauwe Armani die te ruim zat, vooral rond zijn middel, een plastic tasje onder de arm met een verschoning. 'Even een ommetje maken,' riep hij tegen de dames van de receptie die – de een onverschillig, de ander vertederd – hun geen strobreed in de weg legden toen ze vanuit de schemerige hal het felle zonlicht in stapten, de grijsaard en de jongeling, de een bijna 18, de ander bijna 81.

Hoofdschuddend vouwde Reinhold even later zijn lange, magere lichaam op de bijrijdersstoel van het Volkswagentje. 'Wat een gotspe. Renovation Experts?'

'Hij is van een vriend.'

'Whatever. Gas op de plank.'

Rex deed het, maar al bij de eerste bocht bedacht hij dat het wel heel stom zou zijn wanneer hij nu aangehouden zou worden voor een snelheidsovertreding. Hij minderde vaart.

'Wat doe je? Wel tempo houden, hoor. Als die lui van het Friedrich Miescher in de gaten krijgen dat ik ervandoor ben, zijn ze in staat een posse te organiseren.'

'Zit u er niet vrijwillig dan?'

'Ben je gek. Wie zou daar nou vrijwillig willen zitten? Hier naar links.'

Ze reden langs een futuristisch metrostation. De moderne architectuur was in merkwaardige tegenspraak met de tientallen fietswrakken die met roestige kettingsloten aan de hekken waren bevestigd. 'Alles wat u over mijn vader vertelt is negatief,' zei Rex toen ze moesten wachten voor een zebrapad.

'Dat spijt me dan. Er zullen best wel lichtpuntjes geweest zijn.' Reinhold duwde de rugleuning verder naar achteren, de autostoel kreunde. 'Ik heb ze alleen niet gezien.'

'Hij probeerde twee studies tegelijk te doen.'

'Hij zat te lanterfanten.'

'Overdrijft u niet een beetje?'

'Van mij had hij niet hoeven studeren. Ik had het prima gevonden als hij gekozen had voor een kleuterleideropleiding. Maar áls je dan besluit om naar de universiteit te gaan, doe het dan goed.'

‘Hij werd verliefd op mijn moeder. Misschien was hij afgeleid?’

‘Dat heb je scherp opgemerkt. Hij werd zo erg afgeleid dat hij nu, twintig jaar later, nog steeds de weg kwijt is en om de haverklap aan de telefoon hangt om hulp te vragen.’ Hij trok de stoel weer naar voren, ongeduldig zocht hij onder de zitting naar de stelknop. ‘Vanuit dat perspectief is het een wonder dat hij überhaupt zijn bul gehaald heeft.’ Hij gaf een laatste ruk, knorde tevreden toen hij eindelijk lekker zat. ‘Nu ik erover nadenk is dat misschien wel zo’n lichtpuntje geweest. Hij heeft zijn temperament natuurlijk niet mee, geen echte vechter, zou geen vlieg kwaad kunnen doen, dat heeft hij van mij, vrees ik – de De Ru’s hebben in het algemeen een lief en meegaand karakter. Vrouwen als Mies en Puck en Tatja voelen dat en spietsen je aan hun tentakels. Onze weerloosheid gaat ver terug. In onze familie hebben we de neiging ons te verliezen in de liefde, het duurt misschien even voordat we ons overgeven, maar als het eenmaal zover is dan gaat het hard en all the way en kunnen we ons niet verdedigen. Dat zie je ook aan de impact die zo’n keukenscène in Venetië op Amadeus had, die heeft er bij hem zo ingehakt dat hij er nooit meer vanaf komt. Laat het toch los, zei ik wel eens, als ervaringsexpert zeg maar, want ik heb ook mijn portie haute cuisine gehad, maar waar ik de schep heb gepakt om aan mezelf te werken, bleef hij onafgebroken staren naar het gat voor zijn voeten. Hij had natuurlijk te maken met twee kapers, en ik maar met één, maar toch is zo’n levenslange preoccupatie met ontrouw bepaald ongezond. Het sloopt je vanbinnen en vanbuiten en de vraag dient zich dan ook aan of er hier niet iets anders aan de hand is – ik denk bijvoorbeeld dat jouw vader zich heeft vastgeklampt aan zijn ongeluk. Hij heeft de gloeiende staak van die twee meiden in zijn aars in stilte omarmd en verwelkomd, omdat het hem ontbrak aan ruggengraat.'

Rex remde af voor een verkeersdrempel. Hij had geen middeleeuwse martelmetafoor nodig om het gedrag van zijn vader te kunnen begrijpen. Het beschaamde vertrouwen, het verraad op klaarlichte dag, de dolkwond in de lendenen – het waren allemaal dingen waar hij zich heel goed van kon voorstellen dat je ze een heel leven met je meedroeg.

'Waar gaan we naartoe?' vroeg hij aan Reinhold. Het was druk in de stad.

'Rechts.'

'Maar...'

'Je bent niet in de positie om te marchanderen. Ik ben je enige aanknopingspunt, afgezien van die polderkwast uit Veenhuizerveld.'

'Die laat niets los.'

'Logisch. Hij zat in het complot, veronderstel ik.'

'Denkt u?'

'Ik weet het niet. Het zou kunnen. Als jij nou gewoon een tikkeltje doorrijdt, denk ik daar verder over na.'

'U moet mijn moeders geen serpenten noemen.'

'Je hebt gelijk. Ik zal het niet meer doen. Ze zijn vast uitgegroeid tot hele aardige mensen. Ze hebben een tassenfabriekje, zei je. Wat kan daar voor kwaads in schuilen?'

Als antwoord greep Rex achter zich en trok het foedraal van zijn iPad tevoorschijn. Het was de Fervex Gray, gemaakt van het fijnste angoravilt. Zo zacht als de wang van een meisje.

Reinholds oude handen gingen waarderend over de stof. 'Sapperdeflap. Lekker spul.'

'Driehonderd euro.'

'Ga weg.'

‘Er zijn nog duurdere versies, die hebben een randje zilver in de hoeken.’

‘En ik maar denken dat Tatjana geboren was voor de wetenschap. De laatste keer dat ik haar zag was ze bezig met een specialisatie over pre-Romeinse beschavingen.’

‘Ik geloof ook wel dat ze dat gehaald heeft.’

‘Maar ze heeft het ingeruild voor een natuurproduct. Heel verstandig. Heb je broers of zussen?’

Hij schudde ontkennend zijn hoofd.

‘Je moeders zijn lesbisch.’

‘Ik weet niet. Soms, denk ik. Maar niet altijd.’

‘Aangenomen natuurlijk dat het inderdaad je moeders zijn. Zoals je eerder al via de telefoon opmerkte: niets is zeker in de buik van een vrouw, laat staan in die van twee vrouwen. Ze houden dat gedoe van eisprong en bevruchting en kernversmelting en celdeling opzettelijk vaag zodat niemand ooit precies weet waar hij aan toe is.’

Rex staarde naar de havenloodsen aan weerskanten van de weg. ‘U vindt het moeilijk om een kleinzoon te hebben.’

‘Dat hangt van de kleinzoon af. Het staat ook nog niet onomstotelijk vast dat jij dat bent. Eerlijk gezegd had ik me iets anders voorgesteld dan een Italiaanse homo. Iets stevigers. Scandinavisch en blond, bijvoorbeeld. Met meer spierballen.’

Rex wierp een blik opzij, naar de schriele man in het te grote Armanikostuum. Waar was hij aan begonnen?

‘Jij denkt nu wat moet ik met zo’n onbehouwen ouwe zeikerd naast me? Dat snap ik heel goed. Maar ik heb geen zin om te liegen. Als je van leugens houdt had je bij je modemeisjes moeten blijven. Ik zeg gewoon wat ik denk, ik kan het niet helpen. Als familiehoofd heb je bepaalde verwachtingen over je nageslacht.’

'Vindt u dat ik eruitzie als een homo?'
'Je hebt er wel wat van weg. Sorry.'
'Maar ik ben het niet.'
'Daar heb ik geen oordeel over. Over het algemeen denk ik dat het gezonder is om op mannen te vallen dan op vrouwen.'
'U houdt niet van vrouwen.'
'Zeker wel. Het is alleen net als met alcohol. Je kunt eraan verslaafd raken terwijl je weet dat het slecht voor je is.'
'Bent u ook altijd zo openhartig geweest tegen Amadeus?'
'Uiteraard. Het is een slappeling. Hij mag dan twee doctortitels op zak hebben – een voor taalwetenschap en een voor informatietechnologie – maar de afgelopen twee jaar heeft hij voor het leger gewerkt als simpele tolk. Dat is wel een beetje een losersprofiel, denk je niet?'
Rex moest even schakelen. Zijn vader was vertaler. Hij zag 'm opeens in een glazen hokje zitten, met een oortje in.
'Er zijn echter aanwijzingen dat dit een dekmantel is. Kleine versprekingen aan de telefoon, dat soort dingen. Ik heb wel eens een mail van hem ontvangen via een Amerikaanse inlichtingendienst. Daar hou ik me maar aan vast. Achter dat gebouw moet je parkeren.'
'Parkeren?'
'Ja. Tijd voor de lunch.'
'Ik dacht dat u al gegeten had.'
'Dat is geen eten. Er komt een dag dat de directie zich daar moet verantwoorden voor misdaden tegen de menselijkheid.'
Ze reden een oude loskade op.
'Toen ik hier voor de eerste keer kwam, was het nog gewoon een vreetstalletje voor kunstenaars die hier in de buurt goedkoop hun atelier huurden,' lichtte Reinhold toe. 'Het is

niet het Amstel, maar de keuken is niet gek en het uitzicht is magnifiek. Als je tenminste van water houdt.'

Met water had Rex geen problemen, toch aarzelde hij met uitstappen. Hij vond dit pure tijdverspilling.

'Ik heb hier met je vader gegeten, vlak voordat hij naar Uruzgan ging. Het leek me passend je het te laten zien.'

Binnen nam Rex het designinterieur in zich op. Veel gestroomlijnd polymeer in pasteltinten, aan de muren manshoge, zwart-witte filmsterrenfoto's in grove korrel.

'In Frankrijk heb ik Mies wel eens meegenomen naar een sterrenrestaurant. De hele tijd zei ze twaalf gulden voor een kroket, moet dat nou? En dan zei ik ja Mies dat moet, laat die truttigheid nou eens achterwege en geniet ervan, van geld uitgeven.'

Rex knikte verstrooid. Achter de ramen in hun gietijzeren sponningen glinstergolfde het IJ. Hij moest geduld hebben, dan vertelde de ander vanzelf wat hij wilde weten. Hij nam een broodje carpaccio en wachtte gelaten tot Reinhold zijn geheimen zou prijsgeven.

'Jouw grootmoeder was me d'r eentje, hoor. Altijd in de weer met plattegronden en wandelgidsjes en ik zei dan wel eens laten we nou gewoon even op een terrasje gaan zitten maar dan wees ze op een pakhuisje uit de zestiende eeuw en was ze weer weg. Ondanks haar preoccupatie met historische stadsgezichten had ze iets vluchtigs, ik denk wel eens dat ze haar vaporisatie voorvoelde.' Hij goot de wijn in een groot waterglas, klokte het achterover en schonk zichzelf meteen weer bij. 'Ik zal je niet vermoeien met die geschiedenis, maar het heeft te maken met een buitenechtelijke neukpartij in de jaren zeventig. Ik heb dat allemaal achter me gelaten, maar Amadeus heeft er zijn leven lang mee geworsteld, met een moeder op een retourvlucht die eeuwig in de lucht zou blijven.' Hij wenkte de bediening om slakjes te bestellen, en toen dat niet kon omdat het niet op de kaart stond, nam hij de paling in groen. Hij scheen zich volkomen op zijn gemak te voelen in de chique ambiance, en afgezien van de sancerre in zijn waterglas gedroeg hij zich beschaafd en charmant.

'Persoonlijk ben ik ervan overtuigd dat een moederloze pubertijd voor een jongen heel louterend kan werken, maar Amadeus heeft er een behoorlijke klap van gekregen. Je kunt gerust zeggen dat hij na Tenerife geen mens meer vertrouwde.' Hij riep de sommelier, wees op de halflege fles en zei: 'Ietwat aan de fruitige kant, verwacht je niet want het was toch een redelijk vochtige zomer, 2006, dus we gaan nu voor een chablis als u het niet erg vindt, chablis is altijd goed.'

Rex vroeg een biertje en keek naar de andere kant van de ruimte, waar een gezin binnenkwam met twee jongens van zijn leeftijd.

'Jij denkt,' vervolgde Reinhold, 'mijn opa spoort niet. Met zijn opvattingen over vrouwen.'

Dat dacht hij inderdaad.

'Ik geef toe, mijn oordeel is in zekere mate gekleurd door een aantal onprettige ervaringen, maar ik zie echt wel in dat het niet hebben van een moeder in sommige gevallen een handicap kan zijn. Wat dat betreft heb jij het dus heel goed getroffen.'

De vader van het gezin aan de overkant bestelde cola en twee kindermenu's voor zijn zoons. Zeventien zijn en een kindermenu bestellen. Op een rare manier was Rex afgunstig.

'Met wat goede wil zou je kunnen concluderen dat de moeilijkheden die Amadeus ondervond in zijn verhouding met Tatja en Puck, in verband stonden met de gebeurtenissen aan het aanrecht en later met die op de Canarische Eilanden.'

Het eten werd gebracht, en Rex prikte wat in zijn carpaccio terwijl zijn grootvader behendig zijn glibberige gerecht verorberde. 'Resumerend,' smakte Reinhold, 'durf ik wel te stellen dat vrouwen een centrale plek hebben ingenomen in het leven van je vader, maar waar ik verdergegaan ben, is hij jammerlijk blijven steken.'

'Hoezo?'

De ander schoof zijn bord weg, leunde naar achteren en veegde zijn mond af. 'Een tamelijk angstige adolescent, met een niet geheel vlekkeloze jeugd dankzij onverantwoordelijk gedrag van een van de ouders – ik noem geen namen, maar ze is daarnet al even ter sprake gekomen – gaat studeren in de grote stad. Deze jonge student bezit een goed stel hersens – van wie zou ie 't hebben, vraag je je af – en heeft een gezond wantrouwen tegen de rest van de mensheid. Hij is dus veel alleen. Maar niet eenzaam. Alleen. Prima uitgangspositie voor een succesvolle carrière, want terwijl je studiegenoten hun energie en tijd verspillen met geflirt en zuipfestijnen, kun jij je richten op dat extra studiepuntje. Tot dusver alles onder controle.' Hij gooide het servet op tafel en sloeg zijn benen over elkaar. 'Maar dan loopt ie jouw moeder tegen het lijf. Er volgt een hoop gedoe. Concentratieproblemen, verliefdheidsstuipen, slaaptekort, en tot zijn onuitsprekelijke vreugde en verbazing voelt zij warempel ook iets voor hem, en na een paar maanden de kat uit de boom gekeken te hebben durft hij het idee los te laten dat alle dames gewantrouwd dienen te worden. Hij overwint stukje bij beetje zijn verlatingsangst en werpt zich ten slotte in de armen van zijn geliefde. Die nét op dat moment doodleuk meldt dat ze een halfjaar in het buitenland gaat studeren. De landing is hard en wreed, maar hij verliest niet meteen de moed en besluit haar op te gaan zoeken met een prachtige bos rozen. Nou, de rest is een regelrecht cliché, ik heb het je al verteld, en je zou verwachten dat als onze Amadeus in het ziekenhuis hoort dat Tatja is overleden, er een verdrietig maar definitief einde komt aan de hele geschiedenis. Maar dat is helaas niet zo. Er volgt een zinloos dostojevskiaans decennium van schuld en zelfhaat.'

'Had hij niet te veel gedronken?'

'Dat dacht hij, ja. Maar het kon niet bewezen worden. Er is alleen dat Turkse politierapport waar de komma op de verkeerde plaats staat.' Hij wiegelde met een magere hand om aan te geven dat leestekens moeilijk in het gareel te krijgen zijn rond de Middellandse Zee.

Rex keek naar zijn bord en telde het aantal pijnboompitten. Negen.

Zijn grootvader noemde nog meer technische gegevens. Allemaal aanvechtbaar, volgens hem. De onderzoeksresultaten die Deus vrijpleitten waren echter niet discutabel. Het aantal centimeters dat de tegenligger over de middenstreep had gezeten. De waarschuwingsborden die ontbraken, maar er wel hadden moeten staan gezien het haarspeldkarakter van de bochten. 'Maar ondanks de sterke aanwijzingen dat hij er niets aan kon doen, bleef hij zich aansprakelijk voelen,' fluisterde Reinhold. 'En ik heb het niet uit zijn hoofd kunnen praten. Ik heb het echt geprobeerd, hier, aan ditzelfde tafeltje.'

Een man van tradities, dacht Rex, ondanks alle provocatie.

Met beide handen masseerde de ander het voorhoofd, ellebogen op tafel. 'En toen belde hij gisteren. Of ik hem duizend euro kon sturen. Maar ik heb helemaal geen duizend euro.'

Rex keek naar de wijn. Een tientje per glas, schatte hij.

'Ja,' zei Reinhold. 'Het is gênant dat wij hier voor veel geld zitten te eten. Maar daar heb ik dan ook voor gespaard. Eén echte maaltijd per jaar, heb ik daar geen recht op? Want in het Miescher doen ze experimenten met behangplaksel, dat heb ik je verteld. Het komt voor dat de vetresten vierentwintig uur later nog tegen je gehemelte zitten.'

'Waar heeft hij duizend euro voor nodig? Heeft hij zelf geen geld?'

'Hij zegt dat hij daar niet bij kan komen, in Teheran.'

Teheran. Zijn vader zat in Iran.

De ober kwam afruimen.

'Dessert? Of zullen we dat maar overslaan, gezien de omstandigheden?'

'Ja, dat lijkt me beter,' antwoordde Rex.

'Ik kon natuurlijk niet weten dat hij opeens zou bellen,' zei Reinhold hulpeloos. 'Hij laat me aan mijn lot over, reist af naar exotische oorden, en ik mag weer komen opdraven als hij in moeilijkheden zit. In die zin kun je mijn aarzeling om een rug over te maken aan een islamistische handelsbank ook beschouwen als pedagogisch instrument, al is het dan een beetje laat. In mijn optiek moet je een zoon helpen op eigen benen te staan, en als je hem steeds opvangt wanneer ie valt, leert ie dat uiteraard nooit ofte nimmer. Laat hem maar even zweten, dacht ik daarom, nog afgezien van het feit dat ik maar 786 euro heb, als ik hutje en mutje bij elkaar leg. Het geval wil namelijk dat ik zelf ook niet bij mijn banktegoeden kan. Mijn geldzaken worden geregeld door een extern kantoor. Gevolg van een gerechtelijk vonnis. Achterhaald, weliswaar, maar zolang mijn bezwaarschriften niet worden behandeld is dat helaas de harde werkelijkheid.' Hij ging rechtop zitten, maakte een royaal armgebaar waardoor een kaars omviel. 'Ik dacht daarom de beschikbare middelen maar eerlijk te verdelen. Ik mijn zeedierentraktatie, je vader een douceurtje op zijn verre vakantiebestemming.'

Rex zette de kaars recht, Reinhold bestelde nog een glas chablis, daarna een dessertwijn en ten slotte een Irish coffee, en toen de rekening werd gebracht kon hij nauwelijks meer rechtop zitten. 'Deus mist de hardheid van een echte De Ru,' schalde hij, en legde een paar honderdjes onder de pepermolen. 'Onze dynastie dient de scherpte te hebben van een Japans uitbeenmes.' Hij sloeg vechtsportachtig met de zijkant van een gestrekte hand op tafel.

Rex keek naar de servetprop met gestold kaarsvet waarmee zijn grootvader zijn mondhoeken had schoongeveegd. Als een gigantische neuspulk lag die tussen hen in.

De jongens aan de overkant kregen hun kip met friet en appelmoes.

'Hij is naar Afghanistan gegaan,' huilfluisterde Reinhold, 'om de berichten te vertalen van dezelfde Taliban warlords die het op hun geweten hadden dat Tatja in dat weeshuis terecht was gekomen. Kun je het je voorstellen? Voor iemand met zijn IQ? Hij zat maandenlang in een donker hol met een koptelefoon op.'

'Ik dacht dat u niet wist waar hij al die tijd geweest was?'

Reinhold keek naar buiten. 'Het is moeilijk om te vertellen dat je enige zoon zich bij wijze van zelfgekozen straf laat opsluiten in een ondergrondse container. Om iets wat zo lang geleden gebeurd is. En waar hij waarschijnlijk geen schuld aan had.' Opnieuw legde hij zijn hoofd met het dunne grijze haar in de geaderde handen. 'Hij heeft niet het leven gekregen dat hij verdiende. Het is te wijten aan Mies natuurlijk, die hem de slechtst denkbare start bezorgd heeft door er op zijn negende tussenuit te knijpen. En aan Puck en Tatjana, die hem een decennium later nogmaals in de tang namen. En misschien,' zei hij, zijn ogen gericht op het tafelkleed, 'is het ook voor een deel mijn schuld. Dat ik de waakzaamheid die evenzo deel uitmaakt van het erfgoed van onze familie tijdelijk uit het oog verloren heb in de periode dat Deus die mogelijk het meeste nodig had.' Hij keek op. 'Ik moet daar niet te lang bij stilstaan, want dan krijg je schuld op schuld op schuld, en kan er van een harmonische vader-zoonverhouding geen sprake meer zijn.' Hij pakte Rex' pols, over de neuspulk heen. 'Ik reken op jou,' zei hij emotioneel, zonder een spoor van sarcasme. 'Om 'm op te halen. Terug te brengen naar huis. Daar heeft hij recht op, zo langzamerhand.'

Voordat Reinhold in zijn taxi stapte, keken ze samen naar de gps. Het was achtenveertig uur naar de Iraanse grens. Twee dagen, twee nachten. Daarna misschien nog een paar uur naar de hoofdstad.

'Is te doen,' zei Reinhold met een tong die te lui geworden was voor de medeklinkers, en overhandigde hem plechtig vijfhonderd euro plus een bierviltje met een Perzisch adres. 'Het is in een buitenwijk, ik heb het opgezocht. Over een week ben je weer terug, als je een beetje doorrijdt.'

Ja, dacht Rex, toen hij zijn grootvader uitzwaaide. Het was te doen. Hij was een De Ru.

Hij scheurde door het Ruhrgebied, maakte een foto van de snelheidsmeter die honderdvijftig aanwees en weerstond de verleiding 'm door te sturen naar mama A, die daar waarschijnlijk een hersenbloeding van zou oplopen.

Met zijn vrije hand typte hij:

Aan Uno (0039489382993o): Vriend, ik zit in buitenland. Kom voorlopig niet naar huis, leg het later wel uit. Mag ik je auto nog een weekje lenen? Zal goed voor 'm zorgen. Hoe is de voet?

Hij bereikte Oostenrijk aan het begin van de middag. Anders dan op de heenweg kon hij nu iets van de omgeving zien. Het was een nevelig sprookjesberglandschap waar hij doorheen reed, wolkenflarden en mist hingen tussen de beboste, oude bergen. Veel containertrucks. Het begon te regenen. Om de vijf kilometer een tunnel. Oostenrijkers, dacht hij, moesten een volk zijn van gravers en trollen, die talloze gangen in de Alpen hadden gehakt, dienstbaar aan de behoefte van de landen om hen heen om voortdurend goederen heen en weer te slepen. In sommige bejaarde tunnels was de ventilatie niet op zoveel verkeer berekend; de ruiten besloegen aan de buitenkant in luttele seconden door de tropische, met koolmonoxide verzadigde lucht.

Bij Salzburg stond een lange file, hij ging van de snelweg af en bij een hypermarkt in een buitenwijk kocht hij een slaapzak, luchtbed, voetpomp, multitool, zaklamp, telefoonoplader, kaas, crackers en een fles wijn. Op het parkeerterrein klooide hij net zo lang met de stoelen en de inklapbare achterbank totdat het opgeblazen luchtbed erin paste. Het middenstuk van het bed lag alleen tussen de stoelen een halve meter lager dan de twee uiteinden. Hij ging opnieuw de winkel in, haalde net voor sluitingstijd vier jerrycans van twintig liter, vulde daar de ruimte mee op tussen voor- en achterbank en experimenteerde een tijdje met verschillende houdingen. Het ging net; in diagonale positie, met z'n hoofd op het dashboard en z'n voeten tegen de achterklep. Het had zowaar iets gezelligs, en bij het licht van de zaklamp besmeerde hij crackers met roomkaas en las hij de eerste pagina's van zijn vaders dissertatie.

Burn Before Reading, januari 1993

De Wet van Grimm

Ontelbare wetenschappers hebben zich beziggehouden met de vraag wat taal eigenlijk is. Is grammatica de broncode waarop de computer in ons hoofd draait? Of is het een geëvolueerde versie van een reeks oerkreten? Volgens sommigen zijn alle talen (6800) voortgekomen uit één prototaal, ontstaan in de buurt van het huidige India. Het Sanskriet, Urdu, Oudeygyptisch en Perzisch zijn het meest verwant aan deze oerversie, en volgens de klankverschuivingswet van Jacob Grimm is ook het hortende en bonkende Nederlands er een variant van. Om te achterhalen wat taal precies is, zijn de vreemdste experimenten gedaan. Een farao liet bijvoorbeeld ooit twee zuigelingen bij hun moeder weghalen en sloot ze op in een geitenstal. Hij verbood de eigenaar van de stal met de baby's te praten, hij mocht ze alleen eten en drinken brengen. De farao was ervan overtuigd dat de taal door goddelijke bemoeienis in ons hoofd werd geplant en dat je er dus geen mensen voor nodig had. En verdomd, na twee jaar afzondering op een rantsoen van veevoeder kropen ze de stal uit en riepen om bekoe. *In het oude Egypte betekende dat brood.*

Bewijs voor hemels ingrijpen geleverd. Tegenwoordig zijn we een stuk sceptischer en houden we er rekening mee dat de peuters gewoon het geblaat van hun moedergeit imiteerden. Bééééékoe.

Goed, experimenten mogen mislukken, het belangrijkste is natuurlijk dat een hotemetoot in het oude Egypte nu eens niet bezig was met de hoogte van zijn toekomstige graftombe en zijn nek uitstak voor een sociaalwetenschappelijke proef. Dit is misschien niet de juiste toon voor een dissertatie, maar aan de andere kant: wie heeft ooit bedacht dat de wetenschap saai en kleurloos moet zijn? Het is een ijsveld, de linguïstiek, spiegelglad, overal spelonken en scheuren. Grote geesten als Chomsky en Wittgenstein zijn erop uitgegleden. Het lijkt me daarom van belang om tijdens dit onderzoek uiterst omzichtig te werk te gaan. Het is immers mijn bedoeling aan te tonen dat onze taal zich ontwikkeld heeft tot het omgekeerde van oerkreetidioom: ik durf te stellen dat alle oorspronkelijkheid eruit verdwenen is.

© Deus de Ru

Rex veegde de codens van het raam en keek naar buiten. Een vader die hij niet kende maar nu tot hem sprak via een beduimelde ringband die je moest verbranden voor je de inhoud ging lezen. Wat moest hij hiermee?

Tevergeefs probeerde hij te slapen. Ik moet mijn rust pakken, dacht hij, anders hou ik het niet vol, al die kilometers. Het lukte niet. Ergens brulde een verkeersvliegtuig boven de donkere wolken. Een verre goederentrein deed boekabim boekabam. Kwetsbaar stond de vw midden op het nu lege parkeerterrein.

Hij liet het luchtbed weer leeglopen, startte de motor en reed de nacht in. Hij passeerde Graz, één hand aan het stuur, de neus van de Scirocco naar het zuidoosten. Hij was praktisch alleen op de weg, de wereld waar moeders en grootvaders met hem bezig waren, verdween elke seconde verder uit beeld. Het proefschrift van zijn vader lag op het dashboard. Hij had het gevoel dat er, door de donkere ramen heen, een telelens op hem was gericht. De titel van de film was: *Lonely Motherfucker.* Er was sprake van lange close-ups waarin het hoofdpersonage niet meer deed dan stoïcijns uit het raam kijken naar de voorbijglijdende lichten.

Bij het aanbreken van de dag was hij in Slovenië. In zijn spiegeltje gloeiden de zachtroze Alpentoppen in de verte op als een enorme ijstaart in de ochtendzon.

Hij zette zijn BlackBerry aan.

Van Uno (003948938299 30)
Niet leuk! Waar ben je?

Hij schreef terug:

Beste Uno, onderweg heb ik nieuwe info ontvangen. Volgens mijn opa zit mijn vader in buitenland, maar niemand weet of dit mijn vader werkelijk is. Geluk bij een ongeluk is dat de plek waar hij zit per auto is te bereiken. Je begrijpt dat ik de waarheid moet weten, de mama's zullen het me nooit vertellen. Mag ik daarom nog even je auto lenen?

Via een gratis wifinetwerk bij een tankstation zocht hij op de site van de Nederlandse ambassade in Teheran wat je nodig had om het land in te komen. Een toeristenvisum was voldoende, minimaal twee maanden voor de geplande reisdatum aan te vragen, het liefst via een erkend reisbureau. Op Google werd dat bevestigd, maar er waren ook een paar reacties van reizigers met andere ervaringen: 'Op het vliegveld kon ik het gewoon regelen, het was iets duurder, maar scheelde een hoop gedoe.' En van twee Franse journalisten die via Irak de grens over wilden: 'Hoewel de Iraanse autoriteiten niet dol zijn op buitenlandse media, kregen we na betaling van de visumkosten (50 dollar) gewoon een stempel in ons paspoort.' De berichten dateerden van vorig jaar, Rex ging ervan uit dat er in de tussentijd niet veel veranderd was.

Van mama A (00398578499488):
Lieve Rex, we zijn op weg naar het vliegveld. Het heeft geen zin om in Nederland te blijven. Volgens ons ben je de grens al over, hopen alleen dat je op weg bent naar huis en NIET naar je vader – waar die ook zit. Weet dat we van je houden en ervan overtuigd zijn dat we al je vragen kunnen beantwoorden. Kom alsjeblieft naar Mazzorbo.

Grimmig verwijderde hij het bericht en liet het benzinestation achter zich. Terug naar huis was wel het laatste waar hij aan dacht. Met honderdveertig raasde hij langs bosrijke heuvels en probeerde zich te ontspannen. Het was stil op de weg, het vrachtverkeer bestond uit een incidentele morsige blokkendoos met een Tsjechisch of Sloveens nummerbord.

Vlak voor Zagreb dook er onverwacht een grenspost op. Rex schrok. Hij had zich niet kunnen voorbereiden. Een bocht in de weg, en opeens een verbreding met vier wachthokjes. Verliet hij hier de EU? Hij wist het niet zeker. Hij hoopte dat ze hier minder alert waren dan de carabinieri in Venetië, koos op goed geluk een poortje en stopte met een knoop in zijn maag voor de slagboom. De douaniers stonden buiten, zoals het hoort, hun jacks dichtgeritst tegen de bergwind. Chagrijnig bekeken ze Uno's paspoort. Had hij iets aan te geven? Neenichts stotterde hij. Na een korte aarzeling wuifden ze hem door. Even later opnieuw een slagboom, weer een stoot adrenaline, priemende blikken onder groene petten, nog steeds nichts an zu geben. Het duurde even voordat Rex begreep dat dit normaal was: buiten de Unie had je twee controles per grens. Met verschillende uniformen, verschillende talen en verschillende regels. Maar – als ze geen zin hebben je te fouilleren – maken ze dezelfde hoofdbeweging waarmee douaniers en verkeersagenten over de hele wereld de ondergeschikte burger laten passeren alsof ze een oogje dichtknijpen.

Hij raakte de tel kwijt, wist op een bepaald moment niet meer of hij nog in Servië was of al in Bulgarije, en steeds wilden ze weten of hij iets had aan te geven, wat op zich een bewijs was dat ze hun economie niet op orde hadden, want met een beetje marktwerking zouden die invoerbeperkingen vanzelf verdwijnen. Hij zei steeds braaf nein of no, en overhandigde Uno's papieren met toenemend zelfvertrouwen, waarna die knappe, zwartharige twintigjarige Italiaanse jongen met de redelijke gelukte foto in zijn paspoort weer door mocht rijden.

*

'Kijk eens aan. Tatja. Terug in het land van de levenden.'

'Dag Thomas.'

'Tegenwoordig is het Reinhold.'

'O?'

'In werkelijkheid zie je er toch iets ouder uit dan op een Ipad.'

'Het is lang geleden.'

'Dat komt omdat de contrastwaarden doorgaans laag liggen. Kleedt vaak behoorlijk af.'

'Rex is hier geweest.'

'En Stiefpim. En nu jij. Het is een rare week. Een hele karavaan van mensen die allemaal iets van me moeten. Puck ook in de buurt?'

'Die zit buiten op een bankje. Ze had niet veel zin om je te ontmoeten.'

'Dat is geheel wederzijds.'

'Jullie hebben het over Deus gehad. Jij en Rex.'

'Dat zou heel goed kunnen.'

'Ik wil graag weten waar hij is.'

'Hm.'

'Ik ben er niet trots op, wat er gebeurd is. We hebben allemaal fouten gemaakt.'

'Mogelijk. Hoewel de miscalculaties van mijn zoon niet heel erg evident zijn; ik verwijs even naar die middenstreep en het aantal centimeters die hij er niet overheen is geweest.'

'Hij is ruimschoots over de lijn gegaan. Hij was sociaal gehandicapt, niet in staat om iets te vergeven. Daarbij had hij de langste tenen die ik ooit gezien heb. Een familietrekje, misschien?'

'Beste Tatjana, vergiffenis is een groot goed, daar moeten we niet te lichtzinnig mee omspringen. Als jij daarmee een blanco cheque bedoelt die je op elk gewenst moment kan inwisselen voor een wiedergutmachung als je in de fout bent gegaan, dan begrijp je de essentie van de genade niet goed. Cruciaal daarin is dat degene die om verschoning verzoekt, in de gaten heeft dat er sprake is van een bepaalde bezoedeling. Noch jij, noch je waakhondvriendinnetje heeft daar blijk van gegeven, voor zover ik weet.'

'Ik heb tijdens de week in Antalya…'

'Er alles aan gedaan om je met hem te verzoenen, ik heb er iets van meegekregen. Maar seks is in dit soort gevallen zelden een betrouwbaar bruggenhoofd.'

'Rex is in deze periode verwekt.'

'Juist. Een schuldbaby. Geconcipieerd op het hoogtepunt van ouderlijk onvermogen.'

'Puck en ik hebben een aantal zeer moeilijke beslissingen moeten nemen.'

'Puck en jij hebben iedereen voorgelogen.'

'We wilden Rex op laten groeien in harmonie. Niet in twist en jaloezie en rancune – zeg maar de typische De Ru-dingetjes.'

'Jullie hebben hem opgevoed in een leugenachtige zeepbel. Jullie hebben hem gesmoord met je moedergekloek. Die jongen is gewaterboard met oestrogeen.'

'Nee, nog meer testosteron op de wereld, daar hebben we wat aan.'

'Ik heb de indruk dat we niet echt tot elkaar komen. Heel spijtig, want je leeft, en dat feit alleen zou reden genoeg moeten zijn voor een feestje, omdat ik dacht dat je voorgoed afscheid genomen had via de schoorsteen van een poldercrematorium. Tenminste, dat is wat Puck me toen vertelde.'

'Puck deed dat om mij te beschermen. Als Deus geweten had dat ik het ongeluk had overleefd, had hij me geprobeerd te zoeken.'

'Hij is inderdaad erg met je bezig geweest. Ik denk dat ie de afgelopen jaren meer tijd heeft doorgebracht in jouw geboorteland dan hier.'

'En waar is ie nu?'

'Dat zeg ik niet.'

'Waarom niet?'

'Voor straf. Ik hou er niet van om belogen te worden.'

'Ik wil alleen maar voorkomen dat Rex iets overkomt als ie mocht besluiten zijn vader te gaan zoeken.'

'Ik denk dat die jongen heel goed voor zichzelf kan zorgen. Ik heb onlangs nog met hem geluncht waar het er nogal wild aan toeging.'

*

Het ontbreken van een vader was in eerste instantie een praktisch probleem geweest. De allereerste keer dat Rex een mannelijke opvoeder miste, was bij de organisatie van de jaarlijkse sportdag. Er werden scheidsrechters gezocht op school. Zijn moeder kon niet, ze moest Berry scheren, plus nog wat leenschapen, want ze werkte aan een paar opdrachten tegelijk. Het was nog voor ze prijzen ging winnen, meende hij. Hoewel Puck behoorlijk sportief was, durfde hij haar toch niet op te geven. Op de intekenlijst die aan de lokaaldeur hing, stonden alleen vaders, hij wilde niet de enige jongen zijn die met z'n mammie aankwam. Hij deed mee met trefbal, en daarna met een hardlooprace en dacht de hele tijd: ik heb liever geen papa dan eentje met borsten.

Later moest hij een stamboom maken, als huiswerk. Het was onderdeel van een project over hoe vroeger het feodale stelsel in elkaar zat. Dan loop je natuurlijk meteen vast, met twee moeders. Op een groot tekenvel stond zijn naam in het centrum, met een cirkel eromheen. De bedoeling was dat je lijnen trok naar andere familieleden, allemaal in hun eigen ballonnetje, en dat er dan een structuur ontstond. Een netwerk van stevige strepen waarbinnen jij een vaste plek had.

Met een dikke viltstift ging hij naar Tatja en Puck. En van daar met een iets minder dikke streep naar Opapim, in Nederland. Daarna wist hij het niet meer.

De ouders van Puck, wie waren dat ook al weer?

Zijn moeder hielp hem. Dat waren Rogier en Esmé.

Vaag herinnerde Rex zich een meneer in een geruit jasje, met een heel duur horloge. En tante Esmé rookte mentholsigaretten uit een ivoren pijpje. Ze hadden een keer bij hen gelogeerd.

Met een ballpoint tekende hij een kring om hun namen en vandaar een stippellijn naar zichzelf, want hij beschouwde het niet als een solide verbinding.

'Ik ben niet echt familie van ze, hè?'

'Natuurlijk wel,' zei Tatja.

'Ik bedoel dat er bloed in zit.'

'Nee, het is geen bloedlijn. Maar wat maakt dat uit? Puck en ik zijn al heel lang samen.'

Na enige nadenken kraste hij Rogier en Esmé toch weg, omdat het niet telde, één keer logeren. Hij vulde hun cirkeltje op met potlood. Het zag er erg kaal uit, zijn familie. Net of het er de hele tijd regende, met die grijze wolk in de bovenhoek.

'En oma?' vroeg hij daarom. 'Hoe heette zij van voren?'

'Carly.'

Hij zette haar naast Pim, met een hartje ertussen. 'Ze was heel erg ziek, hè?'

'Ze had een ongeluk gehad met de tractor. Maar ze leefde nog wel een tijdje door. Dat was heel moeilijk.' Afwezig speelde Tatja met een werkhandschoen. De binnenkant was verkleurd door talloze verfrondes in het officina. Donkergroen, een zweem van oranjerode strepen, met glimmende, zwarte randen. Zijn moeder zat in haar oceaanperiode, alles wat ze maakte was blauw, van het donkerste kobalt en aquamarijn naar het lichtste turquoise. 'Ze is overleden een jaar voordat jij geboren werd.'

Hij kende de stemming van zijn moeder als ze over het verleden sprak. Ze kreeg dan iets zakelijks over zich.

'En jouw vader en moeder, de echte bedoel ik, met die moeilijke namen. Misschien kunnen die er ook op?'

'Khalik en Baheera Gul.' Ze spelde het voor hem, zonder enige emotie.

Hij schreef het op en bekeek het resultaat. Khalik Baheera Gul. Het had niets van een voorname afkomst. Het leek een ballon met scheldwoorden.

'En papa? Moet die er niet op?'

'Als jij dat graag wilt.'

'Ik weet niet hoe hij eruitzag.'

'Dan hoeft hij er misschien ook niet op.'

'Maar oma Carly heb ik ook nooit gezien.'

'Eigenlijk moet er dan een kruisje achter haar naam. Om te laten zien dat ze begraven is.'

Hij deed het. 'Maar dan moet dat bij papa ook, een kruisje. Voor op zijn graf.'

'Ja, eigenlijk wel.'

Hij tekende een klein eilandje met een kruis. Amadeus stond er, met potlood. Dan kon hij het altijd nog uitgummen.

In de klas werden alle stambomen opgeprikt, ze namen de hele muur in beslag. De meeste schema's waren indrukwekkende bosgezichten met talloze vertakkingen, de vier ballonnetjes van zijn familie hingen er eenzaam tussen. Een tekening van een mislukt feestje.

Het werd donker, hongerig stopte hij bij een pompstation, maar behalve wat onduidelijke deegproducten in cellofaan zag hij niets eetbaars. Op zoek naar een broodjeszaak of snackbar nam hij op de schaarsverlichte snelweg na Vukovar op goed geluk een afrit. Hij kwam terecht op een stikdonkere landweg. Nergens een lamp, geen bord, geen lantaarnpaal, geen verlichte vensters van een boerderij – niets. Op een kruispunt stond een eenzaam politiebusje. Op de achterbank zag hij een man, waarschijnlijk een arrestant, want hij zat vreemd ver naar voren, zijn polsen moesten op de rug zijn geboeid. Een harde kop onder een kale schedel.

Hij durfde niet te stoppen, reed nog tien minuten door in het donker zonder ook maar iets te zien. Geen stad, geen dorp, laat staan een gezellig wegrestaurant. Hij keerde, passeerde opnieuw het kruispunt, het busje stond er nog steeds. Die stonden daar natuurlijk te wachten tot ze op een stil ogenblik hun gevangene met een nekschot konden afmaken.

Hij vond de tolweg weer terug, en reed verder naar het oosten, dikwijls ging er een kwartier voorbij zonder andere autolichten. In Duitsland was de drukte af en toe bedreigend geweest, hier merkte hij dat het ontbreken van verkeer ook behoorlijk stressvol kan zijn. Als hij een paar koplampen in zijn spiegel zag, vroeg hij zich direct af wat die andere auto daar deed. Plaatselijke struikrovers? Op zoek naar een makkelijk slachtoffer met vijftienhonderd euro op zak? Soms verdwenen de lichten, soms werd hij ingehaald, maar er gebeurde gelukkig niets. Hoe zat het dan? Waarom was hij hier nagenoeg de enige automobilist? Gingen ze hier allemaal voor negenen naar bed? Waren de Serven, Bosniërs en Kroaten nog steeds verwikkeld in een koude burgeroorlog en weigerden ze de weg te gebruiken die hun hoofdsteden met elkaar verbond? Of was de tolweg waar hij op reed simpelweg te duur voor de meeste mensen en speelde het uitgaansleven van de Balkan zich uit het zicht af, achter die donkere heuvels in de verte?

Een enkele keer stond er een veelbelovend etensbordicoon langs de weg, overblijfselen uit de tijd dat je nog onbezorgd door Joegoslavië naar je Griekse vakantiebestemming kon rijden, maar alle gebouwen waren donker en verlaten. In een etablissement dat wel open was zaten twee mannen achter gebarsten glas zwijgend te roken onder een kaal peertje. Stoppen leek hem onverantwoord.

Op een parkeerplaats tussen twee grote tankauto's ten zuiden van Zagreb at hij het pak crackers leeg en pompte zijn luchtbed op. Het leek hem de veiligste manier van overnachten, tussen twee slapende collega's, maar toch kon hij zich niet goed ontspannen. In het halfdonker staarde hij naar de geplette insecten op de voorruit, om de tien minuten ronkte er een auto voorbij op de snelweg verderop. Hij knipte de binnenverlichting aan.

Burn Before Reading, maart 1993

De Grote Spraakverwarring

In de hoogtijdagen van de Babylonische heerschappij over Mesopotamië schijnt er in de hoofdstad een – voor die tijd – gigantisch bouwwerk gestaan te hebben. Eenennegentig bij eenennegentig meter, en ook eenennegentig meter hoog. Het was toren, kerk, buurthuis en bestuurscentrum tegelijk, op het dak stond een tempel die gewijd was aan Marduk en de grote moedergodin van de Aarde. Op nieuwjaar richtten de stadsbewoners aan de voet van het gebouw een groot feest aan dat twaalf dagen duurde, en waarbij ze de hogepriesteres vroegen of de Godin het komende jaar opnieuw goed op de planeet zou willen passen. Aan het eind van het feest klom de koning naar boven om die afspraak te bekrachtigen door zich te verbinden met de priesteres. Seks, religie, metafysica, vruchtbaarheidsrite en lol verenigd in één handige cultus die vele honderden jaren bleef bestaan. Ze noemden de toren Babel, dat 'Poort naar God' betekende. Dit vonden de rabbijnen in het buurland niet leuk. Die geloofden dat zij de enigen waren die de sleutel van de Goddelijke Deur mochten bewaren. Zij waren de stichters van een nieuwe, monotheïstische godsdienst die in bijna alle opzichten tegengesteld was aan die van de Babyloniërs. Ze hadden een dik boek vol regels waar iedereen zich aan moest houden. Alle knoopjes moesten voortaan dicht, er moest elke dag gebeden worden, varkenskoteletjes mochten niet meer en niemand moest aankomen met vruchtbaarheidsrituelen of seks met priesteressen. Dat kwam omdat de joodse godsdienst gebaseerd was op een misogyn geschrift, net als de islam. Alles wat een vagina heeft moest achter slot en grendel (Bruce en Ingweld, 1988).

De rabbijnen vragen hun God daarom iets te doen aan de sekstempel bij de buren. Uiteindelijk zwicht Hij en treft Babylon met een spraakverwarring, waardoor niemand elkaar nog begrijpt en Babylon uiteindelijk in verval raakt.

Twee dingen vallen op in deze sage:

A. Het is kennelijk voorstelbaar dat een natie ten val gebracht kan worden door een spraakverdwazing. Ergo: wanneer het aantal misverstanden een omslagpunt x bereikt, kan een beschaving ten onder gaan. Het is een inzicht dat ik tot nu toe bij geen enkele historicus heb aangetroffen.

B. De Thora (grote delen ervan staan in het 'christelijke' Oude Testament) bestaat zelf uit zoveel spraakverwarringen dat er tot op de dag van vandaag over de interpretatie wordt getwist. Het beste bewijs daarvoor wordt geleverd door een van de beroemdste openingszinnen uit de westerse (religieuze) literatuur, Johannes 1:

'In den beginne was het Woord, en het Woord was bij God, en het Woord was God.'

Dit is te begrijpen als: Gods bestaan hangt samen met de dingen die Hij zegt. Bijvoorbeeld: 'Er zij licht', en zie, er was licht. God heeft dus taal nodig om dingen te scheppen, sterker nog, het Woord wás God. Aangenomen dat alles met taal begint, raakt de lezer echter bij de derde zin in Johannes het spoor bijster:

'Alle dingen zijn door Hetzelve gemaakt, en zonder Hetzelve is geen ding gemaakt, dat gemaakt is.'

Is dit de archaïsche, gezwollen en onbegrijpelijke dikdoenerij van de oude schriftgeleerden? Of staat er precies wat Johannes bedoelde: 'Woorden zijn goddelijk. Wij zullen er nooit iets van snappen.'

Taal is dus in haar meest oorspronkelijke vorm onderdeel van een godenjargon, het idioom waarmee onsterfelijke en almachtige wezens met elkaar communiceren. De rest, de gewone stervelingen, moeten het doen met gebrabbel en gebabbel. De spraakverwarring die neerdaalde in het Oude Land heeft ons allemaal getroffen.

Rex wist niet wat hij moest met wat hij net gelezen had. Het duurde lang voordat hij in slaap viel, verderop ronkte het nachtelijke vrachtverkeer. Hij droomde van een grote witte stad in de woestijn, met tuinen op de daken, beneden op straat liepen mannen met baarden die demonstreerden tegen de aanwezigheid van vrouwen in het openbare leven. Hun roepende monden leken op geopende vagina's.

De volgende ochtend sukkelde hij brak en slaperig met de spits mee langs een middelgrote stad, maar om halftien had hij de E80 weer voor zich alleen en dacht hij na over het proefschrift van zijn vader. Een wankele verbinding met een man die hij niet kende, maar het was alles wat hij had.

Alleen goden en profeten waren dus in staat om met elkaar te praten in klare taal. De rest van de wereld leefde in een permanent misverstand. Wat bedoelde zijn vader daarmee?

Hij keek naar buiten, in de verte de contouren van een heuvelachtig landschap.

Deus was geobsedeerd geweest door woorden. Op zoek naar de oorsprong van menselijke communicatie. En hij was een ongelofelijke boerenlul, volgens zijn moeders.

Rex stopte bij het eerste tankstation met een gekruiste vork en mes op het literprijzenbord. Gestroomlijnde, moderne olieflacons glommen in kaal neonlicht achter vuile ruiten in een gevel van verweerd pleisterwerk. Hij bestelde een hamburger. De cafetaria zat vol rokende mannen met gemillimeterd haar. Als hij de trainingsbroeken verving door camouflagepak, kon je ze moeiteloos zien figureren in de burgeroorlog die twintig jaar geleden dit land verscheurd had. Het was een speciaal geschiedenisproject geweest op school: 'Nationalisme en Racisme in modern Europa'. Zware, Slavische gezichten met geschoren nekken, een enkele bezoeker met lang, vet haar. Die had vast als sluipschutter Sarajevo onveilig gemaakt. Hij kon beter niet zeggen dat hij net in Nederland was geweest, want dan dachten ze misschien dat hij iets met het Strafhof in Den Haag te maken had. Van vlees hadden ze echter verstand: de hamburger was precies goed. Voor onderweg kocht hij een geglazuurde deegrol en een winterwortel, om toch wat vitamines binnen te krijgen.

'Eet je groente op,' zei Puck ongeveer bij elke maaltijd, 'anders geef ik je toetje aan Berry.' Het schaap dat achter het huis het gras kort hield was dol op chocolade. Ze hadden het ontdekt toen Rex een keer had geweigerd zijn asperges op te eten en zijn moeder bij wijze van straf daadwerkelijk het dessert naast de paal had gezet waaraan het beest was vastgebonden. In twee happen was het weg. Berry was al oud, voor een schaap dan, Rex kon zich nog herinneren hoe ze haar als jonge ooi hadden opgehaald op een boerderij ergens in Toscane. Puck had een leenauto geregeld, de achterbank vol oude dekens gelegd, en ze hadden Berry met samengesnoerde poten naar binnen geschoven. Tatja was thuisgebleven, natuurlijk. Omdat Rex het zo zielig vond, van die poten, hadden ze Berry onderweg losgemaakt en na even gesparteld te hebben, vond ze een plekje bij het open raam, en de rest van de rit hield ze haar kop buiten de auto. Blijkbaar genoot ze van de wind en de snelheid, immers zeldzame ervaringen voor de doorsnee-ooi. Bij de parking op Tronchetto liet ze zich gewillig aan boord tillen, en tijdens de vijftig minuten durende tocht naar Mazzorbo stond ze opnieuw met haar neus in de wind op het uiterste puntje van de sloep. Overigens heette ze toen nog gewoon 'Schaap', ze gingen haar pas Berlusconi noemen na het eerste scheerseizoen, toen ze enigszins verdwaasd en kaal in de tuin rondscharrelde op zoek naar haar warme krullen. Eigenlijk was ze een van de redenen geweest waarom zijn moeders besloten hadden in Italië te gaan wonen; het Toscaanse schapenras had een geweldige reputatie. Het produceerde wol van hoge kwaliteit en leverde een superieur vilt op. Tegenwoordig had Tatja een hele boerderij tot haar beschikking, dat moest ook wel met de oppervlaktes waar ze mee bezig was, en het proefschaap van destijds had nu een comfortabel bestaan als gepensioneerde grasmaaimachine. Maar elke keer als er een boot aan hun steiger afmeerde, werd Berry nerveus, ze gaf kleine rukjes aan haar touw en loerde nieuwsgierig tussen de spijlen van het hek door, alsof het geluid van de motor haar deed denken aan die opwindende, eenmalige tocht uit haar jonge jaren. Gezien haar omvang zouden ze haar alleen nu niet meer zo makkelijk kunnen vervoeren. Ze was een lopende composthoop geworden. Werkelijk alles ging erin: klokhuizen, aardappelschillen, pastaresten, beschimmelde vruchtenyoghurt, broodkorsten, oud frituurvet, je gooide het eenvoudig uit het keukenraam en vijf minuten later was het verdwenen. Op een gegeven moment woog ze rond de vierhonderd kilo.

Van Uno (0039489382993o) priority: high
Ben bij jouw huis. Je moeders zijn net terug uit Nederland. De ene is in alle staten en heeft van alles in het kanaal gegooid, voornamelijk jouw spullen geloof ik, maar ook een kunstwerk v. haarzelf, volgens Puck kostte het 35.000 euro. Iedereen is erg boos op je.
P.S. Weet niet naar welk buitenland je op weg bent, maar i.i.g. mag dat NIET *met mijn auto. Ook wil ik graag mijn paspoort terug. Kom naar huis, ik leen je wel geld v. een vliegticket.*

Aan Uno (00394893829930):
Sorry, terugkomen = dealen met de lesbomama's = onmogelijk!

Het bleef stil op de weg. Soms telde Rex maar drie auto's zo ver als hij kon kijken, en dat was ver, want het land was vlak en plat, maar anders dan in de Noordoostpolder. Hier was niets, het land lag er ongebruikt en verwaaid bij. Geen akkers, geen hekjes, nergens iets groens. Misschien was de grond onvruchtbaar, hadden de bewoners vroeger alle bomen omgehakt op zoek naar brandhout, of lagen er nog mijnen uit de oorlog. Als hij door een dorp reed was er niemand op straat. Dat er aan deze weg toch mensen woonden die soms wat geld verdienden, zag je alleen aan de borden met 'Auto-Servis'. In elk gehucht telde hij twee, drie garages. Waarschijnlijk een rechtstreeks gevolg van de slechte wegen, die moordend waren voor elk onderstel. Ook het verlaagde chassis van de Scirocco had het zwaar te verduren, de snelweg kon abrupt veranderen in een eenbaansweg met stukgereden beton, waar je niet harder kon dan dertig. Maar de auto hield het, en opgelucht bereikte hij Sofia. Hij was halverwege.

Als je een plek de naam van een vrouw gaf, moest het wel een liefelijk oord zijn, dacht Rex toen hij de buitenwijken naderde van de Bulgaarse hoofdstad. Helaas was Sofia een heel lelijk meisje. Het was een stad als een mislukte pannenkoek, neergekwakt op een onaantrekkelijke, kale heuvelrug, met een puisterige skyline van grauwbruine flats. Hij had geen behoefte om de stad binnen te rijden, volgde consequent de borden met doorgaand verkeer, en kwam terecht in een apocalyptisch landschap met kilometerslange verwaarloosde stukken zesbaanssnelweg langs nooit afgebouwde woontorens. Het moesten vergeten prestigeprojecten zijn uit de Sovjettijd. Er zaten gaten in de weg zo groot als kruiwagens, als je daar met je wiel in terechtkwam, zou geen enkele autoservis meer kunnen helpen.

Hij zag een grote, aluminiumkleurige chemische fabriek die grote hopen rood spul produceerde. Als grote, bloederige drollen lagen ze verspreid over het terrein. Verderop reclameborden met Bruce Willis die glimlachend een glas wodka vasthield. Wellicht om de aandacht af te leiden van de vervuilde mistroostigheid om je heen. Gedeprimeerd reed Rex een tijdje rond totdat hij in een dorp een supermarkt vond die nog open was en waar hij brood, worst, water, koekjes en waxinelichtjes kocht. Hij was doodop en zocht tevergeefs een parkeerplek die er niet luguber uitzag. Ten slotte zette hij de auto aan de rand van een pleintje met de rechterkant zo dicht mogelijk tegen de muur van een sporthal, improviseerde met de slaapzak een gordijn voor de linkerramen, maakte van het half opgeblazen luchtbed een soort leunstoel en zette zijn telefoon aan.

Er waren geen berichten. Behalve dan een geautomatiseerd bericht over de bel- en internettarieven in Bulgarije. Jammer genoeg had hij geen internet in zijn bundel.

Hij keek naar de signaalsterkte van het netwerk. Die was redelijk.

Nogmaals checkte hij zijn sms'jes. Niets.

Dit was heel raar. Hij was voorbereid geweest op scheldkanonnades en smeekbedes, maar niet op radiostilte. Vonden ze hem opeens niet meer van belang?

Aan Uno (003948938299930):
Beste Uno, het spijt me dat ik je voor het blok heb gezet, wist even niet hoe 't anders moest. Auto is ok, we zijn op de helft, nu terugrijden zou zonde zijn. Gaat het verder goed met jou?

Hij ontstak een paar kaarsjes en zette ze op het dashboard. Terwijl hij het restant wijn opdronk, wachtte hij op een bericht. Er kwam niets. Gek genoeg voelde hij zich in de steek gelaten, hoewel het natuurlijk precies andersom was. Hij kauwde een stuk worst weg. Waar was hij in godsnaam aan begonnen? Even op en neer naar Iran, wat spaargeld ertegenaan en een vader in triomf naar huis brengen? Waarom dacht hij dat het iets zou opleveren, deze queeste? Als het zijn vader al was, en als die nog steeds op het adres zat dat hij van Reinhold had gekregen. En als ze hem überhaupt het land in lieten.

Hij kon de verleiding niet weerstaan en toetste het in, Sofia-Venetië: 1170 kilometer, dertien uur rijden, morgenmiddag zou hij in een ligstoel kunnen hangen bij de steiger op Mazzorbo met een gekoelde vruchtencocktail. Waarom deed hij dat niet? Hij moest plassen. Maar toen hij het portier opende, stootte hij een waxinekaarsje om. Een punt van zijn slaapzak vatte vlam. Vloekend bluste hij het brandje door de rest van de wijn eroverheen te gooien. Met de scherpe geur van verbrand polyester in zijn neus typte hij het volgende bericht:

Aan mama A en mama B:

Om iemand 18 jaar lang voor te kunnen liegen moet je doortrapt zijn. Berekenend, altijd beducht om de dubbele administratie kloppend te krijgen. Met terugwerkende kracht zie ik daarom jullie omhelzingen, liefkozingen, verhaaltjes-voor-het-slapen, aaien over de bol, de elektrische gitaar die jullie mij gegeven hebben op mijn 13de en die keer dat jullie met me meegingen voor die wortelkanaalbehandeling, als leugenachtige en laaghartige gebeurtenissen, want tijdens al die momenten had je kunnen zeggen: luister, op een keer moeten we praten over papa. Dat doen we als je ouder bent. Maar dat hebben jullie niet gedaan. Jullie hebben gezegd: papa is dood. Van alle opties die er waren, hebben jullie de makkelijkste en lafste gekozen.

Hij drukte op verzenden en wachtte tien minuten. Geen reactie. Tevergeefs probeerde hij de brandlucht uit de auto te wapperen en opende een nieuw pak crackers. Nog steeds geen antwoord. Hij had medelijden met zichzelf.

Aan mama A en mama B:

Volgens mijn opa in A'dam zijn alle vrouwen serpenten. Mogelijk overdrijft hij een beetje, maar wat jullie betreft slaat hij de spijker op de kop. Stuur svp geen sms'jes meer, mijn gsm staat uit.

Hij liet 'm natuurlijk aanstaan, en de hele nacht lag hij met een half oor te luisteren naar een mogelijke ping van zijn inbox. Maar er kwam niets binnen en met een bittere smaak reed hij de volgende ochtend de stad uit. Hij wist dat hij nooit meer op een ligstoel in de tuin van Mazzorbo zou liggen.

De eerste keer dat hij merkte dat zijn moeders niet doorsnee waren, was in het water. Het zwemseizoen liep voor hem van april tot oktober, voor Puck van januari tot en met december. Ze zwom iedere dag, ook die enkele keer als het gesneeuwd had. 'Om fit te blijven,' zei ze.

'Om aantrekkelijke jonge toeristenmeisjes het hoofd op hol te brengen,' zei Tatja, die alleen ging zwemmen om af te koelen, meestal na de lunch, als alles om hen heen stil was gevallen door de hitte en het water het enige was wat bewoog. Dan nam ze Rex met zich mee. Ook toen hij allang een diploma had, bleef ze hem vasthouden. Niet opvallend, maar altijd was er een arm in de buurt, of een voet, of een paar vingers op zijn schouderblad. Ze zwom als een amoebe, haar zachte ledematen om hem heen, hij vond het heerlijk, hoefde niet eens te watertrappen om te blijven drijven. Voor Puck ging dit allemaal veel te traag, die draaide rondjes om hen heen in trage rugcrawl, als een lijfwacht. Vaak namen ze de elektrische sloep en voeren ze een eindje de lagune in, want ook zwemmen deden ze het liefst zonder kleren. Het kanaal voor hun huis was breed, het was meer een kleine zeearm, de oever van het naburige eiland lag ongeveer honderdvijftig meter verderop, maar toch kon je er niet naakt baden door de vele toeristenboten die op weg waren naar Torcello. Soms, als het erg warm was en zelfs het loskoppelen van de sloep een vermoeiende klus leek, sprongen ze direct van hun steiger de verkoeling in, gewoon in onderbroek en T-shirt. Op een snikhete woensdagmiddag, hij zat in de derde of vierde klas, dreef hij loom op zijn rug tussen zijn moeders in, de octopus en de haai, zijn ogen gericht op het puntje van hun huis dat boven de bomen van hun kleine koninkrijk uitstak, toen een stuk of drie speedboten het kanaal naderden. Het waren snelheidsmonsters van blinkend mahoniehout, je kon ze al van ver horen brullen. Zonder vaart te minderen passeerden ze de doorgang, waar aan weerskanten grote snelheidsbeperkingsborden stonden. Boven het lawaai van de motoren uit dreunde muziek, achter het stuur gebruinde mannen, jongens eigenlijk nog, met grote zonnebrillen. Ze probeerden elkaar in te halen, een van de speedboten week uit en kwam dichterbij. Niet eens echt dichtbij, maar er kwamen golven aanrollen en Rex rook een vleugje benzinedamp. Zijn moeder begon te schreeuwen, ze riep woorden die hij nog nooit gehoord had. De boot nam gas terug, draaide een rondje en kwam terug. Geamuseerd hingen de jongens over het gangboord. Puck zwom ze tegemoet, zijn moeder bracht Rex snel naar het steigertrapje. Toen ze naar boven klommen, gaven de gozertjes opeens gas, voeren bijna over Puck heen en wilden aanleggen. Een vrouw in nat ondergoed was nog beter dan rondjes scheuren over de lagune, moeten ze gedacht hebben. Tatja stuurde hem het huis in en bleef zelf druipend en scheldend in haar doorkijkkleren op de steiger staan, kwetsbaar maar onbevreesd. De jongens gooiden een touw om de meerpaal en wilden uitstappen, maar toen stond Puck opeens op de steiger met een jachtgeweer. Waar ze dat vandaan had was Rex een raadsel, maar het werkte wel. De indringers durfden de confrontatie niet aan en maakten rechtsomkeert. Luidruchtig voeren ze terug naar hun kameraden, hun middelvingers opgestoken.

De les die hij die middag leerde was dat je nooit moet

schreeuwen naar mannen in speedboten, en dat het zachte lichaam van zijn alleskunnende moeder niet overal tegen bestand was. Ze kon een sloep besturen, ook in de smalste Venetiaanse kanaaltjes, ze kon een stoomketel repareren, drukmeters aflezen en afsluiters bedienen, schapen scheren, met een kokerrok en hoge hakken uit een boot stappen, ze snapte zijn schoolwerk zonder ooit de boeken gezien te hebben, ze kon de pijn wegstrijken van een schaafwond, maar haar tedere tentakels konden hem niet overal tegen beschermen, er waren kennelijk situaties denkbaar dat je een vriendin met een jachtbuks nodig had.

'Van Opapim,' zei Puck. 'Er zitten geen patronen bij. Dat vond hij te gevaarlijk.'

Als er wel munitie was geweest, had Tatja het bootschorem zeker een schot hagel nagestuurd, tierend stond ze in haar natte T-shirt in de tuin. 'Die kleine rotzakjes doen net alsof er geen moordwapen onder hun boot hangt,' riep ze met hoge, overslaande stem. 'Die schroef draait zesduizend toeren per minuut. Weet je wat er gebeurt als die je raakt?'

'Dan verander je in steak tartaar,' antwoordde Puck droog.

'Dan mag je van geluk spreken, meestal blijft zelfs dat niet van je over.'

Zijn moeder was bezorgd, bezorgder misschien dan andere ouders die hij kende, vooral als het om dingen ging die sneller gingen dan een roeivlet, maar het had hem nooit gestoord.

'Mama heeft erge dingen meegemaakt toen ze zo oud was als jij nu, in een ver land,' zei Puck dan, 'daar komt het van.'

Lange tijd waren verre landen voor hem daarom verbonden met erge dingen, hij werd hierin bevestigd door de enkele keer dat het nieuws doordrong tot hun enclave in Mazzorbo, zoals in de nazomer van 2001, toen ze hele dagen voor de tv hadden gezeten, en twee maanden later nog eens, toen de Amerikanen het land aanvielen waar de agressors zich schuilhielden. Hij had niet geweten dat het geboorteland van zijn moeder zo stoffig en rotsachtig en kaal was, maar ergens was het ook wel logisch: met zoveel onherbergzame en woeste leegte was er natuurlijk heel veel ruimte voor erge dingen. Dat zijn moeder in staat was geweest zoiets te overleven maakte indruk, maar ze had er ook iets anders opgelopen, een onzichtbare besmetting, een beschadiging onder de huid.

'Ik ben helemaal niet getraumatiseerd,' gilde ze vaak als Puck en zij weer eens ruzie hadden over een reis die niet gemaakt kon worden door het ontbreken van alternatief vervoer. 'Het is gewoon een kwestie van wetenschap. De explosiemotor is uitgevonden door een man, net zoals het buskruit, de cilinderrevolver en de atoombom. Je hoort boem, en verderop valt er iemand om, niet noodzakelijk meteen, want het duurt nog vijftig jaar voordat bijvoorbeeld de poolkappen zijn gesmolten en we er allemaal aangaan. En de paar mensen die dat overleven, krijgen te maken met de fall-out van al die gebruikte uraniumstaven die we op dit moment overal in de grond stoppen.'

Vanzelfsprekend had ze gelijk. Naarmate hij ouder werd ontdekte Rex dat de samenleving heel anders was geordend dan hun kleine, niet meer zo veilige biotoop, waarin hij het volstrekt normaal vond dat vrouwen de dienst uitmaakten. In de belangrijkste sectoren van de buitenwereld waren mannen de baas: in de politiek, de olieconcerns, de automobielfabrieken, de wapenindustrie, de kerncentrales. Zijn moeders waren verwikkeld in een eenzame strijd, begreep hij langzamerhand. Maar wel een die allang verloren was.

Vlak voor de Turkse grens veranderden de vier banen van brokkelig Bulgaars beton in een tweetal smalle rijstroken. Aan de rechterkant een kilometerslange rij met vrachtwagens. Langs de weg tientallen winkeltjes die water, snoep en frisdrank verkochten, en wonderlijk genoeg, veel plastic kinderspeelgoed. Blijkbaar een gouden handel vanwege de honderden kroostrijke vrachtwagenchauffeurs die daar dagelijks in de rij stonden, dacht Rex. Hij kon er niet voorbij. De poort tussen Europa en Azië was een onaanzienlijk, provinciaals, slecht onderhouden stukje asfalt, geconstipeerd door één lange, constante file van trucks met stationair draaiende motoren.

Hij keek vijftien minuten tegen de laaddeuren van een internationaal koeltransport aan en schoot twintig meter op – precies de lengte van één oplegger. Dat kon toch niet de bedoeling zijn. Met een licht gevoel in zijn maag stuurde hij de auto naar de linkerweghelft en langs de onafzienbare rij. Twee keer moest hij dicht tegen de file aan kruipen om het verkeer van de andere kant te laten passeren, maar ten slotte bereikte hij de plek waar de twee banen uitwaaierden naar zestien en koos het poortje met een groen personenautootje erboven. Hij was het enige personenautootje. De Bulgaarse douanier vond een paar kilometer spookrijden blijkbaar heel normaal en zwaaide hem door.

Dat gaat makkelijk, dacht hij, totdat hij tegen een reusachtig rolhek aan reed dat de hele breedte van de weg overspande. Aan de zijkant stond het een klein stukje open en kon je er net langs. Hij reed een enorm complex binnen met loodsen, schijnwerpers en een veertigtal tramhokjes naast een soort laadperrons. Negenendertig hokjes hadden rode kruisen, eentje een groene pijl. Er stond een twintigtal auto's te wachten.

'You have no visum,' zei de beambte achter het loket toen hij Uno's papieren bekeek.

'No. I want to buy it here, please.'

Hij moest de auto parkeren en te voet terug naar een ander platform om een visum te halen. In tramhokje 29 zat een oudere man naar een showprogramma te kijken op een tv met slecht beeld. Uit een houten bureautje haalde hij een stapeltje groot formaat postzegels, plakte het visum in zijn paspoort, en stopte de vijftien euro die Rex hem gaf in een laatje.

Hij hobbelde weer terug, over dertig vluchtheuvels. Verderop stopte een autobus. Een stem uit de luidsprekerinstallatie begon in het Turks aan een soort opsomming. Rex vond het sinister klinken, het deed hem denken aan documentaires over concentratiekampen. Nerveus ging hij tussen de rij auto's staan wachten. Elke keer als de slagboom openging, liep hij een stukje mee, wat er nogal potsierlijk uitzag, alsof hij chauffeurtje speelde zonder auto. Het plan om zo onopvallend mogelijk de grens te passeren viel hierdoor in duigen.

Toen hij aan de beurt was zag hij dat de douanier was afgelost door een vrouw. Hij liet haar aan de visumsticker ruiken, ze knikte en wapperde met haar hand naar het oosten alsof ze haar vingers niet aan hem wilde branden.

ISTANBUL 200 KM stond er op een groot groen bord, en de volgende anderhalf uur reed Rex op een nagenoeg lege, donkere zesbaanssnelweg. Het rare was dat het daar gebeurde, op het gladde asfalt van de E80 en niet op een van die waardeloze, veringbrekende herderspaadjes in Bulgarije. Hij reed een lange, glooiende helling af, hoorde een jammerknars die steeds hoger werd en opeens helde de Scirocco sterk naar rechts. Geschrokken zette hij de auto aan de kant. Lekke band? Bij het licht van de zaklamp zag hij niets verdachts. Behalve een sliertje rook dat vanachter het rechtervoorwiel opsteeg. Hij legde zijn hand op de velg en trok hem snel terug. Het metaal was gloeiend heet. Hij probeerde verder te rijden, maar moest weer stoppen voordat hij naar de tweede versnelling kon schakelen. De jank die onder de auto vandaan kwam, viel niet te negeren. Daar was iets heel erg kapot. Hij zette de motor uit en zat een tijdje in het donker. Wat moest hij nu doen? Hij voelde zich heel erg alleen, hoopte op een sms'je uit Nederland of Italië, het mocht zelfs een schreeuwbericht zijn wat hem betreft, maar er was niets. Hij stond op een verlaten snelweg in een vreemd land met een auto die het had begeven en het was zijn eigen schuld. Om de twee seconden weerkaatste de vangrail het oranje licht van zijn alarmlampen. Er kwam geen enkele auto voorbij. Een snikgeluidje ontsnapte uit zijn keel. In Italië belde je in zo'n situatie de ACI, maar hier? Hij had geen andere keus dan met een slakkengang in z'n één op de vluchtstrook verder te rijden en te hopen dat hij niet van achteren geschept werd. Met een rokend wiel hompelde hij in de richting van de hoofdstad van het oude Oost-Romeinse rijk, in het tempo van de voetsoldaten van weleer. Hij deed er de hele nacht over, de paar keer dat er een auto of vrachtwagen passeerde, werd veel getoeterd maar niemand stopte. Uitgeput en doof parkeerde hij de zieke VW om zes uur 's ochtends bij een benzinepomp. In de verte zag hij de koepels van Istanbul.

Er was niemand die hem wilde helpen. Ze begrepen niet wat zijn probleem was, of wilden het niet begrijpen. Uiteindelijk reed een tankhulpje een rondje over het parkeerterrein. Hoofdschuddend stapte hij uit. 'Very much not good.' En na even nadenken: 'Fifteen hundred dollar.'

'But what is wrong?' probeerde Rex. 'Is it the transmission? The wheels? The brakes?'

'Not good.'

Ruim twaalfhonderd euro. Dat ging niet. Hij zou te weinig overhouden om in Teheran iets te kunnen doen voor zijn vader. Hij bedankte de jongen en reed het terrein af. In de stad kon hij misschien een betere deal sluiten.

Officieel wonen er vijftien miljoen mensen in het voormalige Constantinopel, maar volgens officieuze cijfers zijn het er ruim eenentwintig miljoen. Het wegennet rond de stad lijkt op de periferie van Parijs, maar dan in het kwadraat, en in slechtere conditie. De ringwegen slingeren zich om en over de heuvels waarop de stad is gebouwd als spaghetti in een afvalbak.

Het verkeer raasde links en rechts langs hem heen, en begeleid door een voortdurend claxonconcert kroop hij over de smalle vluchtstroken richting het stadscentrum. Zo gauw hij kon zette hij de sidderende auto stil in een parkeervak bij een moskee. Een travestiet stak over en wipte bevallig in een gereedstaande taxi. Op goed geluk stapte Rex een restaurantje binnen. Het was nog vroeg en niet zo druk. Naast de deur zat een man met grijs haar en een bril achter een kassa, zo te zien de eigenaar. Met een scherp oog hield hij de getijdenstroom van ontbijters, kelners en afwashulpjes in de gaten, classificeerde Rex in een split second als onvermogende rugzaktoerist en besteedde verder geen kostbare tijd aan hem. Twee obers kwamen naar hem toe en luisterden geduldig hoe Rex in het Engels uitlegde dat zijn 'car broken down' was. Ze hadden hetzelfde postuur, type hardhandige badhuismasseur, de een zwart met snor en een eivormig gezicht, de ander grijs met snor en een smalle kin en het volume juist boven in het hoofd, een omgekeerd ei dus. Ze zouden weggelopen kunnen zijn uit een stripverhaal van Hergé.

'The car makes a terrible noise,' besloot Rex zijn relaas.

Jansen en Janssen knikten. 'Yes sir. We have kofte en kebab. You want to drink?'

'No no. Wagen kaputt,' probeerde hij in het Duits. Hij beeldde het uit. Zijn handen draaiden aan een denkbeeldig stuur, en plots 'whieooooe'. Schrikken. Armen wijd uiteen in het universele geen idee-gebaar. Hij wees door het raam, de obers volgden hem naar buiten. Hij legde zijn hand op de motorkap en zei: 'From Holland. And after the border: whieooooe.'

Ze snapten het.

Er werd een stadsplattegrond vanachter de bar gehaald. In een soort competitie wie het beste kon uitleggen waar de dichtstbijzijnde garage was, klepperden ze in het Turks door elkaar heen en schenen zich niet te realiseren dat Rex hen niet kon verstaan. Na twee chaotische minuten werd de discussie abrupt beëindigd door een kleine, mollige man in een licht kostuum met een felgroen, wijd openstaand overhemd. Hij legde twee sussende handjes op de armen van de verhitte obers en riep iets in het Turks. Vervolgens zei hij in het Nederlands tegen Rex: 'Jongeman, wat een opwinding op een doordeweekse ochtend!'

Rex was blij een landgenoot gevonden te hebben in de jungle.

'Ik wil alleen maar weten waar de dichtstbijzijnde garage is.'

'Is er iets kapot?'

Rex legde het uit, maar de ander onderbrak hem al na twee zinnen.

'Is niet belangrijk. Belangrijk is dat je even op adem komt. Ben je erg geschrokken?'

'Gaat wel.'

'Koffie? Iets fris?' Hij voerde Rex terug het restaurant in naar een bel-etage, waar een glas thee koud stond te worden op een klein gelakt tafeltje en zette hem neer op een bank van rood fluweel. 'Vertel me nu eerst eens hoe je hier verzeild bent geraakt. Waar zijn je ouders?'

'Ik reis alleen.'

'En wat kom je hier doen?'

'Soort vakantie.' Het leek hem niet verstandig te melden dat hij op weg was naar Iran, dat klonk nogal wanhopig en ondoordacht, met een auto die halverwege al stuk was gegaan. 'Ik dacht, Istanbul moet je toch gezien hebben.'

'Ah, jongen.' De kleine man maakte een soort messiasgebaar, armen hemelwaarts, gespreide vingers. 'Je bent in een van de oudste hoofdsteden van de wereld. Hier kan alles, en alles is al gedaan.'

Rex dronk het flesje mineraalwater leeg dat voor hem op tafel stond.

'Ik heb thee voor je besteld.'

'Nee, dank u wel.'

'Jij. Zeg toch jij. Ik voel me anders zo'n oude man. Ik ben trouwens Henri.'

Hij schudde het handje. 'Rex.'

'Wat zullen we doen, Rex? Een garage bellen? Ik weet er wel een.'

'Ik kan geen vijftienhonderd dollar missen.'

'Vijftienhonderd dollar? Voor dat bedrag koop je een nieuwe auto.' Hij pakte een telefoon uit zijn colbertje, koos een nummer en begon in het Turks te praten. Na een minuut borg hij het toestel weer op en zei: 'Het is geregeld.'

'Wat?'

'Ze komen eraan.'

'Maar...'

'Maak je geen zorgen. Ze zullen je niet afzetten.'

'Hoe weet u dat zo zeker?'

'In Istanbul weet je nooit iets zeker. Maar ze kennen me. Dat helpt.'

Binnen een kwartier stonden er twee aardige jongemannen met zwarte nagelranden hun diagnose toe te lichten. Een vastgelopen wiellager. Rex had geluk gehad dat de as niet gebroken was. Een goede tweedehandse kostte honderdzestig Turkse lira, inclusief montage. Ongeveer tachtig euro. Opgelucht stemde Rex toe.

'Misschien wil je je even opfrissen?' vroeg Henri, toen Rex de contactsleutels aan de monteurs had overhandigd en de Scirocco het straatje uit ratelde. Hij wees met zijn kinderhand naar boven. 'Ik woon vlakbij.' Rex aarzelde even, maar knikte toen. Een vriendelijke, Hollandse kabouter in de chaos van een vreemde stad. Wat kon daar verkeerd aan zijn?

'Vlakbij' was een rekkelijk begrip. Na tien minuten, talloze bochten, drukke winkelstraten, trappen en steile steegjes had hij het gevoel verdwaald te zijn in een tekening van Escher. Ze hielden stil voor een smal pand van gele kalksteen, ingeklemd tussen een bankgebouw en een rederij. Het moest eeuwenoud zijn, de gevel met uitbouwtjes was een mengeling van verschillende bouwstijlen. Rococobalkonnetjes met versierd ijzerwerk hingen voor boogvormige, gotische ramen met aluminium rolluiken. De drie meter hoge voordeur van massief eiken met zware roosters viel bijna in het niet bij de twee grote, Griekse zuilen aan weerszijden die tot aan de tweede verdieping reikten. Het huis leek ertussen te hangen, alsof het te moe was om op eigen kracht te blijven staan. Het was een gebouw van dissonanten, van tegen elkaar schurende tonen, maar op een vreemde manier toch een geheel. Boven de ingang hing een bord waarvan de rode lichtjes elkaar eindeloos achternazaten en elke vier seconden het woord *Circe* spelden, met daaronder: Salsaclub. Henri ontsloot een poortje en liet hem binnen. Ze liepen door naar de achterkant, en tot Rex' verbazing kwamen ze terecht op een groot, marmeren terras met magnifiek uitzicht over het water. De parterre bleek aan de andere kant vier etages hoog omdat het gebouw tegen een heuvel stond.

'De Gouden Hoorn.' Achteloos gebaarde Henri naar de overkant van de baai, waar Istanbul verder over de heuvels golfde. 'Vroeger hield de stad daar op. Het gebeurde wel dat vijanden van het rijk hun schepen over die heuvelrug sjouwden en de Byzantijnen in de rug aanvielen.'

'Ik dacht dat het de Bosporus was.'

'Die ligt aan de andere kant, beste jongen. Kunnen we vanaf hier niet zien. Honger?'

Rex kreeg eieren, toast, pide met yoghurt. Het werd gebracht door twee jonge Turkse jongens die hem niet aankeken. Hij ontbeet als een koning, de oeroude stad met haar tientallen koepels aan zijn voeten. 'Hoeveel moskeeën staan hier eigenlijk?' vroeg hij.

'Honderden.'

'Dat is best wel veel.'

Henri at niets, hij zat op de balustrade, zijn benen bungelend boven de rand, en keek hoe Rex at. 'Er zijn veel voormalige kerken bij. Deze stad is veertien eeuwen christelijk geweest. De moslims hebben haar pas in 1453 veroverd.'

'En hoe lang woont u hier al?'

'Pfff, een eeuwigheid.' Henri maakte een wegwuifgebaar naar de hemel.

'Komt u nog wel eens in Nederland?'

'Nee. Zeg toch jij.'

'En wanneer was je er voor het laatst?' Hij hield niet van tutoyeren.

'In 1996. Dat was meteen ook de laatste keer.' En toen Rex hem vragend aankeek: 'Dingetje met de belasting. Niet belangrijk.'

'Je kunt dus niet meer terug, zelfs als je zou willen.'

'Het was nogal een groot dingetje.'

'Oké.'

'Je bent een intelligente jongen.'

'Vindt u?'

'Je.'

'Sorry. Je.'

'Ja, dat vind ik. Zal ik je de stad laten zien?'

'Nee, dat hoeft echt niet. Ik red me wel.'

'Daar twijfel ik niet aan. Wat ga je dan doen, terwijl je wacht tot de auto klaar is?'

'De stad bekijken.'

'Ik kan je een paar heel interessante plekken laten zien.'

'Dat is heel vriendelijk, maar het hoeft echt niet.'

Henri was te veel gentleman om zich de botte afwijzing persoonlijk aan te trekken. Deze jongen uit Holland was er niet op uit om vrienden maken. Heel licht tikte hij Rex' bovenarm aan. 'Ik heb een geweldig boek dat je moet zien.'

Rex volgde hem de catacomben van het donkere achterhuis in. Ze gingen een kleine trap op, toen weer af, een gang door, weer een trap. Er was geen touw aan vast te knopen. 'Het oorspronkelijke trappenhuis heb ik laten slopen,' zei Henri. 'Dat ging me wel aan het hart, want het was een waar kunstwerk van palissander en mahonie. Minstens vierhonderd jaar oud. Maar het was nodig voor de liftschacht. Het hout heb ik hier en daar laten verwerken in de vloeren en zo.' Hij knikte naar een erker waar de houtnerf van vloer, vensterbank en aftimmering één geheel vormden in een roodbruine vlam. 'De klanten kunnen nu gewoon in één keer door naar boven zonder dat wij er last van hebben.'

'Klanten?'

'De bovenste etage is voor de horeca. Zonder liftsleutel kun je niet uitstappen op de tussenliggende etages, alleen op het dak. Het nadeel is dat er van verticale logica geen sprake meer is. Er zijn in de loop der tijden een paar trappen bij gekomen, en soms moet je eerst naar beneden voordat je een trap naar boven vindt. In het begin verdwaalde ik wel eens in mijn eigen huis.'

'Hoeveel verdiepingen zijn er dan?'

'Zeven.'

Ze kwamen in een grote, schemerige ruimte met boekenkasten tot aan het plafond. Leren clubfauteuils bij kleine tafeltjes op gedraaide poten, het leek gekopieerd uit een Engels kasteel. Henri was een boekengek, Rex zag het aan de manier waarop hij zijn vingers langs de ruggen liet glijden. 'Kijk,' zei hij, 'we zijn in een stad waar de Goden van de Olympus aanbeden zijn, daarna de God van de christenen, en ten slotte de God van de moslims. Maar er is één constante in deze religieuze stoelendans.' Hij trok een dik boek uit de kast en liet de pagina's langs zijn duimnagel waaieren. 'Weinig mensen weten dat Byzantium, en later dus Constantinopel, altijd een bolwerk was van een fenomeen dat in de rest van Europa vaak is verketterd. Hier konden mannen elkaar liefhebben zonder dat ze bang hoefden te zijn voor repercussies.'

'Jeetje.'

'De Grieken, Romeinen, Ottomanen, één rechte, ononderbroken lijn door twee millennia knapenliefde. Sommige keizers en sultans kwamen er rond voor uit.' Henri sloeg het werk open bij een illustratie van een koperen schaal waarop een dik mannetje met een grote erectie een jongen achternazat. 'Deze komt uit het persoonlijke theeservies van Mehmet IV.'

Rex knikte. Het zag er nogal onsmakelijk uit, zeker als je bedacht dat er gebakjes op moesten liggen. Hij hoopte dat de jongen had weten te ontkomen aan Mehmet.

Henri liet hem nog een paar gravures zien. 'Deze stad is nog steeds erg kosmopolitisch ingesteld. Het gebeurt heel veel, niet altijd in het openbaar natuurlijk, maar wel veilig. Discreet.'

'Te gek,' antwoordde hij. Wat moest hij met deze wetenschap?

Henri fronste even, klapte het boek dicht en zette het weer op zijn plek. 'Kom mee.' Hij stommelde een smalle wenteltrap op.

'U heeft werkelijk een hele bijzondere bibliotheek,' zei Rex beleefd.

'Dank je. Maar wat is de zin van lezen als de salsa zo dichtbij is?'

12 | REX

Het liefst had Rex de vriendelijke kabouter achtergelaten in zijn oude huis, bij zijn antieke pornogravures, maar Henri liet hem niet zomaar gaan. Hij nam hem mee naar een gecapitonneerde deur op de bovenste etage. Rex had een café verwacht met visnetten en uitgebleekt hout, attributen van het strand van Copacabana, flamingo, cocktails en jurken met ruches, maar in plaats daarvan kwam hij in een lichte, cirkelvormige ruimte die de hele breedte van het huis besloeg, met metaalgrijze muren, lage loungebanken van zwart leer en een vloer van glimmend antraciet. Een groot deel van de gebogen wand bestond uit glazen panelen, nu opgeschoven, hij zag eenzelfde zonovergoten marmeren terras als beneden, maar dan veel groter, met tafels en stoelen. De lichte tegels gingen via een ingewikkeld golfpatroon over in die van de donkere binnenvloer. En op die vloer, precies in het midden, onder een gedoofde discobal, stond een zwartharig meisje. Ze deed niets, er kwam geen begroeting, ze stond daar alleen maar. Ogen dicht, haar gezicht naar de zon. Rex durfde niet door te lopen naar het terras. Zo'n ruimte was het, je wilde die donkere vloer oversteken en buiten met een pina colada aan een tafeltje gaan zitten onder de druivenranken. Maar dat kon niet. Hij wachtte dus geduldig, met Henri schuin achter hem, die glimlachend tegen de deurpost leunde.

Het meisje boog plotseling naar achteren en strekte haar armen, alsof ze in slow motion een achterwaartse salto ging maken. In plaats daarvan ging ze weer naar voren, opnieuw met gestrekte armen, en bleef dubbelgevouwen staan, met haar vingers plat op de grond.

Rex voelde zich ongemakkelijk. Hij kon nergens tegenaan leunen, omkeren was geen optie. Onhandig stond hij met zijn armen langs zijn lijf, legde toen de palm van de linkerhand over de rug van de rechter. Met zijn handen zo voor zijn kruis leek hij verdiept in een zedig gebed voor een hogepriesteres in een mysterieus ritueel. Buiten zoemde de stad.

'Ze is bijna klaar,' fluisterde Henri achter hem.

Inderdaad kwam het meisje traag overeind, ademde langzaam uit, draaide zich om, bekeek hen rustig en deed een stap in hun richting. 'Hallo,' zei ze.

'Dag schatje,' zei Henri. 'Mogen we je even storen?'

Het meisje stak een hand uit. 'Ik ben Bieneke.'

'Dit is Rex. Zijn auto is kapot.'

Rex nam de hand aan. Sterke koele vingers.

'Ja? Wat dan?' vroeg ze aan Henri.

'Wiellager, geloof ik.'

'Wat voor auto?'

'Duits.'

'Heb je Hassan gebeld?'

'Uiteraard.'

'Wat moet hij betalen?'

'Vraag het 'm zelf. Hij spreekt Nederlands.'

Verrast pakte ze de hand van Rex terug, die ze net had losgelaten. 'O, sorry. Wat stom. Hoeveel wilden ze hebben?'

'Tachtig euro.'

'Twintig te veel.' Ze liet de hand weer los, keerde zich naar Henri. 'Waarom heb je me niet even geroepen?'

'Dat mag toch niet, tussen negen en tien?'

'Dat is waar, maar voor noodgevallen kun je wel een uitzondering maken. Was het een noodgeval?'

'Nee.'

'Ja,' zei Rex tegelijkertijd. Omdat de beide anderen hierna zwegen, was hij gedwongen verder te gaan. 'Het gebeurde na de Bulgaarse grens. Ik moest het hele stuk hiernaartoe over de vluchtstrook met vijftien kilometer per uur. Het was niet leuk.'

'Nee pap, dat is niet leuk.'

'Je hebt gelijk. Het is een rottige manier om Turkije binnen te komen. Weet je wat? Laten wij dan de reparatiekosten voor onze rekening nemen.'

‘Nou nee,’ zei Rex.
Bieneke lachte. ‘Prima.’
‘Nee.’
‘Jawel.’
‘Echt niet. Ik kan het zelf betalen.’
‘Daar twijfelen we niet aan,’ zei Henri, ‘maar we willen het graag.’
‘Het is heel aardig, maar nee.’
‘Hij wil alles zelf doen. We mogen hem ook al niet de stad laten zien.’
Bieneke knikte. ‘Tuurlijk niet. Het is veel leuker in je eentje. Ik weet wel een paar leuke plekken. Wacht, ik schrijf het wel even op.’ Ze dook achter de lange bar, die de hele linkerkant in beslag nam. De muren, zag Rex nu, waren niet egaal. Ze waren bekleed met ontelbare matglanzende, ovaalvormige schildjes.
‘Ik mag hier ’s ochtends eigenlijk nooit komen,’ fluisterde Henri, ‘ze is heel consciëntieus. Ze doet het al sinds haar zestiende.’
‘Wat?’
‘Oefeningen. Yoga, tai chi, ik weet het fijne er niet van. Ze staat om zes uur op en zet hierboven dan alle deuren tegen elkaar open, zodat de cafélucht eruit kan waaien. Ze zegt dat je er gelukkiger door wordt.’
‘Van de deuren tegen elkaar openzetten?’
‘Pas op, ze is heel serieus. Ze raakt uit haar humeur als ik er grappen over maak.’
Bieneke kwam terug met een bestellijst. Op de achterkant een aantal regels in hoekig handschrift. ‘Alsjeblieft, mijn top vier.’ Ze gaf het velletje aan Rex en liep naar de deur. ‘Veel plezier. Eet je mee, vanavond?’
‘Als de auto klaar is, wil ik graag meteen door. Sorry.’

'Waar moet je dan naartoe?'

'Hij wil een beetje rondrijden.' Henri liep naar het grote espressoapparaat achter de bar.

'Ik zie wel waar ik terechtkom,' zei Rex. 'Misschien India, of Nepal.'

Er is een bepaalde leeftijd waarop je dat soort dingen zeggen kunt. Zinnen als 'ik slaap wel onder een brug', of 'ik ga liften door de Sahara'. Vóór je zestiende is het vaak grootspraak, na je vijfentwintigste meestal een pose. Maar als je, bijna achttien, zei dat je langs een oorlogsgebied naar India wilde rijden, geloofden de mensen je. Bieneke knikte in ieder geval instemmend.

'Heb je je visa?'

'Voor Iran kun je die toch gewoon aan de grens kopen? Dacht ik.'

'Zou kunnen. In het ergste geval laten ze je een paar dagen wachten. Misschien kun je de visumsticker beter hier alvast aanvragen. Papa helpt je wel met het adres van het consulaat. Ik moet nu echt gaan.' Ze pakte een sleutelbos. 'O, en dat wiellager – dat is vandaag echt nog niet klaar, geloof me.' Weer die koele vingers in zijn hand, en toen was ze weg.

Achter hem siste de espressomachine. 'Je moet het haar niet kwalijk nemen. Ze doet te veel tegelijk. Een normaal mens zou gek worden. Vandaar die concentratieoefeningen in de ochtend.'

'Waarom denkt ze dat de auto vandaag niet klaar is?'

'Ze heeft er verstand van. En ze kent Hassan. Wil jij misschien een frappuccino? Ik vind het leuk om ze te maken.'

'Als ik u er een plezier mee doe.'

'Je moet nou echt ophouden met dat vousvoyeren. We hebben dit apparaat al vijf jaar. Speciaal uit Italië laten komen. Cursus gedaan. Komt heel wat bij kijken, hoor, goeie koffie. Maar frappuccino is het leukst. Hoewel niemand het kan zoals Bieneke. Ze heeft wat met machines. Ken je die oude posters uit de Sovjettijd? Vrouwen op tractors en achter schotelzaaiers? Dat is Bieneke, maar dan dunner. Ze heeft niets Russisch, natuurlijk. Of het moet een ballerina zijn. Zelfde doorzettingsvermogen. Maar ze wil de zaak niet overnemen.'

'Waarom niet?'

'Ze heeft het te druk.' Hij maakte een gebaar met zijn handen dat zowel 'te veel om op te noemen' als 'ver weg' kon betekenen. 'Ze bereidt zich voor op een reis rond de wereld, volgt een cursus natuurkunde omdat ze denkt dat zonnecellen de toekomst hebben, heeft twee keer in de week aquarelles, geeft Engels aan een stel Turkse meiden en speelt elektrische gitaar in een band. In plaats van dat ze helpt in de bediening, of leveranciers belt en de administratie doet, zoals andere dochters zouden doen, heb ik een kind dat zo nodig een eigen leven wil leiden.'

Rex beloofde rond etenstijd terug te zijn. Met Bienekes lijstje in de hand liep hij de straat uit en ogenblikkelijk was hij de weg kwijt. Hij sloeg twee keer links af in de verwachting dan het water te zien dat zichtbaar was geweest vanaf het dakterras, maar hij belandde in een labyrint van gekromde, steile straatjes tussen hoge huizen. Ook hier overheerste het verkeer het straatbeeld; stilstaande, stationair draaiende of geparkeerde auto's op stoepen, in smalle steegjes, puilend uit inpandige parkings. Het was volstrekt onzinnig je in deze doolhof gemotoriseerd te willen verplaatsen, toch leek iedereen het te doen. Het lawaai en de stank drongen door tot onder je kleren.

Al snel gaf hij het op. De stad was te groot, te complex, te overvoerd met stoepjes, ornamenten en bochtige trappen. Hij dook een doodlopende steeg in, en vond achter een oude poort een terrasje op de binnenplaats van een tijdloos, lelijk gebouw. Het kon honderdvijftig jaar oud zijn, of vijftien. Bakstenen en ramen, dat was alles. Er was geen moeite gedaan om het oog te behagen; een grauwe koker met een paar witte plastic stoelen. Een parasol met een verbleekte ijsreclame, terwijl de zon hier echter de bodem nooit zou bereiken. Maar het was stil en er waren geen auto's. De vermoeidheid trok aan zijn benen. Hij kreeg een glas thee van een vrouw met een keukenschort die verbaasd leek over de onverwachte klandizie, legde zijn hoofd tegen de muur en viel zachtjes in slaap.

'Ik wil niet meer dat je met hem afspreekt,' zei Puck ijzig tegen Tatja. Ze stond met haar armen over elkaar in de deuropening van de keuken in Mazzorbo.

'Ben je jaloers?' vroeg zijn moeder, een rood zeiljack van een duur watersportmerk over de arm.

'Laat ik het zo zeggen: de geschiedenis leert ons dat de weekendjes met Eelco niet altijd goed aflopen.'

'Dat was mijn schuld, daar kon hij niets aan doen. Nu gaan we gewoon een beetje varen.'

'Dat was de vorige keer ook steeds de intentie, en je weet wat daarvan gekomen is.'

'Ik ken hem langer dan jij. Ik mag toch zeker wel af en toe afspreken met een oude vriend?'

'Ja, maar met deze oude vriend wil je meer dan alleen maar afspreken.'

Vanuit de serre kon Rex ze zien staan. Hij lag op de bank te leren voor een proefwerk Latijn, met oortjes in, maar kon de woordenwisseling toch letterlijk volgen. Misschien kwam dat doordat hij de muziek zacht had gezet toen hij de rode vlag van North Face voorbij had zien komen, de spanningen in huis namen altijd toe als de zeilkleding uit de kast werd gehaald.

'Ik snap niet waar jij je mee bemoeit.'

'Dat weet je heel goed. Jij moet soms tegen jezelf beschermd worden.'

'Nu even niet. Nu wil ik gewoon twee dagen weg.'

Rex hoorde aan de hoogte van Tatja's stem dat het niet lang meer zou duren voor ze met dingen zou gaan gooien.

Puck leek niet van plan een stap opzij te doen. 'Het zijn je eigen woorden. Bescherm me tegen mezelf, smeekte je.'

'Ja. Heb ik gezegd. Ik was dronken.'

'Dat kan ik me niet herinneren.'

'Ik hoef niet beschermd te worden. Ik ben een groot meisje.'

'Weet je het zeker? De kans is groot dat je morgen huilend tegen me aan hangt en zegt: pucksorry, ik moet je iets bekennen, maar we hebben we het weer gedaan, ik kon het niet helpen, ik ben zo'n stomme koe, ik had nooit met hem op een boot moeten stappen.'

'Je bent zelf ook op die boot geweest.'

'Ja, naar Kroatië. Daar heb ik nog steeds spijt van.'

'Laat me erdoor.'

'Geen sprake van. Ik weet zeker dat je daarna weer jankend in bed ligt omdat je in verwarring bent geraakt over je eigen seksualiteit, zoals je dat altijd zo mooi noemt.'

Rex verwachtte dat mama A nu met servies zou gaan gooien, maar dat deed ze niet, wellicht omdat er niets breekbaars voorhanden was. In plaats daarvan haalde ze uit met haar windjack. Als een stierenvechter zwiepte ze het aan de capuchon door de ruimte. Maar Puck was voorbereid, bukte tijdig, de jas miste haar, sloeg tegen de muur naast de deur, het kevlar van het mouwstuk liet een zwarte veeg achter op het stucwerk. Tatja draaide zich om, sprintte door de woonkamer, glipte langs Rex door de serredeuren en verdween om de hoek. Daar lag sinds vanochtend het jacht van Eelco aan de steiger. Vroeger rende hij als eerste over het gazon om hem te verwelkomen, maar dat deed hij niet meer. Tegenwoordig ging hij snel naar zijn kamer op het moment dat de neus van het schip hun kreek in draaide. Puck stoof ook naar buiten, maar dan via de keukendeur. Er klonk geschreeuw op het grasveld, hij zette de muziek harder, probeerde zich te verdiepen in de genitivus, wat precies een halve minuut lukte, en ging toen naar de tuin.

Tatja lag op haar rug, Puck boven op haar, logisch, want die ging elke week twee keer naar de sportschool. Eelco riep toe nou jongens, hou op alsjeblieft, veilig vanaf het dek van zijn boot, want hij keek wel uit om tussenbeide te komen in een handgemeen tussen twee dames.

'Ga van me af!' schreeuwde Tatja en deed vergeefse pogingen om met haar knie de rug van haar vriendin te raken.

Puck verhoogde de druk op haar armen en siste dat ze rustig moest blijven.

'Ik bén rustig, kutwijf!' gilde mama A en spuugde mama B in haar oog.

Het was even stil, ook Eelco hield zijn mond. Toen haalde mama B uit en sloeg mama A vol in het gezicht. Met de vlakke hand, zoals je vroeger een kind terechtwees. En daarna nog een keer, maar nu met de andere hand. Het waren twee brute, harde klappen, de klinkende oorveeg voorbij, in zijn verbeelding hoorde Rex ze weergalmen, helemaal vanaf het eiland aan de overkant van het brede kanaal.

Geruisloos ging hij naar zijn kamer, met zijn naamvallen en oortjes. Hoewel hij gewend was aan drama met een moeder die vaak huilde om niets en een andere moeder die hij nog nooit een traan had zien laten, was wat hij deze middag had gezien totaal nieuw voor hem. Hij schaamde zich. Ze hadden elkaar nog nooit geslagen. Tenminste, niet in zijn bijzijn.

Na een halfuur hoorde hij de bootmotor van de Swan aanslaan, en tegen de achtergrond van het karakteristieke vokvokvokvok dat steeds zachter werd, luisterde hij hoe zijn moeders het huis weer in kwamen, fluisterend als tieners op de trap, totdat hij, bijna onvermijdelijk, de gesmoorde stem van Tatja hoorde die ik-kan-het-niet-helpen snikte. En even later: 'Sorrypucksorry. Ik ben zo in de war.'

Ook hierna bleef de zeilerij een bron van onrust.

'Jezus, waarom doe je zo raar?' vroeg mama A een maand later aan hem, terwijl de tassen in de hal al klaarstonden.

'Gewoon.' Hij had de hele middag voor de tv gehangen met chips en frisdrank en had zijn moeder alle spullen laten pakken.

'Zeg dan wat er is.'

'Er is niks.' Hij kneep in een halfleeg blikje cola. *Klak* zei het.

'Kom op dan. Zet die tv uit.'

Hij deed of hij haar niet hoorde.

'We gaan zo. Je moet je zwembroek nog zoeken, die kon ik niet vinden.'

'Ik ga niet.' Als hij dacht aan de komende dagen waarin hij met drie volwassenen opgesloten zou zitten, voelde hij zich eenzaam en misselijk.

Ze bleef abrupt staan, een koelbox in haar handen. 'Wat?'

'Ik ga niet.'

'Waarom niet?'

Hij zei niets.

'Rex. We hebben het afgesproken.'

'Ik was er niet bij toen die afspraak gemaakt werd.'

'We hebben ons er allemaal op verheugd.'

'Ik niet.' Hij had geen zin om op dat kutschip te gaan zitten.

Puck kwam de trap af met de slaapzakken. 'Hou op met zeuren. Natuurlijk gaat hij mee. Het wordt hartstikke leuk.'

Hij bleef tv kijken terwijl ze met tassen en levensmiddelen heen en weer sjouwden over het gazon, totdat Tatja de afstandsbediening uit zijn vuist wrong en hem een zet gaf richting voordeur. Hij gooide het blikje op de grond en sloot zich op in zijn kamer.

Ze zat een tijdje in de gang op de grond naast zijn deur te grienen, maar hij liet zich niet vermurwen. Het was niet eens dat hij een hekel had aan zeilen. Het was de sfeer aan boord waar hij tegen opzag. Er voltrok zich dan iets waar hij buiten stond, alsof je meedeed aan een spelletje jokeren of toepen en iedereen enthousiast boeren en tienen en vrouwen op tafel gooide, terwijl jij niets begreep van de lol want ze hadden vergeten jou het spel uit te leggen.

'Maar vertel me dan waarom je niet mee wilt,' schreeuwde Tatja op de gang.

Hij zei niets en zette zijn koptelefoon op.

Het vertrek werd uitgesteld. Eelco kwam erbij, hij hoorde de diepe stem dwars door de muziek heen galmen in de keuken. Het leek altijd of hij elk moment in lachen kon uitbarsten, maakte niet uit wat je deed, je kon een bloedserieus gesprek hebben over school, of over meisjes of vriendschap, en dan begon hij vaak onverwacht aanstekelijk te grinniken en zag je vanzelf in dat je stom bezig was. Maar ook Eelco was niet in staat om hem tot rede te brengen. Op een gegeven moment – het was al ver na middernacht – strekte hij zijn grote huisvriendenlichaam uit voor de drempel van Rex' kamerdeur en riep dat ze het weekend dan wel in de gang zouden doorbrengen. Het idiote was dat hij dat ook inderdaad deed, dus toen Rex de volgende ochtend naar de wc wilde, moest hij over Eelco heen stappen, die als een gestrande potvis met zijn neus tegen de plint lag te ronken. Buiten nam hij het vletje, stak de lagune over, de opgaande zon tegemoet, en bracht de hele dag door bij Uno, waar ze voetbal keken en stripboeken lazen. Ten slotte kwam Tatja hem halen, nogal hardhandig duwde ze hem in de grote motorboot, de hele tocht terug zei ze geen woord. Hij zou willen dat hij de moed had gehad om het uit te leggen, zijn toepgevoel, dat het niet leuk was voor een kind, met drie nerveuze mensen in een varende caravan, maar het lukte hem niet. Hij kreeg de woorden niet over zijn lippen. Net als vroeger keek hij vanaf het bankje bij de achterplecht naar die smalle, onverzettelijke rug die zo in tegenspraak was met haar wankelmoedige aard. Zonder hem ook maar één moment aan te kijken bracht ze hem terug naar Mazzorbo, waar hij door een onderkoelde Puck naar de opslag werd gestuurd om dozen te sorteren. Eelco en de boot waren weg, de mama's zeiden het niet hardop; maar aan alles was duidelijk dat ze Rex een verwend klootzakje vonden. De rest van de dag zat Tatja in het officina en werkte aan haar sluierproject, hij zag het aan haar karmozijnrode handen en armen wanneer ze even naar buiten kwam om te pauzeren. Pas op zondagavond, terwijl hij al een uur boos en zwijgend onderuitgezakt aan tafel voor een bord koud geworden pasta zat, barstte de bom en gooide Tatja het lege colablikje naar zijn hoofd dat al die tijd in een hoek van de keuken was blijven liggen.

*

De uitbaatster van het luchtkokerterrasje maakte hem voorzichtig wakker. De middag was voor het grootste deel voorbij. Rex schoot overeind alsof hij zich verslapen had, en holde terug naar de hoofdstraat waar hij eerder die middag had gelopen met het absurde idee dat hij de verloren tijd moest inhalen.

Hij verdwaalde opnieuw, op elke hoek was een levensmiddelenzaak die precies leek op de vorige. Ruim een halfuur dwaalde hij door de wijk, koos op kruisingen steeds de weg naar beneden en kwam ten slotte uit op een breed plein, en daar schitterde eindelijk het water. Hij liep verder en zag een imposante brug over de baai. Op de trottoirs aan beide zijden van de overspanning stonden hengelaars rug aan rug te vissen. Tientallen werphengelmolentjes flonkerden in de zon. In lege mayonaise-emmers zwommen piepkleine visjes. Midden op de brug bleef hij staan.

Istanbul strekte zich, zo ver hij kon kijken, uit over de heuvels rond de s-vormige baai, op elke heuvel twee of drie grote moskeeën. Hij pakte de plattegrond erbij die Henri hem gegeven had, een pijl wees het adres aan van het Iraanse consulaat, aan de overkant van het water.

Een kwartier lang liep hij langs een drukke verkeersweg, daarna vier, vijf blokken heuvelopwaarts, toen langs een brede boulevard met stoffige bomen, en vond eindelijk het consulaat. Aan de gevel een bord van zwart kunststof met sierlijke Perzische reliëfletters: Islamic Republic of Iran. Gesloten.

Dat laatste stond in het Engels op een A4'tje dat met plakband op de deur van gepantserd glas was bevestigd. Openingstijden werden niet vermeld. De buurpanden – een groothandel in spijsolie, een advocatenkantoor, een investeringsmaatschappij – leken ook allemaal dicht. Was het misschien een nationale feestdag? Hij informeerde in een klein supermarktje, twee straten verderop. Niemand sprak Engels. Hij deed een dansje, met een harlekijnengrijns op zijn gezicht. Was het feest? Alles gesloten?

De mensen deden een stapje achteruit, de eigenaar schoof uit voorzorg zijn geldla dicht.

Buiten, met zijn rug tegen de warme muur dacht hij na over wat hij nu moest doen. Hij bekeek het lijstje van Bieneke:

1. Terrasje bij de Galatatoren. Ga niet naar binnen, maar bestel thee en zie hoe andere buitenlanders worden afgezet. Vanuit deze toren bestierden de Venetianen hun handelsrijk.
2. Eet een broodje bij de Chinese bootjes op Rihtim Caddesi zonder zeeziek te worden.
3. Ga na vijven naar Sahra Konağì en probeer de schaduw van je hoofd op de top van de Maagdentoren te krijgen.
4. Vismarkt in Galatasaray. Kijk naar de ondergaande zon op de schubben en denk na over leven en dood.

Hij vouwde het papiertje weer op. In bezienswaardigheden had hij geen zin. Daarvoor was hij niet gekomen. Hij moest een visum hebben en een auto die het weer deed. Met moeite vond hij de weg terug naar Henri's huis. In het late zonlicht zagen de straten er allemaal anders uit. Hij vond het adres pas na hulp van drie, vier taxichauffeurs, die, geleund tegen hun oude personenbusjes, hem steeds een stukje verder in de goede richting stuurden.

Voor de club stond een portier. Hij vond het niet goed dat Rex op de bel van de zijdeur drukte.

'But Henri invited me. This morning. We had coffee,' protesteerde Rex.

De man verstond hem kennelijk niet, want hij mocht niet naar binnen.

'But my car. I need Henri to find it back. I don't know where it is.'

Met tegenzin sprak de portier een paar woorden in een glimmende muurintercom waarop de zijdeur met een zacht elektrisch klikje openzwaaide.

Boven roerde Henri in een kopje espresso. 'Waar bleef je nou?' Hij droeg een driedelig, crèmekleurig kostuum uit de jaren zeventig. Op tafel twee gebruikte borden en een half dozijn papieren zakken.

'Ik heb het consulaat gezocht.'

'En?'

'Waar is de auto?'

'Heb je een visum?'

'Nee. Waar is de auto?'

'Ik heb net gebeld. Hij is nog niet klaar.'

'Shit.'

'Ze hebben beloofd dat ze vanavond doorwerken. Morgenochtend vroeg kunnen we 'm halen.'

'Ik wilde vanavond eigenlijk verder.'

'Je kunt hier blijven slapen, als je wilt.'

Er was iets aan Henri's gastvrijheid wat hem ongemakkelijk maakte. Het ging te achteloos, alsof hij elke week buitenlandse jongens met defecte wielnaven over de vloer kreeg.

'Waar is Bieneke?' vroeg Rex.

'Op cursus. Ik weet even niet welke. Je moet de groeten

hebben. Heb je al gegeten?' Hij wees naar de tafel. 'Er is van alles. Goulash, Pakistaanse kip in zoete saus, Thaise loempia's.'

Rex had inderdaad honger en koos de loempia's. 'Heeft Bieneke dat gemaakt?'

'Ben je gek. Die kan helemaal niet koken. Maar ze heeft een talent voor afhalen en komt thuis met de wonderlijkste combinaties. Het is vaak verrassend lekker.'

'Hoe gaat ze dat dan doen op die wereldreis? De pizzalijn bellen op de Atlantische Oceaan?'

'Ja, haha. Daar zeg je zo wat. Hopelijk heeft ze daaraan gedacht. Wat vond je van de vismarkt?'

'Mooi. Al die schubben op de grond.'

'Wat vond je van de rest?'

'De rest?'

'Van Istanbul.'

'O, ja. Mooi.'

Henri glunderde.

Hij woont hier al ruim dertien jaar en is nog steeds verliefd op deze stad, dacht Rex. Alles wat hij ervan had gezien was een brug met hengelaars en een blinde muur op een zonloze binnenplaats waar hij in slaap was gevallen.

De kleine nachtclubeigenaar nam hem mee naar een hogere etage, overhandigde de sleutel van een superdeluxe logeerkamer met een eigen liftuitgang, schreef de toegangscode van het wifinetwerk op en verexcuseerde zich toen. 'Ik moet zo langzamerhand naar boven. Als ik mijn gezicht niet af en toe laat zien, wordt het een chaos.'

Verbaasd liep Rex door het appartement. Er stond een groot tweepersoonsbed, een plasmascherm, een ingemetseld elektronisch hotelkluisje en zelfs een kleine jacuzzi, ook met flatscreen. Henri, besloot Rex, was gewoon heel erg rijk, en kon het zich veroorloven gastvrij te zijn. Op een bepaalde manier was dat wel rustgevend.

Alarmerend was het daarentegen dat er nog steeds geen reacties op zijn sms'jes waren, ongelovig staarde hij naar zijn lege inbox. Geen boze berichten van Uno, geen noodoproepen van zijn moeders. Ze lieten hem dus doodvallen, daar kwam het op neer. Vanaf het brede balkon keek hij naar de heuvels van Istanbul, het water rondom verdubbelde de duizenden lichtjes. Als ze oorlog wilden konden ze die krijgen. Vanaf nu volledige radiostilte, hij zou ze laten merken wie de langste adem had.

Liggend op de bank met de zak loempia's zapte hij een tijdje gefrustreerd langs onverstaanbare kanalen tot hij CNN vond. Aan de grenzen van Afghanistan waren schermutselingen uitgebroken tussen veiligheidstroepen en vluchtelingen die het land uit wilden. De autoverkoop was het laatste kwartaal toegenomen. De Amerikaanse NSA bleek op grote schaal telefoongesprekken te hebben afgeluisterd.

Rond middernacht belde hij via Skype met het Friedrich Miescher Verzorgingscentrum, gezien het tijdsverschil van twee uur kon dat nog net, dacht hij.

'Reinhold.'

'Met Rex.'

Er kwam geen antwoord.

'Uw kleinzoon.'

'Dat hoef je niet steeds te herhalen. Ik ben niet achterlijk of zo.'

'Heeft Tatja u gebeld?'

'Nee. Ze is hier geweest.'

'En?'

'Ik heb mijn middelvinger naar haar opgestoken. Boontje komt om zijn loontje. Dat kutwijf hoeft niet te denken dat ik haar zal helpen na wat ze me geflikt heeft.'

'Ik begrijp het.'

'Waar zit je?'

'Istanbul.'

'Waarom in godsnaam?'

'Ik ben op weg naar Teheran.'

Na een korte stilte: 'Ik dacht niet dat je dat echt zou doen.'

'Dus wel. Ik wil gewoon de waarheid weten.' Een paar etages boven zijn hoofd begon het nachtleven, de dreun van de salsaclub klonk zachtjes door vloeren en plafonds.

'Beste jongen, de waarheid ligt vaak niet voor het oprapen. Vaak verbergt ie zich onder een vochtige steen.'

'Ik ben bereid overal onder te kijken.'

'Hm.'

'En mijn vader heeft dat geld nodig. Het is vanaf hier niet zo ver meer.'

'Turkish Airlines, neem ik aan? Kijk daarmee uit, met die jongens.'

'Ik ben met de auto.'

'Kukeleku. Meen je dat?'

'Hij is nu even stuk, maar morgen ga ik weer verder.'

'Denk nog even aan die vochtige tegel waar ik het over had.'

*

'Heeft ie gebeld?'

'Nee. Het laatste gemene sms'je is alweer een tijdje geleden.'

'En nu?'

'Wat we afgesproken hebben, Tat. Negeren.'

'Mag ik mijn telefoon terug?'

'Waarom?'

'Ik wil die sms'jes graag zelf even lezen.'

'Beter van niet.'

'Geef hier.'

'Ik heb ze gewist.'

'Jezes. Waarom?'

'We zouden toch niet reageren?'

'Ja, niet reageren. Niet wissen.'

'Het is om niet in verleiding te komen.'

'Je bedoelt dat ik niet in verleiding mag komen.'

'Het is meer in het algemeen.'

'Je vertrouwt me niet.'

'Jaweljawel.'

'Mag ik 'm dan terug?'

'Nee.'

'Waarom niet?'

'Ik vertrouw je niet.'

'Puck, alsjeblieft? Ik ga 'm echt niet meteen terugbellen.'

'Nee.'

'Ik doe toch altijd wat je wilt? Waarom twijfel je daar nou opeens aan?'

'Er zijn een heleboel dingen waar ik momenteel aan twijfel. Onze zoon is nooit eerder weggelopen.'

'Hij moet toch weten dat we ons zorgen maken?'

'Dat is precies wat hij wil. Ons kwellen. Hoe meer we ons zorgen maken, hoe langer hij wegblijft.'

'Ik denk niet dat hij zo slecht is.'

'Hij is niet slecht. Hij is een puber.'

'Hij is bijna achttien.'

'Adolescent dan. Die denken nagenoeg hetzelfde.'

'Wat moeten we dan doen?'

'Tatja, daar hebben we het uitgebreid over gehad. Niet reageren. Dan komt ie vanzelf weer terug.'

'O ja.'

'Dat klinkt alsof je er niet meer achter staat.'

'Neenee. Het zou kunnen dat dat het beste is.'

'Zou kunnen?'

'Ik bedoel, het is het beste.'

'Het zou raar zijn natuurlijk, om te zeggen dat je er niet meer in gelooft, in een gezamenlijke aanpak.'

'Nee, dat is het niet. Ik heb er alleen spijt van dat we het hem verteld hebben.'

'Ik ook.'

'Het kon niet anders, toch?'

'Ik denk het niet.'

'Hoe langer we hadden gewacht, hoe minder hij het had begrepen. Maar hij komt echt wel terug. Wat moet hij anders?'

'Tuurlijk komt ie terug.'

*

Een onbekend geluid haalde Rex uit de slaap, midden in de nacht voor zijn gevoel. Het was halfvijf, het lawaai kwam uit de speakers in de toren van een moskee, honderd meter verderop. Het vervormde ochtendgebed klonk van alle kanten tegelijk, steeds met een paar maten verschil, deels echo, deels afkomstig uit overbelaste luidsprekers in andere minaretten. Een geluidsband, of een mp4'tje, integraal verzonden uit het Moslim Computer Centrum, concludeerde Rex, die zich niet kon voorstellen dat in de honderden moskeeën van de stad de gebeden overal apart werden opgelezen. Istanbul was een stad waar je aan moest wennen, in haar straten galmde 's nachts de techno en overdag de koransoera's. Het was een prima tekst voor in een reclamefolder, maar hij kon niet meer slapen.

Burn Before Reading, juni 1993

Denken is God

Een zuivere taal staat net zo ver van ons af als de zuivere wiskunde, met dien verstande dat de talentvollen onder ons de weg naar de mathematica met noeste arbeid en studie zouden kunnen vinden, maar dat de perfecte taal voor ons verborgen blijft, al studeren we een heel leven om haar te doorgronden.

Sterker nog: het enige wat we over de woorden kunnen leren is de imperfecte wijze waarop we ze gebruiken en de vaak onbegrijpelijke verhouding die ze tot elkaar hebben. Onregelmatige werkwoorden, afwijkingsregels, verleden tijden die bij het ene woord zus zijn en bij het andere zo: elke logica ontbreekt. Soevereiniteit en evenwicht zijn in onze taal, in elke taal, ver te zoeken, we hebben complete universiteitsfaculteiten moeten opzetten om er een beetje wijs uit te worden. Anders dan in de getallenleer, waarbij men al sinds de Babylonische en Egyptische beschavingen gericht is op het oplossen van rekenkundige problemen, is de taalwetenschap slechts bezig met het beschrijven van complicaties. Nergens wordt een poging gedaan de onlogica van grammatica en syntaxis te verbeteren, integendeel, eens in de zoveel jaar veranderen we de spellingsregels. Trots zet men de vervoegingen van naamvallen en tijden onder elkaar, als onweerlegbaar bewijs van etnische uniciteit, maar het zijn nooit optellingen waarbij één plus één altijd twee is. Het zijn arbitraire stellingen, en als je de ene sequentie uit je hoofd geleerd hebt, dient de reeks uitzonderingen die erop van toepassing is, zich alweer aan. Ons bloedeigen Nederlands wordt gehaat door alle immigranten die het in het kader van hun inburgering moeten leren, en wij halen glimlachend onze schouders op over hun onkunde. De ironie is natuurlijk dat het helemaal niet moeilijk hoeft te zijn. Ik loop, ik loopte. Klaar. Net als met fietsen. Ik fiets, ik fietste. Waarom verloopt de vervoeging van ons transport opeens anders als er sprake is van voeten? Er is niets moois of waardevols aan, het is onzinnig.

Rex stopte even en opende de balkondeuren. De lage, opkomende zon kleurde de ontwakende stad roze. De eerste pont trok een driehoek in de rimpelloze Hoorn. Met zijn onderarmen op de balustrade las hij verder.

Kunnen we ze niet simpelweg overboord gooien, al die woorden?

Helaas niet, want we hebben ze nodig om te denken, al zijn er momenten waarop we zonder kunnen: we kunnen dorstig zijn of zin hebben in seks of onze behoefte doen zonder erbij na te denken. Maar alles wat een beetje complexer is dan vreten en neuken vraagt om een idioom. We kunnen geen ideeën vormen zonder ze eerst te bedenken. We kunnen geen conflicten aangaan of oplossen zonder dat we ze in taal gestalte hebben gegeven in ons hoofd. We kunnen zelfs geen boodschappenlijstje maken zonder dat we de voorwerpen die we verlangen, eerst hebben benoemd.

Maar: als onze taal imperfect en onlogisch is, moeten onze gedachten dat ook zijn. Omgekeerd, als onze taal zuiver is, zullen onze creaties dat ook zijn. Eén en één was twee, nietwaar? En zuivere creaties, waar doet u dat aan denken? Juist.

Wanneer we erin zouden slagen om onze taal te ontdoen van alle overbodigheden, inconsequenties en onregelmatigheden, zouden we een denkproces genereren waarmee we onszelf kunnen verheffen naar een goddelijk niveau.

Samengevat: 1: Taal onderscheidt ons van dieren en planten en rotsen en sterren. 2: De grammatica weerspiegelt onze imperfectie. 3: Zuivere Taal = Zuiver Denken. 4: Zuiver Denken = God.

Rex sloeg het typoscript dicht. Wat moest hij hiervan denken? Was dit de ontsporing van een woordenhater? Taal is denken is God, en het was niet de god van de Bijbel of de Koran die hier bedoeld werd, maar iets wat veel dichterbij lag. Binnen handbereik van iedereen. Het enige wat je nodig had was een beetje zuiver denken. Hij kon wel janken. Grootvader gek, vader ook. Hij was de enige normale nazaat van een krankzinnige familie.

13 | DEUS

Het is inderdaad een geestbeledigende prak vet en koolhydraten die de bewoners van het Miescher Verzorgingscentrum elke dag te eten krijgen. Het menu wisselt: Hongaarse stoofschotel, spaghetti bolognese, chili con carne, Hollandse andijviestampot, macaroni met kaas, maar alles smaakt hetzelfde. Het verschil is eigenlijk alleen te zien aan de kleur van de opgediende spijzen. Oranje, roodbruin, lichtgroen, beige. Het voedsel heeft zo lang op het vuur gestaan dat de meelproducten elke textuur zijn kwijtgeraakt. De groente smaakt naar papier-maché, op vlees en vis wordt bezuinigd. Het lijkt de meeste eters niet uit te maken; de maaltijden zijn de vaste punten waar de dagen met prettige regelmatigheid omheen draaien, de papillen zijn hun scherpte kwijtgeraakt, en het lepelt zich makkelijk naar binnen, ook als je je gebit vergeten bent.

De twintig zespersoonstafels staan in een los carré, in vier rijen van vijf, ieder heeft een vaste plek, maar omdat de raamplaatsen populair zijn, schuift men elke maand een tafel op, met de klok mee. Dat gaat altijd met veel gemopper gepaard, een enkele keer breekt er ruzie uit. Nieuwkomers beginnen uiteraard tegen de gangwand, het duurt dan vijf kwartalen voor je de raamkant gehaald hebt. Sommigen overlijden voordat ze het daglicht hebben bereikt.

Eén man onttrekt zich aan de maandelijkse stoelendans, hij zit alleen aan een tafel, altijd op dezelfde plek, helemaal tegen de achterwand, met zijn gezicht naar de muur. Dat is zo gegroeid, hij woont al lang in het Friedrich Miescher. De verpleging gaat omzichtig met hem om, beducht om hem te irriteren, want iedereen is bang voor zijn driftaanvallen. In het begin schoven er nog wel eens nietsvermoedende piepjonge, zeventigjarige nieuwkomers bij hem aan, maar dat gebeurt nooit meer, tegenwoordig worden ze tijdig gewaarschuwd. Men laat hem met rust, de smalle rug onder het grote, wiebelende hoofd is niet geïnteresseerd in wat zich in de eetzaal afspeelt, het uurwerk van amechtig verzittende senioren roteert langzaam achter hem langs. Hij heeft enkele privileges afgedwongen. Soms krijgt hij telefoon, gewoon, tijdens de lunch, waarbij het draadloze toestel naar zijn tafel wordt gebracht.

'Pap, het is er nog niet.'

'Wat bedoel je?'

'Het geld. Het bankrekeningnummer dat ik je gegeven heb. Het staat er nog niet op.'

'Ik ben ermee bezig.'

'Hoe lang gaat het dan duren?'

'Ik doe mijn best. Het is ingewikkeld. Ik heb je toch uitgelegd dat er obstructies zijn? Er moet toestemming gegeven worden van regeringswege. Weet jij wat een roti is?'

'Een wat?'

'Het is iets nieuws. Uit Suriname. Het komt misschien

in de plaats van de nasi goreng, het is een experiment op de woensdag. In de keuken denken ze waarschijnlijk: als die oudjes zonder protest die aangebrande rijstplakken uit de Oriënt opslobberen, kunnen we de smakeloze shit uit die andere kolonie ook wel bij ze dumpen. Maar ik verdom het. Je kunt het niet fatsoenlijk wegkrijgen, het is een soort krant van deeg, opgevouwen in vieren.'

'Pa, ik bel helemaal vanuit Teheran, ik mag iemands computer gebruiken.'

'Ik moet daar maar op vertrouwen.'

'Wat bedoel je?'

'Ik kan niet verhelen dat ik even heb gedacht: die Deus, je hoort een halfjaar niets van hem, en dan opeens belt ie op omdat ie in geldnood zit. Wie zegt me dat je niet een paar straten verderop de boel zit te belazeren? Duizend euro is veel geld.'

'Jezus pap, het is toch een buitenlands rekeningnummer?'

'Je moet me geen pap noemen. Ik heet Reinhold. Je bent geen baby meer. Je bent een volwassen kerel. Er is geen reden om onze relatie te verinfantiliseren. Wat is dat voor lawaai?'

'Ik ben op een feestje.'

'Aha. En ik maar denken dat je in nood was.'

'Ik ben in nood. Op een feestje. Het ongeluk uit '93 kwam weer helemaal terug.'

'Juist.'

'Jij was in het ziekenhuis in '93.'

'Inderdaad. Je was niet erg aanspreekbaar, destijds.'

'Vind je het gek? Tat was dood.'

'Hm.'

'Ik moet ophangen, mijn Skypetegoed is op. Ik geef je een nummer om terug te bellen.'

‘Onlangs kreeg ik bezoek van iemand die in het bezit was van alarmerende informatie over betreffende periode.’

‘Wie dan?’

‘Hij zat tegenover me en deed hetzelfde als jij nu, skypen. Het is overigens nog niet bewezen dat dit ongevaarlijk is.’

‘Met wie was hij dan aan de lijn?’

‘Met Tatja.’

Er kwam even geen antwoord, Reinhold had ook niet anders verwacht. Hij draaide het etensblad een kwartslag, zodat hij het nagerecht beter kon bekijken. Een ondefinieerbare roze gelei met gele vlokken.

‘Ben je er nog?’ vroeg hij, zijn mond vol stukjes glibberige blikperzik.

‘Ja. Ik verstond je niet goed. Ik dacht dat je Tatja zei.’

‘Dat zei ik ook.’

‘Tatja?’

‘Ik vrees van wel.’

‘Dit is een grap.’

‘Helaas niet. Ik ben van huis uit nogal kritisch, beroepsdeformatie zeg maar, scherp kijk ik in mijn omgeving naar ontoelaatbare onregelmatigheden, en dat zijn er nogal wat. Ik ben dus gewend om te gaan met tegenslag en er zijn weinig dingen die mij van mijn stuk kunnen brengen, maar onlangs zat ik dus even met mijn bek vol tanden. Hij was aan het facetimen met Tatja, twintig jaar ouder natuurlijk, maar geen twijfel mogelijk, diezelfde broeierige, oosterse oogopslag. “Dat is mijn moeder,” zei hij.’

‘Wie zei dat?’

‘Je zoon. Ik dacht ook eerst: geintje, maar echt, het lijkt erop dat de familielijn bij jou vooralsnog niet gestopt is.’

Tatja zat onbewegelijk naast hem op de versleten bekleding van de Renault Clio, een beeld van marmer dat af en toe heen en weer schokte door de kuilen in de weg. Hij haatte haar, en nam aan dat dit wederzijds was. Als ze de kans zou krijgen, zou ze hem deze nacht bloedend op het asfalt achterlaten.

Hij gaf gas, een eenzame vrachtwagen claxonneerde omdat hij roekeloos inhaalde.

'Misschien moet ik even rijden?' Vanaf de achterbank stak Puck haar hoofd naar voren.

Hij gaf geen antwoord. Haar haatte hij ook.

In het licht van de koplampen flitste een bord voorbij.

'Amadeus. Laat Puck nou gewoon even rijden.'

'Nee.' Het was niet erg als je met deze huurbak zou verongelukken dacht hij, waarschijnlijk kreeg je er een betere voor terug met de reisverzekering die hij voor vertrek had afgesloten bij de ANWB. Hij staarde naar de lichtmasten die ritmisch de nacht in stukjes hakten. In het oranje schijnsel zag hij het spookgezicht van Puck als een waarschuwingslamp in zijn spiegeltje elke paar seconden aan en uit gaan, tot ze de bebouwde kom uit schoten en ze opnieuw de mediterrane duisternis in doken. Wat is het – dat verlangen om een ander pijn te willen doen, een geliefde te willen vertrappen? Hoe moeilijk was het om zijn voet van het gas te halen en Puck te laten rijden? Moeilijk. Onmogelijk. Toegeven was geen optie. De drift dwong hem een doodlopende steeg in. Hij wist zeker dat dit de laatste ruzie was die hij met Tatja zou hebben. Hierna was er niets meer, behalve een onherroepelijke breuk. Vertrek. Scheiding. Vervangend vervoer.

De beelden rolden onstuitbaar zijn hoofd binnen, een goederentrein met een lange sleep wagons waarvan hij soms het opschrift kon ontcijferen. Een appartement met blauwe gordijnen aan de Bloemgracht in Amsterdam. De mooie, zachte Tatja, met haar perfecte, twintigjarige lichaam en aanleg tot depressie en manische explosies, die net zo snel voorbijgingen als ze kwamen – een emotionele hulpeloosheid die hem aanvankelijk ontroerd had. Zij was het middelpunt geweest van een ingewikkelde geometrische liefdesfiguur, een vier- of misschien wel een vijfhoek, waarin hij, bleek later, een bescheiden bijrol vervulde. Puck had er een hoofdrol in, en haar ex-vriendje Eelco, en wie weet gold dat ook voor een paar Italiaanse medestudenten.

'Ik moet zo snel mogelijk naar Nederland,' riep hij tegen Yasameen en Reza toen ze hem de toiletruimte uit droegen waar hij een tijd op de grond gelegen had met de laptop waarmee hij naar Nederland had gebeld. Op de cijfertoetsen zat een streep kots.

'Rustig, je vertrek staat gepland op woensdagavond.'

'Woensdag? Ik wil nu. Morgen.'

'Dat kan niet. Je mag niet vliegen.' Ze hielpen hem de trap af en zetten hem in een taxi.

Het was waar. Er was iets met zijn hoofd. 'Dan neem ik morgen de trein,' lalde hij terwijl de taxi in beweging kwam. 'Ik ben bedrogen. Mijn vriendin heeft me bedrogen. Het is ongelofelijk. Ik moet weer kotsen.'

De auto stopte, met zijn hoofd boven de goot gaf hij hartstochtelijk over.

'Het is niet het einde van de wereld,' suste Reza toen ze hem weer naar binnen trokken.

Deus zei niets. Dat was precies wat het geweest was.

Hij hield van Tatja, ze had hem nog duizend keer ontrouw mogen zijn, dat veranderde niets aan zijn liefde voor haar. Daarom was hij razend geweest, een gevaarlijke, onredelijke, vretende en terminale jaloezie. Omdat hij nog steeds gek op haar was. Hij had wraak willen nemen, volkomen begrijpelijk in die situatie, zelfs Tatja zag daar de logica van in, alleen duurde de strafexercitie wat langer dan zij had gedacht.

'Ze heeft heel erg veel spijt,' meldde Puck regelmatig tijdens de vele driehoeksruzies.

'Terecht,' antwoordde Deus dan.

In Antalya, waar het seizoen nog niet begonnen was, de strandtenten nog dicht waren en de meeste appartementenflats leeg en donker, had ze gezegd dat Tatja een manier zocht om het goed te maken, maar dat ze er niet doorheen kwam, door zijn pantser van cynisme.

'Dat komt, beste Puck, omdat er een groot verschil is tussen jullie en mij. Jullie hebben lekker aan elkaars genitaliën liggen likken en kunnen zonder problemen overgaan tot de orde van de dag, jullie hoefden alleen maar je broek weer op te hijsen. Voor mij ligt dat iets anders. Ik moet eerst nog een paar dingen verwerken.'

'En hoe lang duurt dat verwerkingsproces volgens jou dan?'

'Dat weet ik niet. Had je een speciale datum in gedachten waarop het naar jouw mening klaar moet zijn?'

'Het duurt al vrij lang, Deus. Het is maanden geleden.'

'Jij vindt dat dus lang genoeg om te genezen van een dolk in je rug.'

'Het is mogelijk.'

'Nee, kutpuckje. Dat is niet mogelijk. Niet voor mij. Niet als je zoveel geeft om Tatja als ik. Dan is elke zoen die ze een ander gegund heeft een nieuw mes tussen je wervels. Daar moet een normaal lijf heel lang voor revalideren, om dat te boven te komen.'

En zo ging het door. Merkwaardigerwijs onttrok het onderwerp van hun strijd zich meestal aan de discussie, alsof ze er niet bij hoorde. Zonder veel woorden liet ze hem echter merken dat ze leed onder zijn afwijzingen, ze was een zachte, warme bal die voortdurend fysiek contact zocht, alsof er een vacuüm in haar lichaam heerste. Het zoog zich aan hem vast aan tafel, in bed, onder de douche, in de auto, in de lift. Puck bewerkte hem verbaal, zij mompelde sorrysorry wanneer ze zich op hem schoof. Hij verzette zich niet, ze was nog steeds in staat om hem binnen de minuut op te winden, maar het schonk hem geen voldoening meer. Na afloop murmelde ze soms vergeef me alsjeblieft, en dan fluisterde hij ik ben nog niet zover – alsof de eigenlijke ejaculatie, het moment waarop hij zijn grieven en gramschap los moest laten, door hem expres werd uitgesteld in afwachting van een finale extase waarin hij, links en rechts vergiffenis schenkend, vrede zou brengen.

Een enkele keer was hij er dichtbij. Als hij haar mooie rug bekeek wanneer ze voor hem liep op het strand of haar bespiedde in een leeg restaurant als hij terugkwam van de wc. Met weemoed dacht hij dan aan de aangename, soepele ongecompliceerdheid van hun relatie in het begin, toen het alleen ging om liefhebben en ontdekken en vasthouden en strelen en fantaseren, nog niet geïnfecteerd door de wederzijdse kwetsuren die ze elkaar zouden toebrengen. Hij zou weer met haar op een terrasje willen zitten in Amsterdam. Over de grachten willen fietsen op een wintermiddag, zijn hart met een onzichtbare kabel vastgeklonken aan het hare, in plaats van de rafelige, onontwarbare knoop die hen nu verbond. Het zou kunnen. Hij hoefde alleen maar die stiletto uit zijn lendenen te trekken, een pleister op het gat te plakken en te besluiten dat hij beter was. De wond zou dichtgroeien, er zou een litteken achterblijven dat af en toe een beetje ging jeuken bij vochtig weer. Er was mee te leven.

Er was niets bijzonders aan vreemdgaan. Het overkwam bijna iedereen wel een keer, net als een longontsteking of een gebroken pols. Er was overheen te komen. Precies zoals Puck zei.

Toch deed hij het niet. Het ging niet. Hij wist zelf ook niet goed waarom. Hij was niet eens meer zo erg boos. De woede en het verdriet van de eerste dagen hadden plaatsgemaakt voor een verdoving waarin hij gevoelloos straf kon uitdelen zonder geraakt te worden door de nijd van Puck of de huilbuien van Tatja. Hij keek van een afstand toe hoe de meisjes elke morgen hun best deden iets te maken van de nieuwe dag, liet doorschemeren dat ook hij bereid was de ruzie van de vorige avond te vergeten, wachtte geduldig op het voorstel te gaan zwemmen of koffie te drinken in de stad, ze stonden met hun tassen bij wijze van spreken al klaar in de hal, en dan bedierf hij op het laatste moment de stemming door te zeggen dat hij eigenlijk geen honger had of dat de zee te koud was of – het ultieme argument om de dag te verpesten – dat het nog te veel pijn deed. Hoe koffie drinken of zwemmen in godsnaam pijnlijk kon zijn liet hij in het midden. Ieder mens gaat op zijn manier om met smart, en dat hoeft niet per se comfortabel voor zijn omgeving te zijn. Als een gewond dier wentelde hij zich om en om in zijn particuliere modderpoel, de twee anderen konden niet anders dan accepteren dat hij het allemaal nodig had. Op zulke momenten wierp Tatja hem een treurige blik toe en draaide haar hoofd weg, een beetje als een hinde op weg naar de slager, Puck bekeek hem alsof hij een insect was dat aan haar schoenzool was blijven kleven. Hoe langer hij Tatja onderwierp aan zijn penitentie, hoe meer Puck hem haatte. Iedere dag zag hij haar afkeer voor hem groeien, als een gezwel in haar borst, tot het moment dat de tumor zou exploderen en op de plek van haar hart alleen een zwart gat zou overblijven. En dan zou ze hem vermoorden. In zijn slaap, of wanneer hij nietsvermoedend onder de douche stond, dat wist hij zeker. De strafmaat mocht dus niet te zwaar worden, maar zeker ook niet te licht. Helaas bestond er geen wetboek dat voorschreef dat een overspelige vier of vijf of twintig weken moest lijden. De lengte mocht hij zelf bepalen en hing samen met de mate waarin zijn liefde gekrenkt was, op zich geen onlogische gedachtegang, er waren beschavingen waarin de vrouw in zulke situaties een neus moest missen of doodgegooid werd met stenen. Zo ver wilde hij uiteraard niet gaan. Er waren immers ook culturen geweest waarin promiscuïteit hip was en echtelieden elkaar aanmoedigden om andere partners te zoeken. Dat was het andere uiterste. De tijd die nodig was voor het herstel van zijn eigenwaarde en herwaardering van zijn relatie met Tatja, bevond zich dus in het midden tussen het totaal vrije, ongebonden samenzijn, zeg San Francisco 1970, en de dodelijke consequenties van een openbare steniging, zeg Kabul 1999. Was een maand dan voldoende? Of moest het een halfjaar zijn? Was het een passende maatregel om honderdtachtig dagen Tatja's schuldgevoel te bewerken omdat ze iemand anders had gepijpt? Hij wist het niet. Er zou een dag komen waarop hij wakker werd en naar zijn vriendin zou kunnen kijken zonder de slagschaduw van Eelco's lul op haar wang te zien en pas vanaf dat moment zou er te praten zijn over hoe ze terug konden keren naar de leuke, zinvolle relatie van weleer.

En toen, midden in zijn wraakoefening, reed opeens die tankauto hun Renaultje binnen. Mogelijk is er in die Turkse heuvels toen door hogerhand ingegrepen. Tenslotte waren ze op de terugweg van een bezoek aan Troje, weliswaar al eeuwen een ruïne, maar drieduizend jaar geleden hadden de goden daar het noodlot van ontelbare mensen bepaald. Het was niet zo gek om te denken dat er iets van dat goddelijke streven nog rondhing, bij die omgevallen zuilen en ingestorte muren.

Volgens Reinhold was Tatja dus springlevend. Achter in de taxi, overeind gehouden door Yasameen en Reza, probeerde Deus het tot zich door te laten dringen.

Zijn vader was een man met merkwaardige denkbeelden, maar hier zou hij niet over liegen, daarvoor was de situatie te absurd. Wat had hij er voor belang bij om zo'n idioot verhaal op te hangen?

Een levende Tatja. Negentien jaar boete en schuld verdampte, als de rook uit het poldercrematorium die in rewind de schoorsteenpijp weer werd ingezogen om aan de voet, bij de afgekoelde oven, uit te kristalliseren in een mooie maar ontrouwe studente taalwetenschap.

Hij moest naar huis, zo snel mogelijk, mensen ter verantwoording roepen die van dit flagrante bedrog op de hoogte waren geweest. Hij moest onderzoeken waar ze zich schuilhield, haar opsporen, confronteren. Want nu bleek er ook nog een kind te zijn. Het product van Tatja en hem. Zijn zoon.

Die was dus onlangs dat verzorgingstehuis in Amsterdam binnengelopen en had naar zijn opa gevraagd.

Hij nam aan dat ze allebei behoorlijk geschrokken waren, van elkaar. Een hartverlamming, hersenverdoving, bloedstollingen, het was allemaal mogelijk – aangezien het niet te bevatten was. Een nieuwe De Ru. Het had mama gezegd tegen een vrouw wier dood in scène was gezet. Alles voor niks, de misère, het piekeren, de therapieën, de illegale antidepressiva, de mislukte relaties waarin hij daarna terecht was gekomen, al die tijd had ze stiekem doorgeleefd. Het was om gek van te worden. Wanneer had de conceptie plaatsgevonden? In Turkije? Tijdens een van hun hardhandige neuksessies in het kleine vakantieappartementje? Toen ze zich verbeten en zwijgend aan elkaar hadden vastgeklampt op zoek naar een houvast dat er niet was? Staand, liggend, op de tegels, in het droge bad, zij met haar buik over de rand, steun zoekend aan de mengkraan. Hij had in haar rondgewoeld op zoek naar iets waardoor hij haar kon vergeven, maar ontdekte dat ze uit lege ruimte bestond waar hij niets kon vinden.

*

'Waarom praten we altijd over Deus alsof hij alleen maar een lul was?'

'Eens even denken, Tat. Misschien omdat hij alleen maar een lul was?'

'Maar dat is toch niet zo?'

'O nee, je hebt gelijk, hij was ook jaloers en wraakzuchtig.'

'Nee, serieus.'

'Ik ben serieus. Het is de waarheid.'

'De waarheid was volgens mij dat jij vooral vond dat hij een lul was.'

'Ja, dat ook.'

'Maar dat was hij niet. Niet voordat ik naar Italië ging tenminste. Nou ja, soms wel een beetje, maar voor wie geldt dat niet? Uiteindelijk werd hij natuurlijk verschrikkelijk, maar dat kwam ook door ons. Hij kon er gewoon niet mee omgaan.'

'Laat dat "gewoon" maar weg.'

'We waren in de twintig, Puck.'

'Ja? Dus?'

'We konden alle drie nog niet met de dingen omgaan. We deden maar wat.'

'Ik denk er nog precies hetzelfde over als toen.'

'Ja, dat is mij nu wel duidelijk. Maar zelf was je ook niet altijd even lekker bezig.'

'Dat hoor ik dan voor het eerst.'

'Goed. Laat ik dan voor mezelf spreken. Ik heb ook een hoop niet goed gedaan.'

'De grootste fout die jij hebt gemaakt is dat je dacht dat je verliefd was op Deus.'

'Ik dacht het niet alleen, ik was het.'

'Nog erger.'

'Maar het was dus geen lul. Dat probeer ik juist de hele tijd te zeggen. En ik vond hem knap. Hij leek op Kurt Cobain.'

'Precies, ook al zo'n zeikerig zelfkanttypje.'

'Deus was geen zelfkanttypje.'

'Hij handelde in drugs, weet je nog?'

'Ik was zwanger. En ik hield van hem.'

'Doe normaal, Tat, je hield niet van hem. Je was wanhopig, dat is iets heel anders.'

'Ik hield wanhopig veel van hem. En hij van mij.'

'Iedereen hield van jou, daarin was hij echt niet zo bijzonder.'

'Vond ik wel.'

'Ik heb geen zin meer om over de lul te praten. Je hemelt hem op, misschien om mij te irriteren, ik weet het niet, maar we hebben er niets aan. Je krijgt Rex er niet mee terug.'

'Rex komt misschien wel nooit meer terug.'

'Natuurlijk wel.'

'Nee. We worden gestraft omdat we dachten dat we het lot naar onze hand konden zetten.'

'Jezes Tat, in welke klassieke tragedie zit jij?'

'Zo gaan die dingen gewoon. Daar gaan die stukken allemaal

over. Dat de dingen gewoon zo gaan en dat er niets aan te doen is.'

*

Vanuit Teheran probeerde Deus iedere dag het Friedrich Miescher te bereiken. Hij moest meer te weten komen over Tatja. Van elke drie pogingen in de belwinkel mislukten er twee, de kettingrokende uitbater gaf de schuld aan haperende buitenlandse servers, het onweer boven de Karpaten, een argwanende overheid die intercontinentale gesprekken tegenhield of een storing in de onderzeese kabel. De enkele keer dat hij tegen alle verwachtingen in de receptioniste van het verzorgingshuis aan de telefoon kreeg, was óf de verbinding heel slecht óf er zat een invalkracht in Amsterdam die zo slecht Nederlands sprak dat ze niet begreep wat Deus wilde. Extra complicatie was dat Reinhold formeel niet meer in, maar naast het Miescher woonde, doorverbinden was technisch niet altijd mogelijk. Twee, drie keer per dag liep Deus gefrustreerd door het parkje tussen flat en belwinkel, dwars door zijn hoofdpijn heen drongen de vragen en gedachten zich onweerstaanbaar op.

Voortplanting is een raar fenomeen. Je kunt eraan hebben deelgenomen zonder dat je het weet. Ongemerkt heeft er ergens een celdeling plaatsgevonden en loopt er iemand rond op de aardbol met de gekopieerde chromosomen die rechtstreeks uit jouw DNA komen. Het is een verwarrend gevoel, je was blijkbaar de moeite waard om gereproduceerd te worden, het doet iets met je ego, dat valt niet te ontkennen, maar wanneer je er geen toestemming voor gegeven hebt is het tegelijkertijd ook net alsof je bestolen bent van iets intiems, alsof er bij je is ingebroken terwijl je sliep. Zou hij 'm herkennen als hij hem tegenkwam? Zijn zoon? In een winkelstraat, of een treincoupé, een bioscoop? Of was de gestolen waar al lang en breed overgespoten, het chassisnummer weggevijld zodat de herkomst nooit meer achterhaald kon worden? In principe kon zijn bloed stromen in het vatenstelsel van iedere zeventienjarige, zolang hij geen kroeshaar had of spleetogen. Gespannen liep Deus over straat. Het zou de jongen kunnen zijn naast die gesluierde vrouwen bij de bushalte. Of de fruitverkoper op de hoek van Saiee Park, of die jonge assistent bij de schoenenzaak aan de overkant. Hoeveel Kaukasische mannelijke adolescenten zouden er rondlopen op de planeet? Honderd miljoen? Tweehonderd? Hij zou zijn zoon niet herkennen en het was onvermijdelijk dat hij evenmin herkend zou worden. Ze zouden naast elkaar in een restaurant kunnen zitten zonder het van elkaar te weten. Deus alleen achter een eenzame dagschotel, de ander te midden van een dozijn vrienden, of god verhoede, tegenover een oudere man, zeg een sportief ogende veertiger in een goed zittend kostuum, bijvoorbeeld met een poloshirt onder een licht colbertje, en dat zijn zoon dan de hele tijd pa zou zeggen tegen de verkeerde.

Want zo was het gegaan, natuurlijk. Tatja had een nieuw mannetje gezocht, waarschijnlijk hadden er diverse sollicitatierondes plaatsgevonden, compleet met pasfoto's, vragen over verantwoordelijk vaderschap, de lengte van hun lul, en of ze moeite hadden met triootjes. Deus besefte dat hij ermee uit moest kijken, met die ongezonde fixatie op de ligen zuigscène in die Venetiaanse keuken, maar hij kon het niet helpen. Als een verblindend baken stond die gebeurtenis te schitteren in de lege, verwoeste akker van zijn geheugen. Daar had de substituutpapa vermoedelijk geen last van. Bij hem werkten alle functies ongetwijfeld zonder haperen, en hij had zijn onechte zoon kunnen zien opgroeien zoals het hoorde. Hoe zou dat gegaan zijn? Was Tatja onderdeel geworden van een modern gezinnetje? Stond ze op dit moment in een bloemetjesjurk de was op te hangen in de tuin van een rustiek huisje aan de rand van een plattelandsdorp? Of was het de waslijn op het balkon van een penthouse in de chique buitenwijk van een grote mediterrane stad? In zijn verbeelding moest het ergens in het Zuid-Europa zijn, op een plek waar de zon altijd scheen en je tot laat in de avond buiten op blote voeten kon rondlopen.

*

'Ik moet u nog honderd dingen laten zien,' riep Reza opgewekt toen Deus, nauwelijks wakker, op de rand van zijn bed zat na een nacht met veel spoken en weinig slaap. 'Ik kan de auto nog een dagje lenen. Waar wilt u het liefst naartoe?'

De jongen bezat het vermogen om je iets te laten doen waar je totaal geen zin in had, alleen al door zijn enthousiasme over het land waar hij woonde. Maar Deus wilde geen sightseeingtour. Hij wilde weten of Reinhold het beloofde bedrag over had gemaakt.

'U ziet er gelukkig iets beter uit dan gisteren,' zei Reza toen ze onderweg waren naar de Saderat Bank in het centrum. 'Ik hoop maar dat u zich goed genoeg voelt om te reizen, woensdag. Bent u blij, dat u straks naar huis kunt?'

Hij gaf geen antwoord. Hij wist niet waar het was, zijn thuis.

'Wij zullen u in ieder geval missen.'

'Ik heb een zoon,' zei Deus. 'Ongeveer jouw leeftijd.' Hij draaide zijn raampje open om de wind op zijn hete voorhoofd te voelen. 'Hij studeert rechten in Barcelona.'

'Waar is dat?' vroeg Reza.

'Ah. Spanje. Prachtige stad.'

'Net zo mooi als Teheran?'

'Anders. Het grootste deel van het jaar kan je daar op een terrasje zitten en over zee uitkijken.'

Reza zweeg.

'Eerst deed hij letteren in Amsterdam, net als ik vroeger, maar daar is ie wel van teruggekomen. Nederlands is niet zo'n prettige taal, om het netjes te zeggen. Sounds like pigs fucking in the swamp, noemde een Engelstalige collega het eens.' Waar kwam dat opeens vandaan? Pigs fucking in the swamp.

'Ik zou ook rechten willen studeren.' Reza keek afwezig naar buiten alsof hij achter de voorbijtrekkende woondozen een wereld zag waar zoiets fantastisch mogelijk was. Waarschijnlijk had hij gelijk. Buiten Iran was alles beter.

Ze kwamen langs een gigantische toren van beton in de vorm van een kaarsenstandaard, in de top een grote, verlichte kerstbal. Het ding beheerste het centrum van Teheran volledig.

'De bouw van deze zendmast kwam na de revolutie stil te liggen, maar na tien jaar vergaderen in de Raad van Hoeders werd de bouw hervat,' zei Reza in zijn rol van touroperator.

Deus hoorde hem maar half. De varkens van de Amerikaanse medewerker buitelden knorrend over elkaar heen door het moeras in zijn hoofd. Hij had het gevoel dat daar ergens een belangrijke ontdekking op hem lag te wachten.

'Toen het af was, bleek opeens dat de techniek niet had stilgestaan, moderne gsm-ontvangers hoeven niet zo hoog te zijn, maar toen was het al te laat. Nu staat er dus een overbodig, bliktrekkend monument van bureaucratische traagheid.' Reza zag er een treffende metafoor in voor het schreeuwbeleid van de huidige regering: een stijve paal van ruim tweehonderd meter in het midden van de stad. De gewone burger was machteloos.

Deus knikte instemmend. 'Mijn zoon is ook niet de juridische kant op gegaan om straks bij een duur advocatenkantoor zakenlunches te declareren. Hij vindt dat iedereen op deze wereld gelijk behandeld moet worden. Er zijn immers talloze mensen die te maken krijgen met onrechtvaardigheid, niet alleen zendmasten waar niemand op zit te wachten. Cassaveboeren wier land wordt ingepikt door grote mijnbouwbedrijven. Vissersdorpen die ten onder gaan aan de vervuiling van olieconcerns, echtscheidingen waarbij de ene helft alles krijgt en de andere niets, vaders die expres worden weggehouden bij hun kinderen, dat soort dingen.'

'Kan dat dan zomaar bij jullie?'

'Ja, oja. De vrouwenrechten zijn in Nederland geëxplodeerd. Lange tijd was de positie van de vrouw beroerd, heel zorgwekkend, een beetje zoals bij jullie hier. Geen kiesrecht, universitaire studies nagenoeg onbereikbaar, iets beters dan een positie als naaister of schooljuf of secretaresse was ondenkbaar. Maar inmiddels is dat anders. Tegenwoordig is het omgekeerde aan de hand: in een sollicitatieprocedure verlies je het geheid van een meisje, zelfs als je betere papieren bezit. De meeste bedrijven hebben vrouwenquota, de dames worden voorgetrokken op allerlei gebied. Bij een pilotentraining voor gevechtsjagers lig je er als man al snel uit, omdat dat lange blonde haar onder de vliegeniershelm zo goed staat op de luchtmachtfolders, en bij de rechtspraak zie je dat dus ook, mensen vinden het fantastisch: mondige en ondernemende meisjes. Maar soms gaan ze te ver. Ze kennen foefjes om je nageslacht ongestraft van je af te pakken. Daar wil mijn zoon dus een eind aan maken. Hij neemt het op voor alle verdrukten en kansarmen in onze samenleving. Wereldwijd.'

Reza knikte. 'Zesentwintighonderd jaar geleden hadden wij hier al een koning die een handvest opstelde voor de mensenrechten. Hij beloofde de gebruiken en culturen te respecteren van de volkeren die hij onderwierp. En kijk waar we nu zijn. Niemand in dit land mag geloven wat hij wil.'

Ze parkeerden in een verlaten straatje aan de achterkant van de bank, om niet op te vallen. 'Moreel gezien gaat de mensheid achteruit, in plaats van vooruit,' zei Reza, die er serieus rekening mee hield dat de geheime dienst de banken observeerde, iets wat Deus moeilijk kon geloven. Maar om de jongen een plezier te doen bleef hij – vanwege de vermeende beveiligingscamera's – braaf in de auto zitten terwijl de ander binnen zijn saldo ging opvragen. Ze hadden zich de rit kunnen besparen. Het geld van Reinhold was er nog niet.

Je zou het niet verwachten in de Islamitische Republiek van Iran, maar vanuit Teheran kun je binnen het uur op een piste staan. Vanuit de hoofdstad brengt een kabelbaan je via twee tussenstops naar vierduizend meter hoogte waar je ski's kunt huren, en schoenen, stokken, snowboards, net als op een echte wintersportstek, maar dan zonder de rijen. Het grootste deel van de Teheranezen kunnen zich deze sportieve luxe niet permitteren, en Deus eigenlijk ook niet, maar Rahman, de vader van Reza en Yasameen, was hoofd onderhoud bij de Tochal Telecabin en nam hem gratis mee naar boven. De geheime dienst patrouilleerde niet op de berghellingen, zei hij.

Deus glimlachte. Voor hem hoefde dit uitstapje niet. Hij

maakte zich zorgen over zijn aanstaande vertrek.

Rahman legde een hand op zijn arm. ‘Hoe is het eigenlijk met uw geheugen?’

‘Ik weet het niet.’ Deus keek naar de witte wereld om hen heen. ‘Sommige dingen zijn heel helder, dingen van vroeger, die kan ik me prima herinneren. De stad waar ik woonde tijdens mijn studietijd bijvoorbeeld. Maar dichterbij wordt het moeilijk. Alsof je een bos in loopt op een zonnige dag. Het meeste blijft in de schaduw.’

De ander moest hier lang over nadenken. Misschien omdat je niet zoveel bos hebt in Iran. ‘Wilt u skiën?’ vroeg hij toen de lift de top bereikte.

Dat leek Deus niet verstandig, in zijn conditie. ‘Wandelen is goed.’

Op hun zomerschoenen kuierden ze de helling af. Afgezien van een Frans gezin met snowboards waren ze alleen.

‘Heeft u kinderen?’

‘Ja. Een zoon.’

‘Allah zij geprezen.’

‘Ik had ook wel een dochter willen hebben. Maar dat zat er niet meer in.’

‘Mag ik vragen waarom niet?’

‘We groeiden uit elkaar.’

‘Wat betekent dat?’

‘We ontdekten dat we toch niet zo goed bij elkaar pasten.’

Rahman knikte. ‘Dat gebeurt soms, in een huwelijk. Hielden jullie niet meer van elkaar?’

‘Jawel. Ik wel. Heel erg. En zij ook van mij, geloof ik.’ Hij dacht aan de ontelbare verzoeningspogingen die Tatja gedaan had. ‘Maar toch ging het niet.’

‘Wilden jullie niet meer voor elkaar vechten?’

Zij wel, dacht hij. Ik niet. Ik hing een beetje slap achterover terwijl zij me probeerde te raken. 'Ik weet het niet. Het lag nogal gecompliceerd.'

'Wat kan er gecompliceerd zijn in de liefde wanneer je van elkaar houdt?' Rahman tilde zijn benen hoog op om te voorkomen dat er sneeuw in zijn sokken kwam.

Deus trok zijn kraag op, maar het was niet de bergwind waardoor hij het koud kreeg. 'Mijn zoon houdt erg van monoskiën,' zei Deus om van het onderwerp af te zijn.

'Zijn uw bergen net zo mooi als de onze?'

'Er zijn geen bergen in mijn land. Je moet eerst een dag in de auto zitten. Maar we zijn al heel vroeg begonnen ons kind les te geven. Dan huurden we met Kerstmis een mooi chalet in de sneeuw en 's avonds deden we spelletjes voor de open haard. Op zijn achtste was hij al jeugdkampioen.'

'Hoe heet hij?'

'Eh, Zoon. Hij heet Zoon.' Hij zei het in het Nederlands. Het licht deed pijn aan zijn ogen.

'Wat een merkwaardige naam.'

'Bij ons niet hoor, daar komt het vaker voor.' Hij nam een smurfenpil.

Ze kwamen op een vlak stuk, de sneeuw was hier dieper.

'Reza houdt ook erg van skiën. Hij wilde graag mee, maar ik zei nee.' Rahman tilde zijn benen hoger op.

'Waarom?'

'We zouden de hele tijd ruziemaken en het uitje voor u verpesten.' De ander glimlachte. 'Het hoort erbij. Reza wil mij vermoorden. Ik vind het niet erg, kinderen moeten hun vaders uit de weg ruimen. Het is een oud ritueel.'

Deus keek hem van opzij aan. Werd hij hier in de zeik genomen met zijn eigen manke metaforen?

Rahman glimlachte ondoorgrondelijk terug. 'Wilt u het hotel vanbinnen zien?'

Hotel kon je het kleine houten gebouwtje niet echt noemen, op de begane grond was een primitieve keuken en stonden een paar lange tafels, op de eerste verdieping waren vier eenvoudige kamers, maar je kon er overnachten voor twintig euro per persoon. Kom daar maar eens om in, Zwitserland.

'Er is iets wat ik u al de hele tijd wil vragen,' zei Rahman.

'Ga uw gang.'

'Ik heb begrepen dat kinderen in Europa niet mogen werken.'

'Dat klopt.'

'In plaats daarvan moeten ze naar school.'

'Tot je zestiende is het verplicht, in de meeste landen.'

'En het is gratis.'

'Zo goed als.'

'De leraren worden betaald door de regering. En de gebouwen. De materialen, de schoonmakers, de verwarming van de lokalen.'

'Inderdaad.'

'U woont daar tussen allemaal slimmeriken.'

Deus gaf niet meteen antwoord. Van wat hij zich er nog van kon herinneren, viel het nogal tegen met de intelligentie in Nederland.

'Wat ik niet begrijp is dit,' vervolgde Rahman terwijl ze terugploeterden. 'Als er bij u zoveel knappe mensen zijn, die bruggen kunnen bouwen van tien of twintig kilometer, of siliciumplakjes kunnen maken van een honderdste millimeter waar een woordenboek op past, waarom duurt het dan zo lang voordat we een oplossing hebben voor dingen die werkelijk belangrijk zijn?'

Ook hier had Deus geen antwoord op. Zwijgend stapten ze door de sneeuw, allebei nu in de ooievaarspas.

Onvermijdelijk brak het moment aan waarop de emoties in het kleine Teheraanse appartement opnieuw tot een uitbarsting kwamen. Deus was geen getuige van de botsing, hij had de hele middag doorgebracht in het internetcafé. Na vele vruchteloze pogingen om contact te maken met Reinhold en meer te weten te komen over Zoon en Tatja, keerde hij terug naar de flat en trof daar een terneergeslagen Yasameen aan die met haar moeder zwijgend op de bank zat. Rahman deed in de keuken iets luidruchtigs met borden en bestek. Deus zag dat de moeder zich schaamde, het leek hem het beste meteen weer te vertrekken, maar in het halletje kwam Yasameen hem achterna.

'Niet weggaan.'

'Maar...'

'Iemand moet met mijn broer gaan praten. Hij heeft huisarrest gekregen en mag zijn kamer niet meer uit.'

'Wat heeft ie dan gedaan?'

'Hij heeft dingen geroepen die een zoon niet behoort te zeggen. Mijn vader stond op het punt iets vreselijks te begaan.'

'Ik weet niet wat ik moet zeggen.'

'Probeer het. Tegen jou kijkt hij op.'

Deus deed het, tegen zijn zin. Wat wist hij van de roerselen van een adolescent, afgezien van zijn eigen ervaringen als vrijgevochten studentje in een stad die gegonsd had van muziek, dansen, drugs en levenslust? Het was een wereld die onvergelijkbaar was met die van Reza, die omringd werd door religieuze en politieke repressie. Behoedzaam ging hij naar binnen, fluisterde voor de zekerheid zijn naam, want voor hetzelfde geld wachtte de jongen indringers op met een broodmes of een stoelpoot, maar Reza zat achter zijn computer driftig te muisklikken en deed of hij hem niet zag. Een tijdje stond Deus met zijn rug tegen de deur, ten slotte vroeg hij, tamelijk overbodig, wat hij aan het doen was. De ander schokte onwillig met een schouder, een beweging die Deus zelf te vaak gemaakt had om hem niet te herkennen als het stroeve begin van een gesprek. Hij ging op het bed zitten, onder de poster van Freddy, en keek een tijdje naar de afwerende rug.

In een ander leven had dit zijn kind kunnen zijn, een opstandige achttienjarige, die aandacht voor zijn problemen wilde, maar tegelijkertijd niet lastiggevallen wenste te worden met stomme vragen. Die erkenning zocht, maar juist niet die van zijn ouders. Die vrij wilde zijn, maar ook bang was voor wat hem dan te wachten stond, en die zijn frustratie over deze kleine maar onoplosbare dilemma's op een willekeurig toetsenbord afreageerde. Deus vroeg nog een keer waar Reza mee bezig was, maar kreeg geen antwoord. Uiteindelijk zei hij het maar gewoon: 'Ik weet niet wat mijn zoon studeert. Ik weet zelfs niet hoe hij heet.'

De jongen haalde zijn handen van de toetsen en draaide zich langzaam om.

'Ik heb een beetje gelogen,' gaf Deus toe. 'Tot vorige week wist ik niet eens dat ik er een had, een zoon. Ik moest dus verzinnen hoe zijn leven eruit zou kunnen zien. De kans dat hij rechten studeert is erg klein.'

Reza gaf geen antwoord.

'Maar ik vind het wel fijn, geloof ik. Ook als ie geen jurist wordt. Eerst was ik wel geschokt natuurlijk, en ook boos dat de moeder me nooit iets verteld heeft, vooral ook omdat ik dacht dat ze dood was, maar ze blijkt gewoon te leven en samen hebben we dus een kind. Het is erg verwarrend.'

'U wist niet dat u een kind had verwekt?'

Hij schudde het hoofd.

Reza deed zijn best om het te begrijpen. 'Maar u bent wel blij?'

'Ik denk het wel.'

Traag wipte de jongen met een voet. Ten slotte draaide hij terug naar het toetsenbord. 'Mijn vader is niet blij met mij.'

'Hoe kom je daarbij?'

'Hij kan niet accepteren dat ik anders ben.'

Deus leunde tegen de muur boven het bed. 'Ik denk dat het een kwestie van tijd is. Ik kan me voorstellen dat hij eraan moet wennen dat jij een zelfstandig, onafhankelijk persoon aan het worden bent.'

'Nee, hij is bang dat ik iets word wat hij verafschuwt.'

'Hij zal misschien proberen je een andere kant op te sturen, maar vergeet niet dat de liefde van een ouder onvoorwaardelijk is.' Het leek vanzelfsprekend om te zeggen, maar toch moest hij hier even over nadenken. Zijn ervaring op dit gebied schoot tekort.

'Hij wil dat ik de regels volg uit de tijd van Ali Baba en Aladdin. Hij heeft me vanochtend opgedragen een aantal vriendschappen te verbreken. Maar dat ga ik niet doen.'

'Waarom wil hij dat?'

'Hij vindt mijn vrienden te progressief, te vooruitstrevend, te westers. Ik mag ze niet meer ontmoeten.'

'Dan zeg je toch gewoon dat je naar de bibliotheek moet? Of schoenen gaat kopen?'

'Ik wil niet liegen. God ziet alles.'

'Die begrijpt dat echt wel, een leugentje om bestwil.'

'Je kunt niet met Hem onderhandelen.'

'Sorry. Vergeet wat ik gezegd heb.'

'Het is soms heel moeilijk te begrijpen wat Hij met je

voorheeft. Het gaat om innerlijke vrijheid, ziet u. Als ik mezelf niet kan zijn, word ik ziek.'

De overdrijving van de adolescent. Toch vroeg Deus: 'Wat hebben je vrienden met innerlijke vrijheid te maken?'

'Wij zijn de toekomst van dit land. We hebben interactie nodig, discussie, we moeten plannen maken. Onze dromen delen.'

'Dat klinkt niet onredelijk. Heb je daar met je vader over gepraat?'

'Hij wil het niet. Hij schreeuwt alleen maar dat ik tegen mezelf beschermd moet worden.' Het gezicht van de jongen vertrok in een vergeefse poging niet te huilen. 'Dat is een grotere kwelling dan u zich voor kunt stellen.'

Opeens daagde het bij Deus. Reza's opwinding, de koorts, de woede, de melodramatiek, het hoorde bij een jeugdig en onvervuld verlangen dat maar één ding kon betekenen. De jongen was verliefd.

'Hij is onbenaderbaar.' Reza klonk bitter. 'Als hij kwaad is reageert hij niet meer als een mens van vlees en bloed, maar als een instituut.'

'Als een wat?'

'Het instituut van de islam. Als hij zou handelen vanuit een persoonlijke mening zou ik er nog respect voor kunnen opbrengen, maar het zijn regels en vooroordelen van een antieke godsdienst.'

'Ik begrijp het,' zei Deus voorzichtig. Het conflictgebied was opeens heel veel groter geworden.

'Hoe kunnen wij groeien, als mensen, wanneer we ons vasthouden aan een wereldbeeld van dertien eeuwen geleden?' vervolgde hij. 'Hoe kunnen wij ons ontwikkelen, als een grote groep oude mannen hun voet op de rem houden?' Hij stond op, wees met een trillende arm naar buiten. 'Ik hou van Allah. Ik ben hem dankbaar voor alles wat Hij ons geeft. Maar de regels van zijn Profeet zijn niet meer van deze tijd. Als we ze niet op tijd herzien, zal de godsdienst sterven.'

Het is misschien iets wat je vergeet: hoe het precies voelde, die eerste keer dat je hoteldebotel was van iemand. Je herinnert je een kwellende hunkering, een scheurend verlangen, een zeurende onzekerheid over alles wat je doet en laat. Het woord smachten komt in je op, een ouderwetse uitdrukking maar fonetisch gezien heel toepasselijk. Smachten. De sm een betekenisvolle en moeilijke start, voor in de mond, waar de lippen al bijna in zoenpositie gaan, dan een zucht, de klinker van onderdrukt lijden, de keelklank van beginnend verdriet, eindigend in een onverwachte, opwaartse beweging, een laatste lettergreepje, alsof de wereld mogelijk nog niet helemaal verloren is. Een werkwoord. Terecht, gelet op de talloze zinloze calorieën die erbij verbrand worden. Als je geluk had werd het smachten gevolgd door een kleine inlossing, vaak weken of maanden later, een langverwachte kus of aanraking, maar meestal restte alleen de deceptie, de afwijzing, de uiteindelijke acceptatie dat de zoen waarvan de smacht ooit het hoopvolle begin was geweest, er nooit zou komen en de wereld inderdaad verloren was.

Deus kon zich zijn eerste verliefdheid niet goed herinneren maar wel de grootste: zijn donkerharige prinses uit het Oosten, zijn zwarte zwaan, de TT in de PTT, zoals haar verbintenis met Puck genoemd werd onder medestudenten, omdat je zelfs voor het minste contact met het ongenaakbare duo net zo lang moest wachten als bij het staatspostbedrijf na de aanvraag van een telefoonaansluiting. Deze verliefdheid, die hem in een brandende helleschacht van gefrustreerde begeerte gegooid had, was – net als bijna alle andere – op een fiasco uitgelopen. Kijkend naar Reza zou Deus hem willen waarschuwen voor wat hem mogelijk te wachten stond, maar dat had natuurlijk geen zin. Kenmerk van de verliefdheidsroes is dat hij blind is.

'Het is een bijeenkomst van Jong Iran,' riep Reza tegen zijn vader, die zich bij de deur had opgesteld om te voorkomen dat hij naar buiten zou gaan.

'Ik weet niet wie dat zijn.'

'Wat denkt u? Het is de generatie die straks aan het roer staat.'

Reza's *object d'amour* zat dus bij Jong Iran, dacht Deus, die de woordenwisseling bijna letterlijk kon volgen door de dichte deur van zijn kamer.

'Ik denk dat Jong Iran beter kan luisteren naar Oud Iran. Wij weten beter dan jullie wat goed is voor het land. En iets met een roer overnemen zou ik niet hardop zeggen. Onze regering zou dat zomaar verkeerd kunnen opvatten.'

'Goed. Als u dat wilt, zal ik uw standpunt straks overbrengen.'

'Je gaat niks overbrengen, want je hebt huisarrest.'

'Dat is toch al afgelopen?'

'Dat dacht ik niet. De week is nog niet om.'

'Maar...'

'Wees blij dat het slechts een week is. Dat heb je aan je moeder te danken. Als het aan mij gelegen had, was er iets heel anders gebeurd.'

'Het spijt me dat ik dat woord heb gebruikt.'

'Mij ook.'

'Toch is het een woord dat vaak voorkomt. Veel mensen die ik ken, gebruiken het dagelijks.'

'Daarom wil ik ook niet dat je die lui nog blijft ontmoeten.'

'Het zijn mijn vrienden. De woorden waar u zo boos over bent, zijn al dagelijkse spreektaal.'

'Ik vind dat heel zorgelijk. Het is niet mijn spreektaal. Wat voor soort vrienden zijn dat, die zo grof in mond zijn? Hebben ze nergens respect voor?'

'Natuurlijk hebben ze dat. Alleen hebben ze het voor andere dingen dan u. Verandering. Democratie. Vrijheid.'

Achter de deur moest Deus glimlachen. Reza's liefde had een politiek jasje.

'We hebben al democratie en vrijheid. Een liberaal heeft de laatste verkiezingen gewonnen.'

'Hij zat in de Raad van Hoeders. Daar kom je niet in als je liberale ideeën hebt.'

'Zijn dit de dingen waar jullie het over hebben op die discussieavondjes?'

'We worden onderdrukt door een achterhaald religieus concept.'

'Jullie zijn kleine kinderen.'

'Vooroordelen zijn de argumenten van dwazen.'

'Zwijg nu. Het is genoeg.'

'Het zijn de woorden van Voltaire.'

'Dan wil ik niet meer dat je met hem afspreekt.'

Opnieuw keek Deus naar de boze rug van Reza die driftig zat te typen. Hij was er zeker van dat het Franse Verlichtingsideaal een minder grote rol speelde dan de mail die hij nu waarschijnlijk aan zijn geliefde zat te schrijven. Misschien zat, een paar duizend kilometer verderop, zijn zoon ook zo woest achter een toetsenbord, worstelend met de liefde. Hij zou er zijn rechterhand voor willen geven om op zo'n moment naast hem te kunnen zitten, en iets te kunnen doen wat hem zou troosten. Iets onbenulligs, of wat vaders dan ook doen als ze in hun onhandigheid een kind proberen te helpen. Vertellen hoe jij het destijds ervaren had, de eerste grote liefde. Dat de omstandigheden misschien veranderd waren; dat de minnebrief plaats had gemaakt voor een WhatsApp, maar dat de kwelling hetzelfde gebleven was.

Liefste, had Deus ooit gefaxt toen het verlangen naar Tatja hem van binnenuit verscheurde: *ik vind het maar zozo, hier in het noorden. Er waait een ruige poolwind, het schuifraam kleppert, de theedoek die ik tegen de dorpel heb gelegd, is binnen een halfuur zeiknat. Op het nieuws zag ik dat het bij jou ruim 18 graden is, op dit ogenblik vaar jij waarschijnlijk leuk met een bootje rond of zit je met een studieboek in de vensterbank van een palazzo aan het water. Het faxapparaat dat ik op jouw aanraden heb aangeschaft is een Brother, nader dus dan een vriend, zou je zeggen, maar de door jou geschetste hevig gefrequenteerde kabelbrug wil onze nieuwe verbinding vooralsnog niet worden. Af en toe een inderhaast uitgespuugde kattebel van jou, snel opgepend in de trein of vaporetto neem ik aan, want zo'n specialisatie Etruskisch is tijdrovend, hoor!*

Voorts moet ik er dan snel bij zijn, want vanaf halfelf staat de zon vol op het bureau en aan het begin van de middag zijn de letters op het thermische papier al onleesbaar geworden.

Een uitstapje is derhalve een hachelijke onderneming geworden, uit angst iets van je te missen. Soms moet ik, net als jij, met een vergrootglas op zoek naar wat de vroege Romeinen in hemelsnaam bedoeld kunnen hebben.

Af en toe zit ik op mijn knieën voor de Brother en tuur in zijn gleuf of er al wat aan komt. Niet zelden overvalt mij dan een religieuze vervoering, in stille aanbidding voor een zwijgend afgodsbeeld van zwarte kunststof, enfin, je ziet het voor je. Een enkele keer is het alsof de randen van de spleet in de machine zachtjes opkrullen in een medelijdende glimlach, en dat is dan ook meestal het moment dat ik opsta en iets zinnigs ga doen: gymnastiek of gewichtheffen o.i.d. Kort en goed, ondanks de wind en de tegenslag red ik me hier me prima. In afwachting van een echte brief jouwerzijds, ~~heel veel liefs~~. Hartelijke groet. ~~Adios.~~

Deus.

P.S. ~~Zou je het leuk vinden wanneer ik binnenkort toch eens langskom? Niet als bunkerende geliefde, maar bijvoorbeeld in de hoedanigheid van taalkundige collega? Zodat het Instituut het ticket betaalt, bedoel ik, want de aankoop van de facsimilemachine heeft een gat geslagen in mijn financiële reserves.~~

Het was veel tekst, maar hij had niet kunnen zeggen waar het hem om ging. Waarschijnlijk voelde Tatja dat ook, want er kwam geen antwoord . Na twee dagen haalde hij de woorden nogmaals door de fax, en hoewel de Brother heel duidelijk meldde dat de transmission completed was, vertrouwde hij het maar half en deed het voor de zekerheid nog een keer. Aan de andere kant van de Alpen lagen nu drie machteloze epistels van een man die eigenlijk een simpele ansicht had moeten sturen met 'ik hou van je', en toen hij zich dat realiseerde, had hij het liefst op een returnknop gedrukt om alles ongedaan te maken. De liefde kan een meedogenloze hel zijn, en bijna was Deus opgestaan om een hand op Reza's schouder te leggen.

Op dat moment draaide de jongen wild weg van het beeldscherm. 'Het internet ligt er weer uit,' riep hij.

'Misschien een kabel?'

'Het ministerie van Informatie. Ze zijn paranoïde. Af en toe blokkeren ze de door henzelf opgezette sociale media. Als ze bang zijn voor een demonstratie of zo.' Gekweld sprong hij op.

Deus ging achter het bureau zitten. 'Mag ik het eens proberen?' Het was een opwelling, hij wist niet wat hij ging doen, maar zijn vingers vonden vanzelf hun weg op de toetsen. Het was een oude Dell, met een gedateerd besturingssysteem, maar de beveiliging stelde niet veel voor. Al snel slaagde hij erin om een Amerikaanse videostream te openen. Met een diepe frons staarde hij naar het scherm. De Deus die in staat was een overheidsserver te omzeilen was voor hem een onbekende man.

Reza was onder de indruk. 'Dit moeten mijn vrienden weten.'

Deus schakelde de computer uit. Opnieuw in een reflex. 'Beter van niet.'

'Wat bedoelt u?'

'Ik weet het niet.' In zijn verbeelding zag hij het allesziende cyclopenoog boven zijn ziekenhuisbed. Hij trok de netwerkkabel los. 'Voorlopig laten we 'm even uit.'

Er werd een compromis bereikt: Reza mocht de deur uit, onder voorwaarde dat Deus optrad als chaperon. De jongen vond het prima, dankzij de net verworven toegang tot YouTube bekeek hij op wisselende locaties tientallen video's, van een olietanker in een orkaan tot een mevrouw in Riga die tennisballen in haar vagina liet verdwijnen.

Er waren maar een paar – hevig gecensureerde – internetcafés in Teheran, ze droegen hoeden of zonnebrillen tegen de beveiligingscamera's. Deus vermaakte zich uitstekend, hij kon zich niet herinneren wanneer hij voor het laatst iets van plezier had gevoeld. Hij vergat bijna de pijn in zijn hoofd. Het was spannend en opwindend, alsof hij met zijn eigen zoon over het hek van een pretpark was geklommen om stiekem alle attracties te proberen.

Na vier, vijf surfavontuurtjes was het afgelopen. Het lukte Deus niet meer om de internetblokkade te passeren.

'Het geeft niet,' lachte Reza. De download met die tennisballen pakte niemand hem meer af.

Ze kochten een gebakje, om te vieren dat ze de overheid te slim af waren geweest.

'Wat staat daar?' Deus wees naar een vette krantenkop in het rek van een tijdschriftenkiosk. Hij had het geschreven Perzisch nooit echt onder de knie gekregen.

'Een gedeserteerde Amerikaan. Hij is eerst gevlucht naar Hong Kong, en zit nu in Moskou.'

'Waarom is dat voorpaginanieuws in Iran?'

'Alle missers van de VS komen hier op de voorpagina.' Reza legde wat muntstukken op een schoteltje en sloeg de krant open. 'Bovendien werkte deze man bij de NSA. De inlichtingendiensten tappen sinds 2001 massaal telefoons af van burgers, bedrijven en diplomaten. Ze hebben er een speciaal programma voor ontwikkeld.'

Er ging een deurtje van het slot in Deus' hoofd. Een oud kelderluikje, een paar roestige scharnieren en wat verveloze planken, meer niet. Het ging met moeite open.

Reza nam snel het artikel door. 'Het is niet alleen telefoon. Het gaat om inlogcodes, surfgedrag, e-mails, browsergeschiedenis en wachtwoorden van iedereen die ze ook maar een beetje verdenken.'

'Hoe heet het?'

'Hoe heet wat?'

'De software. Zulke dingen hebben altijd een naam.'

Reza's vinger ging langs de kolommen. 'Prism. Dat gaat over het civiele dataverkeer. En dan is er nog sprake van logaritmische spyware waarmee ze hebben geprobeerd buitenlandse diensten te infiltreren.'

Deus knikte. Het klonk bekend, maar tegelijkertijd ook niet, alsof het kelderraampje uitkeek op een mistige binnenplaats. Aan de rand stonden gebouwen die hij kende, maar die hij niet goed kon zien. Achter een van de onzichtbare deuren moest een heet en droog land zitten waar mensen in stalen containers de hele dag gsm-frequenties aan het scannen waren.

'Er staat dat de NSA per jaar rond de honderd miljard metadata verwerkt,' zei Reza terwijl hij de krant dichtvouwde. 'Maar dat lijkt me een vergissing. Honderd miljard e-mails, transacties, gesprekken, sms'jes. Dertig miljoen transscripties per dag. Hoeveel tekst is dat wel niet? Wie kan daar op tijd een terroristisch aanvalsplan in herkennen?'

'Ze zetten de woorden om in cijfers.'

'Wat?'

'De processnelheid van cijfers is honderdduizenden keren sneller dan die van samengestelde zinnen.'

Reza liet het dagblad zakken en keek Deus onderzoekend aan. 'Hoe weet u dat allemaal?'

Een dag voor zijn vertrek nam Reza Deus mee naar Jong Iran.

Het pand van twee verdiepingen stond op een guur bedrijventerrein in het oostelijk deel van de stad, naast een opslag van chemisch afval. Aan de andere kant zat een gasleverancier. Het rook er naar zwavel en chocola. Deus snapte niet waarom de organisatie van een stel enthousiaste, politiek actieve jongeren gehuisvest moest zijn op zo'n gribusplek. De wind tochtte langs de kale gevels, gasflessen glommen in het licht van een enkele booglamp, rij na rij, als een regiment gehelmde soldaten op wacht.

Bij de ingang hing een dubbelgevouwen kartonnetje aan

een plakbandje: Jong Iran stond erop, in kapitalen. Voor in het gebouw was een klein kantoorgedeelte; een half dozijn tafels en stoelen, een paar oude computers en printers, aan het plafond hingen ventilatoren aan gammele tl-armaturen. Een muur met een rij affiches die de jeugd aanspoorden de regels van de Koran te volgen, werd gedomineerd door twee foto's van Khomeini en Khamenei. Aan een kapstok fluorescerende verkeersregelaarshesjes, naast elke deur een schuimblusser, opgerolde spandoeken in de hoek.

'We worden regelmatig gecontroleerd door de brandweer of we ons aan de voorschriften houden,' zei Reza. 'Die bezoekjes hebben natuurlijk niets met veiligheid te maken, maar tot nu toe hebben ze niets kunnen vinden.' Hij stelde Deus voor aan twee jongens van in de twintig die op een oud bankstel thee zaten te drinken: de voorzitter en de penningmeester van Jong Iran.

Ernstig dronken ze thee.

'Kent u Barack Obama?' wilde de voorzitter weten.

'Helaas niet.' Deus legde uit dat hij in Nederland woonde.

Ze wisten niet waar het lag, het enige waar ze geïnteresseerd in waren was het vrije verkeer.

'Het vrije verkeer?'

'Of je alles mag doen. Reizen, vergaderen, afwijkende godsdiensten belijden?'

'Ja.'

'Seks met dieren?'

'Dat niet.'

'Seks met hetzelfde geslacht?'

'Dat wel. Homohuwelijken zijn legaal.'

Ze waren even stil van verwondering. Er kwamen oude Nokia's tevoorschijn, ze wilden met hem op de foto en ten slotte moesten ze weten hoe dat ging, een overheidsblokkade omzeilen. Ze schoven een bureaustoel achteruit.

Deus probeerde hun uit te leggen dat hij maar wat deed – meer op gevoel dan met kennis. De servers van de grotere netwerken waren bijvoorbeeld meestal goed beveiligd tegen indringers van buitenaf, maar intern stonden ze vaak in een eenvoudige serie. De ethernetprotocollen hiervoor waren makkelijk te kraken. 'Vergelijk het met de lichtjes in een kerstboom – als je één lampje losdraait, gaat de rest ook uit.'

Het concept van een verlichte dennenboom stond ver van ze af, toch trok de penningmeester een toetsenbord naar zich toe.

'Het is niet zonder gevaar,' waarschuwde Deus. 'De gasten aan de andere kant zijn niet gek. Binnen twee dagen hadden ze ons in de gaten.'

De ander trok snel zijn handen terug, alsof hij zijn vingers had gebrand aan de toetsen.

Op zachte toon lichtte Reza zijn collega's in over Deus' verwonding. 'Hij heeft een scherf in zijn hoofd.'

Geïmponeerd schonken ze thee bij. Een tijdje zaten ze zwijgend bij elkaar, ieder op zijn manier piekerend over de toekomst. 'Soms vraag ik me af of Iran nog gered kan worden,' zei de voorzitter na een lange stilte. 'Ik bedoel, zonder hulp.'

Ze lieten hem de bedrijfsruimte zien. Een grote, lage hal met gemetselde muren in stalen profielbalken. In de betonvloer waren de boutgaten nog zichtbaar van de machines die er ooit hadden gestaan.

'Het kan wel een verfje gebruiken,' zei Reza, 'maar we hebben niet veel geld.' Met een theedoek wreef hij het blad schoon van een geïmproviseerde bar. In de andere hoek stond een klein podium van groentekratjes.

'Het is prima voor bijeenkomsten en discussieavonden,' verontschuldigde de penningmeester zich. 'En eens per maand is er een dansfeest. Laatst hadden we hier vierhonderd man over de vloer.'

'Elke maand dansen?' vroeg Deus, op de terugweg in de auto. 'Bij een politieke partij?'

'Nergens staat dat je niet van het leven mag genieten,' antwoordde Reza. 'Bovendien zijn we geen officiële partij. Nog niet. En het kan heel bevrijdend werken, bewegen op muziek.' Hij bloosde.

'Is dat niet lastig, met al die gaten in de vloer?'

'Nee hoor.'

'Voor al die naaldhakjes, bedoel ik. Of dragen de meisjes van Jong Iran geen pumps?'

Het antwoord liet even op zich wachten.

'Eh, er zijn geen meisjes,' zei Reza bij het volgende stoplicht.

Daar moest Deus even op kauwen. 'Helemaal niet? Niet één?'

Ze trokken op. Iets te ruw, leek het. 'U begrijpt het niet. Het is strafbaar.'

'Maar jullie willen toch dingen veranderen?'

'Op het samenzijn van mannen en vrouwen die geen familie van elkaar zijn, rust een groot maatschappelijk taboe. We zouden dat graag anders zien, maar we moeten realistisch blijven.'

Deus had het gevoel dat Reza iets anders zei dan hij bedoelde, maar vroeg niet verder.

Op de dag van zijn vertrek lag er een envelop op zijn hoofdkussen met driehonderdvijftig dollar, afkomstig van de leden van Jong Iran. Omdat het geld uit Europa niet op tijd was gearriveerd, legde Reza uit. 'We willen u graag helpen naar huis te komen. En misschien, als u tijd en energie heeft, kunt u dan in Nederland een beetje met ons in contact blijven.'

Deus was ontroerd door de geste en beloofde zijn betrekking als buitenlandcorrespondent serieus te nemen en ze elke dag van nieuws te voorzien.

Als afscheid nam Reza hem mee naar een Turks badhuis.

'Denk jij dat je zonder vader had kunnen opgroeien?' vroeg Deus. Gewikkeld in hun meegebrachte handdoeken zaten ze naast elkaar op een hardstenen bankje. Het was niet druk.

De ander haalde zijn schouders op. 'We zijn het zelden eens, maar hij blijft mijn vader.'

'En als hij op een dag iets vreselijks zou doen? Je moeder slaan bijvoorbeeld, of een dodelijk ongeluk veroorzaken. Zou je dan nog steeds van hem houden?'

'Zeker. We maken allemaal fouten.'

'Maar als hij nou erg lang op reis is? En in het buitenland iets ergs doet?'

'Ik weet het niet. Ik denk het.'

'Stel dat hij heel lang weg is. Bijna twintig jaar.'

'Als Allah ons kan vergeven, wie ben ik dan om het niet te doen?'

'Meen je dat?' Van opzij bestudeerde Deus het gezicht van de jongen.

Reza bloosde, gevleid door Deus' onverdeelde aandacht. 'Ik denk het wel. Waarom vraagt u dat?'

Toen ze rozig en moe thuiskwamen, zat Rahman op hen te wachten.

'Waar zijn jullie geweest?'

Ze vertelden het: stoom, dikke mannen op houten bankjes.

'Ik ben blij dat u het naar uw zin heeft in onze stad.'

'Ja. Uw zoon is een buitengewone gids.'

'Dat is fijn om te horen. Maar zo langzamerhand moet hij zich voorbereiden op zijn eigen reis.'

'Wat?' vroeg Reza verbaasd.

'Jij gaat volgende week terug naar Sebastopol. Ze willen je daar graag weer hebben.'

'Daar weet ik niets van. Ik wil helemaal niet terug naar Sebastopol.'

'Helaas leven we in een tijd waarin we niet veel keus hebben. Ik heb ja gezegd tegen een nieuw jaarcontract.'

Vanzelfsprekend protesteerde Reza, maar een grote ruzie bleef vreemd genoeg uit. Terwijl Deus zijn spullen bij elkaar zocht, hoorde hij de jongen nog 'schending' roepen, en 'zelfbeschikkingsrecht', maar daarna werd het stil. Na een paar minuten ging hij kijken wat er aan de hand was. De familie zat fluisterend bij elkaar rond de tafel, het gesprek verstomde op het moment dat hij binnenkwam.

Reza stond op en gaf hem een hand. 'Ik neem nu vast afscheid van u.'

'Maar ik vertrek pas vanavond.'

'Hij moet nog heel veel regelen,' antwoordde Yasameen.

De jongen boog het hoofd. 'Ja, ik moet nog veel doen, vanavond. En morgen. Ik wens u een goede reis.'

Verwonderd keek Deus toe hoe hij naar zijn kamer verdween.

'Onze zoon is heel verantwoordelijk,' lichtte Rahman toe. 'U zei het al op de dag dat we kennismaakten.'

'Je trein vertrekt om kwart over zeven.' Achter Yasameen zag hij de gevel van het Tehran Railway Station, een neo-klassiek gebouw uit de tijd van de sjahs, in de bouwstijl waarmee de Britten hun spoor door Azië hadden getrokken, en die met een paar aanpassingen ook heel geschikt gebleken was voor de wat meer dictatoriale regimes. Een steile façade van dertig meter hoog, onderbroken door grote, rechthoekige ramen die op hun beurt weer opgebouwd waren uit talloze vierkante ruiten, met aan weerszijden de gebruikelijke portretten van Khomeini en Khamenei, maar dan in het groot: allebei zo'n driehonderd vierkante meter.

'Kom.' Ze trok aan zijn arm. Deus liet zich meevoeren. Hij had het idee dat haar haast niet alleen veroorzaakt werd door de dienstregeling.

Binnen een luidruchtig kluwen van reizigers, afscheid nemende familieleden, koffers in alle soorten en maten, tassen en kisten, manshoge stapels dozen, vaak dichtgebonden met touw of riemen, overbelaste bagagetrolleys, opgerolde matrassen en bidkleedjes. De treinen stonden overzichtelijk naast elkaar langs een groot platform, maar zonder ticket mocht je er niet naartoe.

'Het ga je goed.' Bij het hek gaf Yasameen hem haar smalle hand. In de palm zat een usb-stick. 'Een afscheidscadeautje. Van Reza.'

Verrast stak Deus de stick in zijn zak. Atoomgeheimen? Foto's van uiteengeslagen betogingen, gewonde demonstranten, slachtoffers van politiegeweld, Khomeini in damesondergoed? Een verklaring over zijn afwezigheid?

'Wees voorzichtig,' zei ze. 'Je bent nog niet helemaal beter.'

'Nee.'

'Slik je pillen.'

'Ja. Dank voor alles dat je gedaan hebt.'

'Probeer een coupé met buitenlanders te vinden.'

'Doe ik.'

'Laat weten als je veilig in Istanbul bent.' Opnieuw gaf ze hem een hand, ze leek even te aarzelen, draaide zich toen om en liep weg, zonder één keer om te kijken. Hij wist dat ze hem had willen vragen om voor haar in Nederland te informeren naar de mogelijkheden voor een vervolgstudie medicijnen. Maar daar was ze te trots voor.

15 | REX

Vanzelfsprekend was de Scirocco nog niet klaar.

'Turkije,' zuchtte Henri de volgende ochtend terwijl hij luisterde naar het telefonische relaas van de monteur. 'Maar voor de lunch kunnen we hem ophalen.'

Dat was niet zo, merkte Rex die klokslag twaalf voor de deur stond.

'Om vier uur vanmiddag komen ze hem brengen,' zei Bieneke die na het middageten naar de garage was gegaan om te vragen waarom het zo lang duurde. 'Ze kunnen er niks aan doen, ze zitten te wachten op de juiste persringen.'

'Wat zijn dat?' vroeg Rex.

'Die zorgen ervoor dat het lager niet uit zijn behuizing loopt.'

'Waarom gebruiken ze de oude ringen niet?'

'Die gaan meestal stuk als je de boel demonteert.'

'Hoe komt het dat jij dit allemaal weet?'

'Ik had ooit een vriendje die vond dat ik moest leren sleutelen.' Ze zat in de schaduw van een potpalm op het grote dakterras van de salsaclub. Binnen dweilde een schoonmaker de vloer. 'Hij was journalist, en had het wilde plan opgevat om met de auto naar Namibië te reizen, dwars door de Sahara, om daar vervolgens een boek over te schrijven, de titel had hij al. *Africar* wilde hij het noemen.' Als de bladeren van de palm bewogen, veranderde het licht op haar gezicht. Ze droeg geen make-up, zag Rex, althans niet waarneembaar. 'In de woestijn heb je geen pechhulp of garages, zei hij altijd, en als ik door een slang gebeten word sta jij er alleen voor wanneer de dynamo of de radiateur kapot gaat.'

Rex knikte. Daar zat wat in.

'Ik heb zelfs een cursus elektrotechniek gedaan. Allemaal voor niks.'

'Je bent niet gegaan.'

'Ik wilde wel. Had al malariapillen gehaald, visa geregeld en mijn rugzak gepakt, maar hij durfde op het laatste moment niet. Stel dat we allebei worden gebeten door een slang en er breekt een stuurstang? zei ie.'

'Waarom ging je niet alleen?'

'Ik ga niet voor mijn lol fossiele brandstof verstoken in een derdewereldland zonder goede reden.'

'En een boek is dat wel?'

Ze keek hem aan, diepe rimpel tussen de mooie ogen. 'Je hebt gelijk, uiteraard.' Ze begon te lachen. 'Wat een flauwekul, eigenlijk. Africar, haha. Maar wat wil je, ik was achttien, negentien.'

En hoe oud ben je nu? had Rex willen vragen, maar hij deed het niet. Tweeëntwintig, schatte hij. 'Waar zijn jullie toen naartoe gegaan? Een plek met veel garages, neem ik aan?'

'Ik heb het uitgemaakt, natuurlijk. Slapjanus.' Ze stond op en keek over de balustrade naar de stad waar de slangenvrezende reporter zich misschien nog ergens ophield. 'Ik hou er niet van, mensen die het ene zeggen en het andere doen.'

'Ja, vreselijk,' beaamde hij.

'Waarom heb je Henri verteld dat je in Galatasaray geweest bent?'

'Ik ehm...'

'Ik weet dat je er niet bent geweest. Als je de vismarkt bij ondergaande zon hebt gezien, zeg je niet zoiets stoms als: mooi, al die schubben op de grond.'

'Liggen die niet op de grond, dan?'

'Misschien een paar. Maar daar gaat het niet om. Het gaat om de ervaring van kleur en beweging, een mensenmassa die zich terugtrekt van een slachtpartij onder zeedieren, het beeld van verval en zilverkleurig bederf in het laatste licht van de dag.' Ze klonk als een dichteres op een voordrachtsavond.

'Je bent erop tegen, vis eten?'

'Dat moet iedereen voor zichzelf uitmaken. Ik denk dat je ook gelukkig kunt worden zonder.'

'Sorry.' Hij schaamde zich. 'Ik wilde je niet teleurstellen. Je had allemaal dingen opgeschreven, heel aardig, en ik heb er niets van gezien.'

'Wat heb je dan gedaan?'

'Niets. Een visum proberen te regelen. Op een terrasje gezeten.'

'Dat kan heel waardevol zijn.'

'Ik had liever het stervende licht op de schubben gezien of de schaduw van de Maagdentoren. Maagden zijn altijd goed.'

Ze sprong op en stak haar hand uit. 'Kom op.'

'Wat gaan we doen dan?'

'Het is nog niet te laat.'

In de kelder stonden twee mountainbikes. 'Die ene is van Henri, maar die zit er nooit op.' Ze draaide een moer los om het zadel hoger te zetten.

'Ik weet niet of dit een verstandig idee is.'

'Is misschien wel zes jaar geleden, de laatste keer dat hij 'm gebruikte.'

'Nee, ik bedoel, ik kan niet fietsen.'

Ze stopte met draaien. 'Wat?'

'Ik ben opgegroeid in Venetië. Er zijn daar geen fietsen. Wel boten. Daar ben ik heel goed in.'

Een ogenblik keek ze hem ongelovig aan, besefte toen dat hij het meende. 'Oké, bootjesman,' zei ze en duwde hem de lift in en de deur door naar buiten

Daar raasde het verkeer door de straat.

Ze zette haar voet op de trapper. 'Klaar?'

Hij schrok. 'Nee. Wat ga je doen?'

Ze zuchtte ongeduldig. 'Ik rij weg, jij loopt mee. Als we voldoende snelheid hebben, spring je achterop, met je benen aan één kant.'

Rex keek naar het minuscule rekje boven het achterwiel. Hij geloofde niet dat het kon, twee mensen op zo'n fragiel frame.

'Klaar?' vroeg ze opnieuw.

'Nou nee.'

Ze fietste weg. Eén moment stond hij in dubio. Hij wilde niet, maar ze had een hekel aan bangeriken, dat was wel duidelijk. Hij deed een paar stappen, remde af voor een vuilnisbak. Ze keek achterom, hij maakte opnieuw vaart, rende een tijdje achter haar aan. Pas toen ze een bocht maakte en een autoloze winkelpromenade in schoot, durfde hij naast haar te komen.

'Nou hallo, komt er nog wat van?'

'Jaja, oké.' Met de moed der wanhoop greep hij haar heupen en gooide zich zijdelings op het rekje. Ze slingerde even, Rex dacht: ziejewel, we gaan vallen, maar ze herstelde het evenwicht en slalomde langs de voetgangers de straat uit.

Er bestaan geschiktere steden dan Istanbul om je eerste fietservaring op te doen. Er zijn geen duidelijke verkeersregels, geen rijwielpaden, sommige straten lopen steil naar beneden en de tolerantie van automobilisten is nul. De eerste minuten was Rex bang, echt bang. Voor zijn knieën, zijn nekwervels, zijn kont die van de drager kon schuiven bij elke verkeerd ingeschatte bocht. Hij klemde zich vast aan Bieneke, voelde haar rugspieren tegen zijn wang en probeerde zich na een tijdje over te geven. Als hij dan toch moest sterven, dan maar samen met zijn mountainbikecommandante, wier huid hij kon ruiken dwars door de straatgeuren van afval en gegrild vlees heen.

Ze bracht hem naar de Rihtim Caddesi. Op twee wiebelende bootjes stonden bezwete jongens in wit kokshemd aan weerszijden van een reusachtige gasgrill broodjes te maken voor een hongerig publiek op de kade. Bieneke zwaaide naar een slanke Chinees die over een reling leunde van gefiguurzaagd triplex dat door moest gaan voor authentiek oriëntaals houtsnijwerk. Toen hij haar zag, sprong hij lenig op de kant.

'Dit is Youssuf,' zei ze terwijl ze de jongen omhelsde. 'Pas eenentwintig en nu al bedrijfsleider van de beste broodjestent in de stad.'

Youssuf gaf hem een vluchtige hand. Er was niets Aziatisch aan hem, zag Rex nu. De rand onder zijn ogen was ingekleurd met bruine eyeliner en liep schuin naar boven.

Ze kregen een voorkeursbehandeling. In een mum van tijd hadden ze hun bestelling en Rex hapte met gemengde gevoelens in zijn vegetarische creatie van falafel, tomaat, mayonaise en komkommer terwijl de jonge, knappe nep-Chinees in het Turks grappen maakte met Bieneke, die daar steeds heel erg om moest lachen. Rex wendde zijn blik af.

Elke keer dat er een ander vaartuig voorbijkwam, nam de deining van de Bosporus geweldig toe, zodat de drijvende keuken zich bijna twee meter boven de eters verhief, om daarna neer te storten tot ver onder de kaderand. Het was een populaire plek, de broodjes waren niet slecht, en je kreeg er ook nog wateracrobatiek bij terwijl je het naar binnen werkte.

Voordat hij misselijk werd van het kijken naar het gedein stond ze alweer bij de fiets.

'Ben je nog niet moe?' vroeg hij.

'Van dat muizengewichtje van jou? Nee, hoor.'

Hij keek naar de rand van haar string boven haar jeans terwijl ze naar de volgende bestemming reden. Hij wilde geen muizengewichtje zijn. Ondertussen belde Bieneke met de garage. 'Je auto is klaar,' riep ze over haar schouder.

'Fijn!' riep hij terug, maar de auto kon hem nu even gestolen worden. Het enige wat hij wilde was voortaan achter haar aan op een rekje door de stad sjezen.

Aan het einde van de middag bracht ze hem naar de Sahra Konağı. Aan de rand van een plein stond een hoge, smalle toren, de schaduw van het ranke bouwwerk viel als een klokwijzer over het plaveisel. Het viel nog niet mee je hoofd op de spits te krijgen, de toren stond verhoudingsgewijs dichter bij de zon dan zij. Het lukte pas toen Bieneke haar lange zwarte haar opstak en hij haar als een plank in zijn armen nam en horizontaal naar voren schoof, waardoor het leek alsof de punt van de Maagdentoren opeens een bol kreeg. Ze stond erop om hetzelfde bij hem te doen, verrassend genoeg kon ze hem inderdaad houden, al was het niet zo lang. 'Hoe had ik dit in godsnaam in mijn eentje voor elkaar kunnen krijgen?' vroeg hij verbaasd.

'Dat had niet gekund. Maar misschien ging het daar wel om.'

Wat bedoelde ze daarmee? Dat ze van meet af aan dit met hem had willen doen? Vond ze het leuk om met hem op stap te zijn? Vond ze hem niet veel te jong? Ze scheelden misschien wel drie jaar. 'En nu?' vroeg hij. 'Naar de vismarkt? Leven en dood?'

Ze schudde haar hoofd. 'Heb ik nu geen zin in. Altijd als ik er ben zie ik alleen maar die enorme hoeveelheid vis die dagelijks door ons verorberd wordt. En dan heb ik het nog niet eens over alle andere beesten die in stukken gesneden met karrenvrachten tegelijk worden aangevoerd, al sinds het begin van onze jaartelling, dag in dag uit, een onafgebroken stroom vlees naar de muil van een stad die altijd hongerig is.'

Het klonk pathetisch, maar toch knikte Rex, hij zag het voor zich, Bienekes miljoenkoppige draak, het pulserende lichaam in een paar luie bochten gedrapeerd om een kleine binnenzee waar op gezette tijden een stroom hete drakenstront in verdween.

Ze namen de snelpont. Omdat ze dacht dat hij het wel leuk zou vinden, met zijn watergerelateerde achtergrond. Hij zag de spot in haar ogen. De wind joeg haar haren alle kanten op, ze deed geen moeite het uit haar gezicht te strijken. 'Wat vind je van Istanbul, tot dusver?'

Wat bedoelde ze precies? Had ze het over zichzelf? Hij keek weg. Als hij een beetje lef zou hebben zou hij nu 'Ik heb iets geweldigs ontdekt' zeggen of zo, en pontificaal een foto van haar maken met zijn telefoon, maar hij durfde niet.

Ze draaide zich om en wipte zonder aarzelen over een hekje met een bord STAFF ONLY en klom de stalen trap op naar de brug. Ze stelde Rex voor aan een zwaar besnorde kapitein wiens naam hij niet verstond. 'Bjieneke ies tze moost bzoetifoel wimmer of Istanbul,' riep hij en liet hem de gashendel zien en het spaakwiel waarmee hij naar starboard of port kon sturen, alsof Rex nog nooit een boot gezien had.

'I'm from Venice,' zei hij.

De schipper viel stil en begon vervolgens met grote armgebaren iets te vertellen in het Turks. Hij was blijkbaar kwaad geworden.

Op het benedendek vroeg Rex aan Bieneke: 'Waar ging dat nou over?'

'Venetiaanse troepen hebben Constantinopel verwoest, begin 1200. Vanwege een openstaande rekening.'

'Ik begrijp het.'

'De stad had al twaalfhonderd jaar alle aanvallen afgeslagen. Ze waanden zich onoverwinnelijk.' Bieneke kneep haar ogen dicht tegen de wind. 'Er zijn mensen die beweren dat deze gebeurtenis het einde markeerde van het feodaal-religieuze tijdperk en het begin van het mercantilisme.'

'Logisch.'

'In een kapitalistische samenleving is het niet betalen van een rekening immers een doodzonde, omdat dit op den duur de instorting van het systeem zou betekenen.'

Rex begreep niet goed waar ze het over had. Hij had geen politieke mening. Hij wist niet wat mercantilisme was. Hij voelde zich verloren. 'Dat ik Venetiaan ben is puur toeval. Mijn moeder studeerde er toen ze zwanger werd van mij.'

'Je vader is Italiaan.' Ze bekeek hem alsof ze op een bewapend galjoen stonden, achthonderd jaar geleden.

'Ze zijn gescheiden. Hij heeft een pizzeriaketen op Sicilië. We hebben geen contact meer met hem, het was altijd de bedoeling dat we terug zouden gaan naar Nederland.'

'En waarom gebeurde dat niet? Ook een belastingakkefietje?'

'Mijn moeder ontdekte het Toscaanse schaap en stapte over naar de kunst.'

Ze keek hem welwillend aan, met een vage glimlach – de blik van iemand die zijn best doet het verband te ontwaren tussen schapen en beeldende kunst maar daar wel wat hulp bij kan gebruiken.

'Mijn moeder is Tatjana Toscana.'

*

'Ik heb hier eigenlijk helemaal geen zin in.'

'O. Komt het niet uit?'

'Er zijn dingen in de persoonlijke sfeer. Mijn zoon is weggelopen.'

'Dat spijt me om te horen.'

'Je mag er niets over publiceren.'

'Afgesproken. Het duurt maar tien minuten.'

'Vooruit dan maar.'

'U heeft al heel lang niet geëxposeerd.'

'Is dat zo?'

'De laatste keer was twee jaar geleden.'

'Ja? Waar was dat dan?'

'Eh, New York?'

'Inderdaad. Ik bewaar er alleen niet zulke goede herinneringen aan. Ik kon er zelf bijvoorbeeld niet bij zijn.'

'U bent er zelden bij.'

'Ik hou niet zo van reizen.'

'Men zegt dat u autofoob bent.'

'Autowat?'

'Dat u bang bent voor gemotoriseerd verkeer.'

'Bang is niet het goede woord. Ik verplaats me liever zonder, dat is waar.'

'Een hele opgave in de wereld van nu.'

'Nee hoor. De meeste steden die ertoe doen zijn prima met de trein te bereiken.'

'Waar bent u momenteel mee bezig?'

'Verschillende dingen.'

'Kunt u ons iets laten zien?'

'Je bedoelt een openbare echoscopie?'

'Pardon?'

'Ik denk lang na over de projecten waar ik aan werk, ik draag het idee maanden met me mee voordat het vorm krijgt. Je kunt je afvragen wat de zin is van het tussentijds bekijken van het embryo.'

'Ik begrijp het.'

'Het is vervelend, zo'n koude staaf op je buik.'

'Toch ligt een deel van uw werk gewoon op straat, als het ware.'

'Je bedoelt de Wade?'

'Hoe houdt u het eigenlijk droog als het gaat regenen?'

'Op het moment dat iets af is, begint de degeneratie.'

'We gaan u er morgen fotograferen. Het zou mooi zijn als...'

'Waar gaan jullie die foto's maken?'

'Achter uw atelier. Er wordt een steiger gebouwd in het weiland erachter, zodat we een goed beeld hebben. Rood en groen, dat zijn natuurlijk de overheersende kleuren, en daarom zou het mooi zijn als de styliste...'

'Daar weet ik niets van, van een fotoshoot op een bouwsteiger.'

'Dat is dacht ik zo afgesproken?'

'Niet met mij.'

'Maar zou u er bezwaar tegen hebben als...'

'Ja.'

'Dus we kunnen niet...'

'Nee.'

'Mag ik er ook geen vragen over stellen?'

'Liever niet.'

'Maar het is wel uw bedoeling om ermee naar buiten te komen, op een gegeven moment?'

'Ik weet het werkelijk niet.'

'Oké. Ehm, in uw werk is er sprake van twee uitersten: aan de ene kant het tassenimperium, de portemonnees, de foedralen, brillenkokers en telefoonhoesjes, en aan de andere kant uw conceptuele kunst: de voorwerpen die u maakt ademen zonder uitzondering een alternatief: stel dat dit of dat niet van beton of staal was, maar van een zachter materiaal?'

'Dat heeft u mooi gezegd.'

'U wilt kunst tastbaar maken.'

'Ik weet niet wat ik wil. Ik doe gewoon wat ik doe. Gebruik het.'

'Dat is een beetje moeilijk. Met een pantserwagen van vilt.'

'Misschien niet. Misschien moeten we dat juist eens proberen.'

*

Er waren plekken genoeg waar de naam van zijn moeder geen reacties opriep, wist Rex. Maar Bieneke had een tas aan haar arm hangen met het TT-logo in azuur en goud.

'Toscana? De zoon van Tatjana Toscana?' vroeg ze.

Nonchalant haalde hij zijn schouders op. Ze was geïmponeerd, zag hij. 'Jullie zouden het goed met elkaar kunnen vinden. Ze is ook vegetarisch.' Hij keek weg, verderop voer een roestige coaster uit Rusland. De reden dat hij zijn moeder als geheim wapen inzette, had Bieneke aan zichzelf te wijten. Ze was ouder, wijzer, en leek hem in alles de baas. Ze kon sleutelen en fietsen en hem zelfs horizontaal optillen, als ze daar zin in had. Behalve het tillen kon hij dat allemaal niet, maar hij had een moeder die het gemaakt had.

De pont meerde af, ze bekeken een paar pre-Byzantijnse vloermozaïeken, aten een ijsje en namen de eerstvolgende boot weer terug.

'Ik heb eigenlijk een hekel aan overdaad,' zei hij, doelend op de decoratiedrift van de islamitische tegelkunstenaars. Hij had er nog nooit over nagedacht, maar hij had zoiets een keer gelezen in een boek vol korrelige, zwart-witfoto's. De fotograaf had geen digitale beelden willen gebruiken omdat hij hield van de eenvoud van optisch filmmateriaal. 'Ik hou van soberheid,' papegaaide Rex, 'van de essentie.' Met duim en wijsvinger trok hij een denkbeeldige potloodlijn door de lucht.

'Ik vind Toscana's ontwerpen heel bijzonder. En die dingen die ze maakt, die bulldozer van vilt voor het Guggenheim, ze laat je nadenken. Was ze niet bezig met een gigantisch doodskleed?'

'Zou kunnen. Ik zie haar niet meer zo vaak, de laatste tijd.'

'Mijn vriendinnen worden gek als ik ze vertel dat de zoon van TT bij ons logeert.'

'Morgen moet ik weer weg.' Stoere jonge avonturier moet verder. Hij gloeide. Hij had haar overtroefd zonder er iets voor te doen, maar hij kon er niet van genieten.

Ze fietsten langs het consulaat dat nog steeds gesloten was. Bieneke sprak met de uitbater van de buurtsuper, maar werd niet veel wijzer. Het gebouw was al een paar dagen dicht.

'Misschien zijn er feestdagen in Iran waar wij niets van weten,' opperde Rex toen ze aan hun weg naar de bovenstad begonnen.

'Ja, wie weet.' Met twee handen duwde Bieneke de fiets omhoog door de donkere straatjes.

'Misschien weet Henri het.'

'Henri is een eikel.'

Hij wachtte tot ze verderging, maar dat deed ze niet. Kennelijk had ze ruzie met haar ouweheer. Zwijgend zwoegden ze de heuvel op. In de verte klonk het gedreun van trommels, af en toe doorsneden door een sirene. Soms moesten ze zich, bij gebrek aan een trottoir, plat tegen de geparkeerde auto's aan drukken om het verkeer te laten passeren. Even stonden ze dan, overbelicht door de naderende koplampen, dicht tegen elkaar aan. Hij vond het niet erg, vooral omdat het daarna weer prettig donker werd. Jammer alleen van de fiets die steeds tussen hen in stond.

'Ik ben opgevoed door twee vrouwen,' zei Rex. Hij dacht dat Bieneke dat wel zou kunnen waarderen, met een eikel als vader.

Voordat ze kon reageren ging haar mobiel af. Ze luisterde even, zei iets in het Turks, verbrak de verbinding en begon harder te lopen.

'Dat was soms best wel lastig,' voegde hij eraan toe. 'Een beetje zoals Romulus.'

Ze gaf geen antwoord, sloeg rechts af, toen links. Ze liepen door een kronkelig straatje met muziekwinkels. Hij telde er tien, twaalf, allemaal met een drumstel en een gitaar in de etalage en een trompet aan een touwtje.

'Romulus werd opgevoed door wolvinnen,' merkte ze op.

Hij knikte. Dat klopte wel zo'n beetje.

Een stokoud vrachtwagentje zwoegde naar boven, ze stapten opzij. Rex wist niet waardoor het kwam, maar de fiets stond deze keer niet tussen hen in, en hij drukte zijn lippen op de hare.

Misschien had het iets te maken met het lege gevoel in zijn buik dat hem overviel als hij aan het verraad van zijn moeders dacht, een poging tot compensatie die hij zocht bij een ander vrouwenlichaam, maar na het eerste, verrukkelijke moment waarin hij merkte dat ze meegaf, vergat hij alle woede en deceptie van Venetië en telde er nog maar één ding. Het was niet zijn eerste zoen, maar wel de eerste kus die werd beantwoord met zoveel erotische spanning dat hij duizelig van opwinding werd. Hij had de sensatie ín haar mond te vallen, een lange gewichtsloze tuimeling naar beneden, waarin hij, net als zijn tong, ontelbare malen om zijn as draaide totdat hij elk gevoel van richting kwijt was.

Na een oneindig lange tijd liet ze hem los en duwde hem zachtjes van zich af.

'Ik moet naar boven,' mompelde ze.

Enigszins in de war liep hij naast haar, de laatste honderd meter naar de club. Waarom was ze gestopt? Hoe ging het nu verder? Wat werd er van hem verwacht?

Bij deur van de logeerkamer aaide ze hem over zijn wang. 'Sorry. Henri heeft me nodig. Ik ben over een uurtje terug.'

En dus wachtte hij een uur, in extase heen en weer lopend tussen badkamer en balkon. Hij kleedde zich uit en ging onder de dekens liggen, maar ze kwam niet. Hij stond op, trok zijn kleren weer aan, poetste voor de derde keer zijn tanden en was al op weg naar de lift toen ze opeens voor hem stond. Ze had zich verkleed en gedoucht, ze rook naar een naaldbos en binnen de kortste keren lagen ze op zijn bed. Hij was geen maagd meer, had een paar maal eerder de liefde bedreven, maar dat waren haastige copulaties geweest. Een keer tijdens een schoolfeest in de materiaalopslag van het gymlokaal, met de geur van oud zweet in zijn neus, gehannes met condooms, en een alert oor in de richting van de deur, beducht op ontdekking. En een keer in Esmeralda's Heaven, met een grijnzende Uno op de gang. Hij was destijds een beetje teleurgesteld geweest. Is dit het nou? was er door zijn hoofd gegaan, maken ze hier al die stampij om?

Inderdaad, dacht hij nu, in het grote bed in de gastenkamer. Hier gaat het om. Dit, hier, is het wezen van het bestaan. De manier waarop Bienekes zachte hand op zoek ging naar zijn essentie, hem vasthield, masseerde, in zijn jasje hielp, bij zich naar binnen bracht, de warmte van haar binnenste, de bewegingen van haar eigen centrum, in volkomen harmonie maar precies tegengesteld aan de zijne, brachten hem in een vervoering die hij nog nooit ervaren had.

Veel te snel was het afgelopen, veel te snel boog ze zich over hem heen en fluisterde in zijn oor dat ze weg moest. Ontdaan lag hij wakker, zag het langzaam licht worden, rook aan het kussen waar haar hoofd op had gelegen, de handdoek die ze had gebruikt, en om acht uur zat hij al een verdieping lager in de keuken te wachten tot ze naar beneden zou komen.

Er kwam niemand. Om halfelf kwam Henri binnen, in een oude joggingbroek, ongeschoren, donkere vlekken onder zijn ogen.

'Ik voel me helemaal niet lekker,' zei hij.

'Kan ik iets doen?' vroeg Rex, die eigenlijk had willen vragen waar Bieneke bleef.

'Neenee. Bieneke brengt me straks naar het ziekenhuis voor een dotterbehandeling. De binnenkant is bij mij net een riool. Alle pijpen zijn langzamerhand dichtgeslibd. Kijk uit met de roomboterkoekjes en dadels met gebakken spek, jongen, nu je nog iets te kiezen hebt. Wist je trouwens dat je bolide klaar is?'

'Dank u wel. Zal ik de reparatie toch maar niet betalen?'

'Ben je gek. Die zestig euro kun jij beter gebruiken dan ik.'

'Ik dacht tachtig.'

De ander haalde zijn schouders op. 'Tachtig, honderdtachtig, het maakt echt niets uit.'

'Nou, reuze bedankt dan.' Hij had helemaal geen zin om te vertrekken.

Henri schoof een kopietje naar hem toe. 'Bieneke heeft iets voor je uitgeprint. Ik stond paf. Geen idee dat jij zo'n beroemde moeder had.'

'Wat? O, dat. Ja.'

'Ze vroeg ook of je nog een dag wil blijven.'

'Echt waar?' Hoera, dacht hij. 'Waar is ze nu?'

'Ze staat buiten op me te wachten. We zijn vanmiddag terug.'

'Oké. Ik wacht wel.'

Er stond een luchtfoto bij van hun huis. De donkere omtrek van de motorboot was te zien, het kleinere ovaal ernaast was dat van zijn eigen vletje, Berry een wit balletje op het gazon. Hij voelde een steek van heimwee naar zijn ongecompliceerde leven van een week terug. De examens waren inmiddels begonnen. Zijn klasgenoten waren nu bezig met hun opgaven biologie of wiskunde en hij verdeed zijn tijd in een stad waar hij niet wilde zijn.

Achter het officina was het enorme tentzeil zichtbaar dat de berg textiel moest beschermen tegen de elementen.

'Wat ga je er in hemelsnaam mee doen?' had Rex wel eens gevraagd. Er was geen museum ter wereld dat groot genoeg was voor een expositie.

Zijn moeder mengde verf en gaf geen antwoord. Ze deed het op ambachtelijke wijze, gehurkt op de grond met een hardstenen vijzel en kom tussen haar knieën. Met draaiende duwbewegingen verpulverde ze de ijzeroxide van een brok bloedsteen, het leek alsof ze dwars door de bodem van de kom heen de aarde in wilde boren.

'Ik bedoel, wat is de zin ervan?' hield hij aan.

Puck greep in. 'Sommige kunstwerken moeten gewoon gemaakt worden. Of het tentoongesteld kan worden en of mensen het zullen begrijpen, is helemaal niet belangrijk.' Ze legde een arm om Tatja heen, maar het was niet een liefdevolle hand op een schouder waar medeleven en respect uit sprak, vond Rex. Het was het gebaar waarmee je een hond bij zijn bot vandaan wilde trekken, alsof Puck het er niet mee eens was, met die kilometerslange kunst in het weiland achter hen.

De hele middag wachtte hij tot Bieneke uit het ziekenhuis zou komen, de twee jongens die hem de vorige dag thee hadden gebracht bleven al die tijd in zijn buurt, alsof ze bang waren dat hij tijdens Henri's afwezigheid het servies zou jatten. Hij werd er tamelijk kriegelig van en ging naar zijn kamer. Hij trok een stoel naar het balkon en zag het langzaam donker worden. Hij had al halverwege Turkije kunnen zijn, bedacht hij. Wat deed hij hier nog? Was hij verliefd aan het worden op een fietsmeisje met een te drukke agenda? Hij nam zich voor het zakelijk aan te pakken. Morgenochtend ging hij weg. Hij kon immers altijd terugkomen, na Teheran. Eindelijk, om halfacht, kreeg hij een sms'je:

Van: Bien (00905304093641):
20.00 uur, Galatatoren.

Hij had geen tijd om het adres te zoeken op de stadsplattegrond en liet zich afzetten, letterlijk en figuurlijk, door een taxi.

Aan de voet van de stompe, massieve toren was een klein plein met een terras. Ze zat achter een karaf rosé, in een verblindend wit jurkje.

'Hoe gaat het?' vroeg hij.

'Niet zo goed. Hij zit al drie jaar onder de pillen, het enige wat de specialisten doen is de doses verder verhogen.'

Hij verborg zijn onzekerheid achter een meelevende blik. Hij was niet zo geïnteresseerd in Henri, hij wilde weten hoe zij zich voelde ten opzichte van hem. Ze had hem naakt gezien, zijn geslacht aangeraakt, had het beoordeeld op grootte en stevigheid, maar vandaag werd ze in beslag genomen door het aantal pillenstrips dat haar vader mee naar huis had gekregen.

Ze nam een slokje. 'Soms denk ik dat hij het erger maakt dan het is om de opvolging af te dwingen.'

'Hij wil dat jij de boel overneemt.'

'Ja. Dan blijft alles hetzelfde, min of meer. Hij wil zijn levenswerk niet verkopen.'

'De Circe is zijn levenswerk?'

'O, ja. Je hebt geen idee hoe populair de club is. Mensen komen er speciaal met hun privéjets naartoe.'

'Echt waar?' Hij kon zich niet voorstellen waarom je dat zou doen, voor een drankje en een dansje. 'En waarom wil jij dan geen directrice worden? Je werkt er nu toch ook?'

'Niet zoveel als Henri zou willen. En niet in vaste dienst. En alleen maar tot ik voldoende heb gespaard voor mijn reis. Komopzeg, ik ben tweeëntwintig. Ik wil wat van de wereld zien.'

'Maar stel dat je nu genoeg geld had, zou je dan gaan? Terwijl je vader ziek is?'

'Dat is het 'm nou juist. Als ik zeker wist dat hij nog een tijd zou kunnen doormodderen, nou, dan ging ik misschien. Maar ik weet niet hoe ernstig het is. De ene arts zegt een kwestie van maanden, de andere zegt dat hij wel negentig kan worden met de juiste bloedverdunners.'

'Mijn grootvader is vasculair specialist geweest. Wil je dat ik hem een mailtje stuur?'

'Ik weet niet. Houdt hij de vakliteratuur een beetje bij?'

'Hij houdt alles bij, denk ik. Van de economische conjunctuurberekeningen in Brazilië tot het internationale vioolconcours van Pamplona. Het is een wonderlijke man.'

Haar gsm ging over.

Hij bevroor. Elke keer dat hij iets over zichzelf vertelde, rinkelde haar mobieltje.

Ze stond op en rekende af. 'Ik moet naar huis.'

'Ja, natuurlijk.' Hij liep achter haar aan, na twee minuten zag hij de gevelletters van de club al schitteren. De taxichauffeur had ongeveer een kwartier omgereden.

Bieneke pakte zijn hand. 'Sorry dat ik nu weer weg moet. Wat zei je gisteren nou over je vader?'

'Ik heb hem nooit gekend.'

'Ach.'

'Een auto-ongeluk. Dat hebben ze me in ieder geval altijd verteld.'

'Ze?'

'Ze zijn met z'n tweeën.' Ze stonden voor de ingang op de begane grond, in de rode gloed van de reclameverlichting. 'Mijn ene moeder is erna lesbienne geworden. De andere was het al. Ze heeft sindsdien ook een fobie voor gemotoriseerd verkeer.'

Ze keek hem aan, in verwarring. De portier zei iets wat Rex niet verstond, Bieneke hief een kalmerende hand, duwde haar fiets naar binnen en zette hem met het stuur tegen de liftwand. 'Je moeder is bang voor auto's?' vroeg ze alsof ze niet kon geloven dat de vrouw achter de prachtige TT-tassen geestelijk niet helemaal in orde was.

Hij knikte.

'Wauw.' Ze drukte op -1. 'Hoe verplaatst ze zich dan?'

'Over het water. Of door de lucht.'

'Weet ze dat jij hier bent?'

'Nee.'

'Hebben jullie ruzie?'

'Min of meer.'

'En nu?'

'Ik weet het niet. Ik... wilde iets doen. Weg. Maar nu denk ik...' Onverwacht begon hij te snikken. Hij had het niet voelen aankomen, het gevoel van eenzaamheid borrelde als een warme geiser in hem op. Bieneke legde een troostende hand op zijn schouder, hij drukte zijn wang ertegen.

Ze kwamen aan in de kelder, de deuren schoven open. Ze streelde de achterkant van zijn nek, hij voelde dat ze haar been uitstak en met haar voet de liftdeuren openhield. Hij greep haar vast, zijn gezicht in het kuiltje tussen haar borstbeen en schouderblad. Dat kuiltje had hij de hele tijd daar zien zitten. En nu duwde hij zijn natte neus erin.

'Ik weet gewoon niet meer wat ik moet doen,' jankte hij.

'Luister,' zei ze, 'ik wil heel graag horen wat er gebeurd is.'

'Echt?'

'Maar ik moet nu naar boven.'

Hij liet haar los.

'Er wordt op me gewacht. Sorry.' Ze zette haar fiets op de standaard en stapte terug in de lift.

Hij volgde haar, als een hondje.

'Je kunt niet mee,' zei ze.

‘Ik drink wel een sapje aan de bar tot je klaar bent.’

‘Je kunt niet mee. Het is werk.’

Hij opende zijn mond om iets te zeggen, maar ze was hem te snel af. ‘Ik wil heel graag dat je me morgen alles vertelt. Afgesproken?’

‘Maar…’

‘Is dat afgesproken?’

‘Ik mag niet naar boven?’

‘Nee.’

‘Nou, ik…’

Ze kuste hem. Net niet op de mond. ‘Dat is lief van je.’ Ze duwde hem de lift uit. ‘Tot morgen. En dan vertel je me rest.’ De deuren schoven dicht.

Verbluft bleef hij even staan, in het gedempte ganglicht zag hij zijn vertekende reflectie in het glimmende aluminium van de panelen.

In zijn appartementje stond hij een tijdje voor het grote raam dat uitkeek over de stad. Een kloterig einde van een twijfelachtige dag. Hij had staan jammeren als een jongetje, zijn snot op haar schouder. Hij schaamde zich. Waarom mocht hij niet naar boven? Wat was er zo belangrijk dat ze opeens weg moest, midden in een huilbui? Hij stapte in de lift en drukte op de bovenste knop. Er gebeurde niets. Hij bestudeerde het bedieningspaneel. De knoppenrij liep van -1 naar 5, helemaal boven zat een knop met ‘Circe’, tussen de 3 en 4 zat een ringvormig sleutelgaatje. Hij stuurde de lift naar beneden.

In de hal stond de portier, dezelfde die hem eerder niet binnen had willen laten. Hij schudde zijn hoofd toen Rex kenbaar maakte naar de bovenste etage te willen en wees naar het bordje MEMBERS ONLY boven de deur.

‘So make me a member,’ stelde hij voor, en zwaaide met een twintigje. Maar de man deed of hij geen Engels verstond. Nono was het enige wat hij uit kon brengen.

Rex ging met de lift terug naar het gastenverblijf en probeerde de deur van het trappenhuis. Die was open, maar alle andere zaten dicht. Inclusief die van zijn eigen etage, merkte hij toen hij terugwilde. Eenrichtingsdeuren, je kon ontsnappen als er brand was, maar je kon niet meer terug om bijvoorbeeld je oude oma te halen, als je die even vergeten was. Er zat niets anders op dan helemaal naar beneden te gaan, de grijnzende portier te negeren en opnieuw de lift te nemen naar zijn kamer. Henri had niet voor niets de oorspronkelijke trappen van mahonie laten weghalen, dacht hij. Je had een touwladder of een helikopter nodig wanneer je als nietlid de salsa wilde dansen. Gefrustreerd zette hij de tv aan en keek woedend naar instortende gebouwen op Discovery, tussen de ontploffingen door klonk af en toe een flard geluid uit de club. Hij zapte naar CNN, volgens de nieuwszender nam de vluchtelingenstroom bij de Iraans-Afghaanse grens enigszins af. In Doha praatten Amerikaanse officials met de Taliban over de voorwaarden van een wapenstilstand. Bij Japan woedde een orkaan.

Tot laat in de nacht lag hij te luisteren naar de dreun van de muziek, het oeroude gebouw resoneerde zachtjes mee met het nachtritme van de eenentwintigste eeuw. En ergens boven zijn hoofd, op een plek waar hij niet kon komen, vibreerde Bieneke mee.

De volgende ochtend, terwijl het gebed uit het Moslim Computer Centrum over de stad galmde, checkte Rex zijn mail. Hij had spijt van zijn gedrag in de fietsenkelder. Bieneke kon zijn rug op, hij was geen kleuter meer. Hij had behoefte aan een frontale confrontatie met zijn moeders, een scheldpartij, alles was goed. Maar er waren geen berichten uit Venetië. Wel uit Amsterdam.

Aan: Rextoscana@gmail.com
Van: thomasreinhart@hotmail.com

Beste Rex, ik heb een paar dingen voor je uitgezocht. Hoewel ik van mening ben dat we allemaal recht hebben op een privéleven, was ik toch benieuwd naar waar je vader nou precies gezeten heeft. Het zal je niet verbazen dat er aanvankelijk niets te vinden was op internet. Na lang zoeken vond ik iets op www.Афганистан-новостей.ru, let vooral even op het laatste stuk van de domeinnaam, als je gelooft in omineuze verwijzingen. Het is een site voor Russische Afghanistanveteranen, je moet het dus wel even door de vertaalmachine gooien.

Mijn inschatting is dat het Pentagon informatie kan blokkeren bij sommige Amerikaans georiënteerde bedrijven zoals Microsoft, Google, Apple, YouTube en Yahoo. Ze hebben de afgelopen tien jaar 1500 miljard dollar gespendeerd aan the War on Terror, dus een beetje cyberspacemanipulatie kan er dan nog wel bij. Dat de Russen (en misschien de Chinezen ook) onderstaande berichten wel laten circuleren, zal met geopolitiek te maken hebben. Voor het filmpje kan ik niet instaan, ik zou liegen als ik beweerde mijn zoon direct te herkennen.

Google Translate; Russisch – Nederlands.

NEDERLANDSE WETENSCHAPPER GEVANGEN DOOR TALIBAN
Bronnen bij ISAF konden niet bevestigen dat de Nederlandse taalwetenschapper Deus de Ru bij de Taliban is gevangen. Feit is dat niet De Ru nog meer aanwezig is op kaf, de basis die in

Kandahar is. Onbekend is het of ISAF*-troepen zoekpogingen ondernomen deden. De linguïstisch expert De Ru was de laatste Nederlandse burger die werd naar Afghanistan uitgestuurd. Vlak voor Nederlandse militairen werden teruggetrokken uit de Uruzgan weg, en Kamp Holland opnieuw werd hernoemd om Amerikaanse en Australische troepen te verwelkomen, werd De Ru ingehuurd door de* VS *voor vertaalwerkzaamheden. Er wordt bevestigd dat inderdaad de Nederlander heeft gewerkt in Kabul, Bagram, Mazar-e-Sharif, Kandahar en Herat, maar zijn huidige verblijfplaats is geruime periode al onbekend. Geruchten zeggen dat hij in een missie is verdwenen, anderen beweren dat de Dutchie Kandahar zou verlaten in een* VN*-vehikel op vrije wil. Volgens een voormalige collega die anoniem blijven wil, was de Nederlandse wetenschapper betrokken over een aantal geheime operaties. Waar of niet, het feit is aanwezig dat alle berichtgeving over de verdwijning van mr. De Ru verwijderd werden uit westerse zoekmachines en internetservers. Korte tijd heeft echter gecirculeerd, een filmpje op YouTube, waarin een man die grote gelijkenis heeft met De Ru, beweert informatie bezitten over de operatie in Abbottabad waarbij Osama Bin Laden werd gedood. De video werd twee uur na plaatsing afgehaald van YouTube, maar is nu opgedoken bij de Russische tegenhanger van de Amerikaanse videowebsite, ironisch genoeg met de naam RuTube.*

Opgewonden activeerde Rex de link. Het fragment duurde eenentwintig seconden. Het gelaat dat Rex aanstaarde was heel mager. Het witte verband om het hoofd contrasteerde sterk met de gebruinde huid, de camera moest boven zijn bed hangen, de boven- en onderkant van het kader werd gevormd door de witte kussensloop en het dekbed, ook wit, waardoor het leek of het gezicht in de ruimte zweefde. Dit was dus mogelijk zijn vader, als hij Reinhold moest geloven. 'Ik ben Odysseus,' zei de man. De stem was rauw en dun, alsof zijn stembanden jarenlang niet gebruikt waren. 'Ik wil de taal spreken van de eerste mens, zonder omwegen. Ik heb een eeuwenoud conflict willen beëindigen zonder bloedvergieten.' De ogen knipperden, traanvocht in de hoeken. 'Maar God is boos. Omdat ik mijn handen heb uitgestrekt naar de hemel en naar hetgeen de homo sapiëns vermag, maar niet mag.'

Rex gooide wat water in zijn nek. Na bijna achttien jaar had hij het gezicht gezien van zijn mogelijke verwekker. Hij voelde niets. Hij wist niet wie deze man was. Volgens het bericht dus een medewerker van ISAF; ontvoerd door de Taliban en zo te zien heel erg de kluts kwijt. Een gek die dacht dat hij een antwoord had op de oorlog in Afghanistan.

Hij was nog even ver als bij zijn vertrek uit Venetië, nu bijna een week geleden.

16 | DEUS

De Trans-Azië Express heeft tweeënzeventig uur nodig om de afstand Teheran-Istanbul te overbruggen. Volgens de dienstregeling, dan. Wat ze er niet bij zeggen als je instapt, is dat de reis vaak een vol etmaal langer duurt door slecht weer, oponthoud bij de grens of defect materiaal. Aangezien de trein maar één keer per week rijdt, maakt die vertraging ook niet uit: De TAE is de enige trein op het hele, tweeënhalfduizend kilometer lange traject, er is geen spoorboekje dat in de war kan raken.

Deus gaf zijn ticket aan een jongen in een groen jasje met zilveren epauletten die hem beduidde op het perron te blijven wachten. Na een kwartier werd hij binnengeroepen door een wagonsergeant in een wit colbert met gouden tressen die hem een coupé in stuurde waar een man met nog meer goudgalon en strepen aan zijn papieren zat te ruiken.

'Jurgen Hammarskald?' De treingeneraal sprak de onbekende lettergrepen met moeite uit.

Deus knikte.

'From Sweden?'

'Yes.' Yasameen had de persoonsverwisseling tot stand gebracht. Het was niet heel moeilijk geweest. Meneer Hammarskald lag op dit moment in het General Hospital in een kunstmatige coma te herstellen van een gescheurde kransslagader, het zou nog zeker drie weken duren voordat hij het ziekenhuis kon verlaten en zijn paspoort nodig had. Ze leken een beetje op elkaar, de Zweed en hij, zeker nadat Yasameen zijn haar had geknipt. In Nederland zou hij het document terugsturen, en met wat geluk zou Jurgen nooit weten dat het weg was geweest.

'Luggage?'

Deus wees op de koffer die Reza hem had geleend. Zonder bagage in een internationale trein stappen was verdacht. Er zat ondergoed in, een broek, een schoon overhemd, wat toiletspullen, een boek over Iraanse grafcultuur.

Langzaam bladerde de man door de carbonvelletjes van zijn plaatsbewijs, trok drie zilvergerande zegeltjes van een rol en plakte ze op het ticket. De sergeant bracht Deus naar zijn plaats. 'I am Houman,' zei hij, en leverde Deus af in een zespersoonsslaapcompartiment met vier rokende mannen in goedkope pakken. 'Food? You come to me. Drinks? You come to me. Sleep? You come to me. Questions?' De steward-sergeant grijnsde, zwaaide Deus' koffer in het bagagerek en riep in vlekkeloos Engels: 'The next three days I'll be your mama!'

Houman hield woord. Een halfuurtje na vertrek kregen ze kebab met gekookte kool, rijst en vruchtensap.

'Kebab is altijd goed,' had Reza gezegd. 'Maar let erop dat het kip is, geen rund. Met rund weet je het nooit. Het kan een koe zijn, maar ook een schaap of een kameel of wat ze overhebben van een verkeersongeluk. Ze stoppen er echt van alles in. En sla de eerste maaltijd in de trein over. Die komt van een cateringbedrijf en staat vaak al anderhalve dag te wachten in warmhoudfolie met salmonella.'

Deus' hoofdpijn werd erger. Hij nam een blauwe tramadol met wat water en beet een cracker weg terwijl zijn medepassagiers de avondmaaltijd verorberden. De donkere ruit weerspiegelde vijf kauwende monden.

Zet een paar onbekenden bij elkaar in een kleine ruimte, bijvoorbeeld een lift of een treincoupé, en ze zullen zich bezighouden met van elkaar wegkijken. Natuurlijk kan het gebeuren dat een blik per ongeluk een andere kruist, niet te lang, want bij oogcontact dat langer duurt dan vijf seconden ontstaat een spreekverplichting. Iemand aankijken zonder iets te zeggen lokt meestal agressie uit. Hij verbaasde zich erover dat hij zoveel wist van het gecompliceerde web van ongeschreven sociale wetten. Krampachtig de ogen vermijdend van zijn smakkende collega's keek hij dus naar buiten. De schaarsverlichte, voorbijglijdende buitenwijken van Teheran werden afgewisseld door helverlichte fabrieksterreinen, energiecentrales en transportplatforms.

'Wat stinkt hier zo?' vroeg iemand in het Perzisch.

'Misschien die buitenlander?' opperde een ander.

Deus reageerde niet.

Zorg ervoor dat niemand in de gaten krijgt dat je de taal spreekt, had Yasameen hem op het hart gedrukt. Farsisprekende buitenlanders zijn per definitie verdacht. Je wilt niet dat een overijverige douanebeambte je paspoort onder een scan legt om te zien of je een spion bent.

Hij deed zijn ogen dicht en dacht na. Hoe kon het dat hij een exotische grammatica beheerste, zich publicaties herinnerde uit vakliteratuur, maar niet wist hoe hij aan de scherf in zijn hoofd kwam? Beeldfragmenten zweefden voorbij, de ingang van een gotische kerk naast een gevel van wit beton, de mond van een mooi meisje dat zei: taal is macht, en: zullen we nu even koffie gaan drinken in de bibliotheek, en zijn antwoord, boven een automaatespresso: 'Je bedoelt natuurlijk kennis is macht?'

'Ja, ook. Maar vaak bestaat kennis uit woorden. Dus taal is ook macht. Ik heet trouwens Tatjana.'

'Ik ben Deus. Taal is macht. Is dat niet een beetje een eerstejaarsopmerking?'

'Je was vorig jaar zelf een eerstejaars.'

'Dat is waar, maar toen vond ik taal ook al tamelijk verwarrend.'

'Je bedoelt?'

'Omslachtig, niet to the point, nodeloos ingewikkeld. We zeggen bijna nooit wat we denken.'

'Wat denk jij dan op dit moment?' vroeg ze.

Hij keek naar het zonlicht op haar gezicht. Ze zag eruit als de prinses uit het sprookje van Duizend-en-één-nacht, met grote, zwarte ogen die een heel klein beetje schuin stonden. Ze was zo verdomde mooi dat hij haar het liefst naar zijn zolder zou willen meenemen om de rest van de dag de liefde te bedrijven. Lust is macht, dacht hij. Ik wil je mijn grot in sleuren en je bezitten tot ik weer normaal naar je kan kijken, tot het volgende moment, een halfuur later, dat ik je opnieuw wil bezitten en bezetten en zo door de eeuwigheid heen. Lading en ontlading, de mens is een accu.

'Het lijkt me niet uitvoerbaar,' peinsde ze, 'als je alleen maar zou zeggen wat je dacht.'

Nee, dacht hij.

'Stel, ik heb een kanon.' Ze roerde in haar kartonnen bekertje. Het was rood, met de opdruk van een schotse ruit. 'In het verlengde van de loop, zeg een langgerekte driehoek van vijfhonderd meter, ben ik de baas. Maar over alles wat naast of achter me gebeurt heb ik geen controle. Tenzij ik het ding kan draaien. Dan vergroot ik mijn macht opeens met een factor tien.'

'Factor zesendertig.'

'Wat?'

'Een cirkel. Driehonderdzestig graden.' Hij keek naar het witte roerstaafje in de smalle vingers. Aan het einde van de dag ging die hand met haar mee onder de douche.

'Juist. En als ik mijn geschut op wielen zet, kan ik in principe een koninkrijk veroveren.' Ze dronk haar koffie op. Het mocht allemaal bij haar naar binnen. In haar mond, door haar keel, hij werd gek als hij eraan dacht.

'Niets heeft betekenis wanneer je het niet kunt overbrengen,' zei ze. 'Communicatie is alles.'

Hij knikte.

Ze vouwde het bekertje plat. 'Woorden zijn de wielen van het kanon.'

Hij knikte weer. Het maakte niet uit van wie ze het had. Alles wat ze zei was prachtig. Woorden als wielen.

'Goed voorbeeld is Bush. Apparaat dat maar één kant op kan schieten. Hij is een oorlog begonnen, de kosten worden geraamd op ongeveer vijftig miljard dollar, met als enig resultaat dat Saddam zijn troepen een stukje heeft teruggetrokken. Vergelijk die politiek eens met die van Reagan. Die beëindigde de Koude Oorlog met de Sovjet-Unie, maar hoefde nooit te schieten. Kanon met een goed onderstel.'

Zullen we naar jouw huis gaan en elkaar de hele dag op bed vasthouden? wilde hij vragen, maar deed het niet. Stel dat ze nee zei. Gelijkwaardigheid in een relatie is belangrijk. Als hij haar meer begeerde dan andersom zou ze haar interesse verliezen. Als je in de eredivisie speelde, ging je niet opeens een balletje trappen bij het buurthuis. Hij moest zorgen dat hij net zo cool was als zij.

Hij dronk de zure espresso op. 'Reagan en Bush, ik vind de vergelijking nogal mank gaan. Allebei in dienst van het militair-industrieel complex.' Het was begin jaren negentig en weer in de mode om tegen alles te zijn wat begon met de A van Amerika. 'Mijn stelling is: wat hebben we aan taal als die ons niet echt verder helpt?'

'Oké,' zei ze. 'Stel ik ben Jezus. Of Mohammed. Ik ben gezonden door God. Mijn opdracht is de vestiging van een wereldgodsdienst, maar taal bestaat niet, zoals jij graag wilt. Ik verricht een paar wonderen, genees een kreupele hier en daar. Maar als niemand erover kan praten, blijft het effect beperkt tot het dorp waar ik woon. Laat staan dat ik mijn boodschap van nederigheid en naastenliefde over de planeet kan verspreiden.'

'Ja nee, dat heeft lekker veel opgeleverd, die boodschap. Je hebt het over politiek en religie, dat zijn nou net twee voorbeelden waar hypocrisie de norm is en iedereen met een knot wol in zijn mond praat.'

Ze glimlachte haar onvergelijkelijke glimlach. 'Troïlus en Cressida, dan? Orpheus en Eurydice? Tristan en Isolde?

Hoe hadden die elkaar kunnen vinden als ze niet hadden kunnen spreken?'

'De taal der liefde is bij uitstek een moeras. De koppels die jij noemt gingen allemaal ten onder aan verbale misverstanden.'

Tatja zuchtte. 'Wat zou jij dan willen?'

'Hai Eurydice, ik heet Orpheus. Ik weet dat ik niet naar je mag kijken, maar liefhebben kan ik met mijn ogen dicht. Kom mee naar mijn kamer.'

'Ik vind dat niet echt romantisch.'

'Wat hebben vrouwen toch met romantiek? Waarom kan de liefde niet zijn zoals de wiskunde?'

'Pardon?'

'De schoonheid van de rechte lijn. De kortste verbinding tussen twee punten. Wat is de zin van een omweg?'

'Een omweg kan heel zinvol zijn. Je ziet wat van de omgeving, een zandpad met lindebomen, een vergezicht met fluitenkruid en veulens, ik noem maar wat. Heel verfrissend, zeker als het alternatief – de kortste weg zoals jij het noemt – door een deprimerend bedrijventerrein voert.'

'Dat hoort ook bij het leven.'

'Dat is jouw filosofie? Serieus? Bedrijventerreinen horen bij het leven?'

'Ja.' Eredivisie, niet versagen.

'Wat zal jouw leven er af en toe saai uitzien, dan.'

'Integendeel. In de wereld van de zuivere mathematica heerst het wonder van de eenvoud.' Met duim en wijsvinger tekende hij een denkbeeldige potloodlijn in de lucht.

Zoals zo vaak had hij een hekel aan zichzelf toen ze uiteindelijk was opgestaan en hem had achtergelaten in de bibliotheek, met zijn theorietje over korte verbindingen. Het geouwehoer over rechtlijnigheid was zelf een omweg om haar tussen de lakens te krijgen, een echte kerel had haar allang teder bij de schouders gepakt en op de mond gezoend. Vrouwen zijn ook apen, ze hebben behoefte aan duidelijke signalen. Maar de angst voor een afgewend hoofd verlamde hem. De kans dat ze hem daarna zou negeren was groot, op de universiteit had Tatja veel aanbidders. Vaak zag Deus minachting in haar ogen als ze om zich heen keek in de mensa of een collegezaal. Ze was eraan gewend dat mannen haar bij de schouders wilden pakken, ze was juist op zoek naar iets anders, hield hij zichzelf voor. Een sterk alfadier, onafhankelijk en niet gehinderd door platvloerse begeerte. Ook dit was gelul, wist hij, in de kern was hij een onverbeterlijke lafaard die geen stap durfde te zetten. Hij liet het initiatief over aan anderen, om daarna rustig zijn reactie te kunnen bepalen. Hij was een calculaticus, een controlfreak die te schijterig was om zich uit te leveren.

Drie weken later gebeurde het onbevattelijke: ze lag in zijn bed.

Hij kon er niet van genieten omdat het te onverwacht was. Een fietsongelukje, ze waren onderuitgegaan op de Amstel, ze had beklemd gezeten, hij had haar bevrijd, en zij zei: je hebt mijn leven gered en zullen we naar jouw huis gaan. Achter haar mooie billen beklom hij de vijf trappen naar zijn zolder. Ze hijgde niet eens toen ze boven waren, ze moest een geweldige conditie hebben. Met één blik monsterde ze de typische jongensverdieping: vuile vaat, half bierkrat onder keukentafel, onopgemaakt bed, kleren op de grond, racefiets aan de muur, kleedde zich uit en ging in bed liggen.

Ze kleedt zich uit, dacht hij. Tatja kleedt zich uit op mijn zolder. En toen hij naast haar kroop: ik lig naast haar en ze heeft niets aan. Het is ongelofelijk. Voorzichtig beroerde hij de rode striem bij haar hals, gevolg van de valpartij. Die zou wel snel wegtrekken, dacht hij en streelde haar rug en armen en dacht: waanzinnig en hoe is het mogelijk. Haar huid was zacht en glad en droog en veerkrachtig, heel anders dan het knokige gebeente van zijn laatste vriendin of het zweterige epitheel van die daarvoor. Zijn hand omvatte haar rechterborst, en in zijn hoofd klonk: ze staat het me toe, ik kan overal bij. Dit besef wond hem meer op dan al het andere. Ik heb de borsten vast van het mooiste meisje des universiteits, juichte hij vanbinnen, door dramatische vervoering in een archaïsche naamval. Er ontsnapte een snikje aan zijn keel, ze rolde om, haar hand raakte onbedoeld zijn geslacht, hij ejaculeerde op haar bovenbeen.

Het was niet cool. Het was geen doelpunt uit de eredivisie, sterker nog, het was een frommelgoal van een amateur. 'Sorry,' zei hij.

'Geeft niets,' zei ze, maar het gaf wel. In plaats van zich over te geven aan de liefde en te genieten van het moment was hij bezig geweest zich te verbazen over het mirakel tussen zijn lakens. Ze tilde de bureaulamp naast het bed op en bekeek het sperma op haar dij. 'Het geeft niets,' zei ze opnieuw. 'Je stond blijkbaar op springen.'

En daar had ze gelijk in gehad, natuurlijk. Hij wachtte te lang, met alles, altijd. Tot het te laat was en hij alleen nog kon exploderen.

'Sir?' Hij voelde een hand op zijn schouder. 'Are you travelling alone?'

Hij deed zijn ogen open. Groen jasje, zilveren tressen. Een onderknuppel uit de spoorhiërarchie. Opnieuw moest hij zijn plaatsbewijs laten zien, zijn papieren, de koffer.

‘Alone?’

Hij knikte en hoorde hoe in andere coupés het diner werd geserveerd door de steward. ‘I’ll be your mama,’ klonk het steeds opnieuw in de gang. Onverwoestbare grap, waarschijnlijk maakte hij hem tientallen keren per maand, elke treinreis weer.

‘From Sweden?’ Achter de man trok een onvruchtbaar heuvellandschap traag voorbij. Een paar onvolgroeide boompjes, een schrale olijfboomgaard in de buurt van een stroompje. Als hij hier zou wonen zou hij reikhalzend uitkijken naar de wekelijkse verbinding met Istanbul, om ervoor te springen.

De man gaf het paspoort terug. ‘Thank you. Have a nice trip.’

De trein begon aan een klimtraject, de cadans van de wielen vertraagde. Er waaide een sliert dieseldamp naar binnen door het open raam, net zoals in het Wilde Westen.

Een week later kreeg hij een herkansing.

‘Zullen we bij jou nog iets gaan drinken?’ vroeg de Tatjanagodin. Ze hadden net een expositie bezocht in een oude havenloods waar kunstenaars grote, roestige constructies beplakt hadden met hondenhaar.

‘Waarom niet bij jou?’ vroeg Deus, die beducht was voor een herhaling van het premature orgasme onder het ongunstige gesternte van zijn zolderbalken.

‘Puck is thuis.’

‘O.’ Dat veranderde alles. Hij voelde zich nooit op zijn gemak bij haar. Bij Puck moest je altijd raden naar de bedoeling. Haar gevoelens bleven verborgen achter het symmetrische, gesloten Scandinavische masker.

‘Ik voel me niet vrij als zij er is,’ zei Tatja.

'Wie wel, met zo'n vrieskist in de buurt.'

Ze zei niets, leunde naar achter tegen de muur, boven haar hoofd hing een manshoge foto van geoxideerde steigerpijpen met varkenshuid. Het leek op een bouwstelling met schaamhaar. Even vreesde hij dat hij te ver was gegaan, Puck en Tatja waren immers meer dan alleen vriendinnen, eerder een soort Siamese tweeling. Maar toen fluisterde ze: 'Je hebt gelijk, ze is inderdaad tamelijk kil.' Heel serieus, alsof ze overwoog binnenkort een verwarmingsmonteur te laten komen.

'Wat zie je toch in haar?' waagde hij te vragen. 'Waarom neem je geen andere huisgenoot?'

'Ik weet het niet. Ze zou me nooit in de steek laten.'

'Ik ook niet.'

'Waarom denk je dat? Je kent me nog maar pas.'

'Omdat jij de mooiste, intelligentste en meest sexy persoon bent die ik ken.'

'Ja, nu nog. Maar straks kom je iemand anders tegen.'

Ze leed aan verlatingsangst, wist hij van Puck. Iets met ouders die verdwenen waren of vermoord in de Afghaanse burgeroorlog, midden jaren tachtig. Daar kon je niet lichtzinnig mee omspringen. 'De enige die ik ooit nog wil tegenkomen, ben jij,' murmelde hij in haar oor. En hij meende het. Op dat moment was ze alles voor hem, heilige graal, olympische top. 'Laten we gaan.'

'Goed,' antwoordde ze en een halfuur later klom ze boven op hem, onder de dakspanten.

'Jezus,' kreunde hij terwijl hij, weer veel te vroeg, klaarkwam in het knapste meisje van de UvA met alleen een stukje latex ertussen.

Deze keer zei ze niet: het geeft niet en het komt wel goed. Ze schoof het condoom eraf en deed een paar ongelofelijke dingen met haar tong totdat hij opnieuw een hoogtepunt bereikte terwijl hij dacht: dit moet liefde zijn, dit moet echte liefde zijn, maar in werkelijkheid kon hij alleen maar denken aan de ongelofelijkste meisjesmond des faculteits.

Het nam iets af, het overbewustzijn. In de weken erna kwam het wel eens voor dat hij zichzelf vergat. Dat hij een keer lachte zonder bang te zijn dat ze zijn hoektanden niet mooi vond, of dat ie er niet aan dacht zijn buik in te houden als hij uit de badkamer kwam. Soms aten ze in een pizzeria in de Halvemaansteeg, waar je tussen vijf en zes uur vijftig procent korting kreeg, en waar hij naar haar kon kijken zonder het gevoel te hebben dat hij op audiëntie was. Ze was een gewoon meisje dat, net als hij, de pizza zijdelings in haar mond schoof waarbij er soms een stukje tomaat of kaas in een mondhoek bleef kleven.

Af en toe lukte het hem zijn hoofd uit te zetten als ze aan het vrijen waren zodat hij een moment alleen beweging en begeerte was, en hoewel dat nog steeds iets anders was dan passie, voelde dat toch beter dan het voortdurende verblijf in de regiecabine. Hij wist niet of Tatja iets merkte van deze onderhuidse worsteling, zij gedroeg zich zoals altijd met een soevereine zelfverzekerdheid. Ze was spontaan, eerlijk en teder. Dit had op zijn beurt spontaniteit, eerlijkheid en tederheid bij hem kunnen oproepen, maar in plaats daarvan bleef hij denken dat hij haar niet waard was. Vergeleken met haar was hij geremd, seksbelust en berekenend. Bij alles wat hij deed – een gesprek, een ontmoeting, een ruzie, een liefkozing – maakte hij een calculatie van de te verwachten effecten. Hoe oprechter zij was, hoe onechter hij zich voelde. Meer overzichtelijk waren de keren dat zij boos was of teleurgesteld, meestal omdat hij iets stoms had gedaan of een verkeerde opmerking had gemaakt. Dan zag hij de ongenaakbaarheid waardoor hij in het begin, bij de start van het semester, zo verlamd en bang was geweest voor een afwijzing. Gek genoeg vond hij dat niet erg, die afstand. Het was bekend terrein. Op koude grond voelde hij zich comfortabeler dan in een omhelzing. Die vrieskist, realiseerde hij zich, was hij zelf.

Deus deed zijn ogen open. De trein minderde vaart. Verborgen in een kloof stond een fabriek van roodbruine baksteen. Op en om de gebouwen was het wit, net of het gevroren had en een grote hand was uitgeschoten met strooizout. Het kon ook nucleair afval zijn, in Iran was alles mogelijk, niemand zou er iets van durven zeggen, de milieuactivisten zaten hier natuurlijk allemaal in de gevangenis. Uit voorzorg probeerde Deus zo weinig mogelijk te ademen tot ze er voorbij waren.

Het was bloedheet in de kleine ruimte, ondanks de zwoele avond stond de kachel bij het raam vol aan. Van zijn vier medepassagiers waren er inmiddels twee uitgestapt, alleen een oude man met een grijze stoppelbaard en zijn zoon bleven achter, beiden in een donkerblauw kostuum zonder das. Op de revers van de oudere man zaten kleine vetvlekjes. Deus had de trillende handen gezien waarmee hij zijn bestek had gehanteerd, op een gegeven moment had de ander de vork van hem overgenomen en hem gevoerd, de vader had het getolereerd, de blik onafgebroken op de knieën gericht. Kennelijk had de zoon het vaker gedaan, maar er was niets geroutineerds in de handeling te bespeuren. Hij wachtte tot zijn vader klaar was met kauwen, wees vragend met zijn mes naar een nieuwe hap voordat hij het voedsel voorzichtig in de gerimpelde mond stopte. Bij wijze van nagerecht diepte hij een papieren zak op en zette die op zijn schoot. Af en toe verdween er een oude hand in en kwam terug met een dadel. Daar had de man zijn zoon niet voor nodig. De pit spuugde hij terug in de zak.

Van de hitte schenen ze geen last te hebben. Tevergeefs zocht Deus naar een knop of een kraan om de verwarming uit te zetten, door de warme lucht uit het rooster leek het alsof hij koorts had. De hoofdpijn was erger geworden, hij had het gevoel of er een bankschroef tussen zijn oren zat. Een vleugje wind op zijn wangen uit het raampje dat nauwelijks open kon, maakte dat hij zich niet meer durfde te bewegen uit angst het verkoelende luchtstroompje kwijt te raken.

'Can you switch off the heater?' vroeg hij toen Houman voorbijkwam met een stapel lakens.

De kleine steward bleef glimlachend staan.

'Turn it off?' Als illustratie wapperde Deus zich met zijn hand wat koelte toe.

'Everything okay?'

'No. It's too hot.' Deus beeldde een kraan uit die je dichtdraaide.

'Yes,' lachte Houman die er duidelijk niets van begreep. 'I'll be your mama.'

Hij kwam terug met drie sets lakens en wees op de geplastificeerde tekening bij de deur waarop stond hoe je de coupé kon omtoveren tot een meerpersoonsslaapcabine.

'Wilt u al gaan slapen, papa?' vroeg de zoon aan de vader, die langzaam knikte.

Hij keek naar Deus. 'Vindt u het goed als we gaan slapen?' Met twee gevouwen handen naast zijn oor beeldde hij het uit.

'Als u wijs kunt worden uit de gebruiksaanwijzing vind ik het prima,' zei Deus.

De zoon was verbaasd. 'Spreekt u Perzisch?'

'Ik doe mijn best.' Het kon geen kwaad, dacht hij. Kleine kans dat deze twee voor de geheime politie werkten.

'Dat is heel bijzonder. Hoe komt dat?'

'Liefde. Ik had ooit een Perzische vriendin.'

'Ah.' De man knikte. Liefde. Dat verklaarde alles. 'Bent u in Teheran geweest?'

'Zeker.'

'En wat vond u ervan?'

'Ik heb er niet veel van gezien. Ik heb voornamelijk in het ziekenhuis gelegen.'

'Het spijt me dat te horen. Iets ernstigs?'

'Ze hebben me geprobeerd te opereren, maar het is niet gelukt.'

'Wat scheelde u?'

'Er zit iets in mijn hoofd.'

'Toch hebben we hele bekwame artsen.'

'Ongetwijfeld. Het is vooral een verzekeringskwestie.' Hij legde uit dat de zorg in West-Europa anders geregeld was dan in Iran.

De ander vond het moeilijk te geloven dat je je vijfduizend kilometer verderop kon laten opereren en er niets voor hoefde te betalen.

'Toch is het zo. Uw dokters hebben me daarom geadviseerd naar huis te gaan. Alleen niet per vliegtuig.'

'Onze piloten zijn ook heel bekwaam.'

Beleefd antwoordde Deus dat hij daar evenmin aan twijfelde. Deze man hield van zijn land, zoveel was duidelijk.

'En waar woont u?'

'Nederland. Soms in Zweden.'

'En hoe zijn de piloten daar?'

'Heel goed, voor zover ik weet.'

'Het is eigenlijk raar, dat wij zitten te praten. Uw regeringen hebben zich zeer vijandig opgesteld jegens ons volk.'

'U bedoelt de sancties.'

'Bijvoorbeeld.'

'Het heeft te maken met uw houding ten opzichte van Israël.'

'Hm.'

'Bent u het ermee eens dat het van de kaart moet worden geveegd?'

'Ik ben voor vrede in het Midden-Oosten. Daarom moeten de Joden het land teruggeven dat ze hebben ingenomen. Hun claim is gebaseerd op het gegeven dat hun voorouders er woonden, ruim dertienhonderd jaar geleden. Maar wat is dat waard? Ze werden verdreven, net zoals de indianen verdreven werden door de Amerikanen. Hoe denkt u dat de vs zal reageren als de internationale gemeenschap besluit dat New York teruggegeven moet worden aan de Sioux?'

'Maar de Holocaust dan? De Joden moesten toch worden geholpen?'

'Uiteraard. Het is verschrikkelijk wat er in die tijd gebeurd is. Maar wij zijn niet begonnen met de Tweede Wereldoorlog. Wij hebben niemand in concentratiekampen gestopt. De nazi's wel. De Engelsen, Fransen en Amerikanen wisten dat maar hebben er niets aan gedaan. Om die schuld af te lossen hebben ze na hun overwinning een kuststrook weggegeven die niet van hen was. Weet u wat een passende straf voor de Duitsers geweest zou zijn? Wanneer ze Noord-Duitsland aan de Joden hadden gegeven. Dan hadden we nu geen atoomprogramma nodig gehad om onze rechtmatige eisen kracht bij te zetten.'

Deus gaf geen antwoord. Hij wierp een blik op de vader,

die nog geen kik gegeven had. Hij had zijn ogen gesloten en leunde met zijn hoofd tegen de ruit.

'Ik ben geen voorstander van bloedvergieten,' vervolgde de zoon. 'Ik denk ook niet dat het nodig is. Zolang er maar mensen zijn die hun hersens gebruiken.'

'Het is allemaal in de handen van Allah,' zei de oude, die eindelijk zijn ogen opendeed.

'Nee papa, niet altijd. Soms is het de bedoeling dat de mens zelf iets oplost.'

'In Europa denken ze dat God al een tijdje dood is,' probeerde Deus een bijdrage te doen.

De zoon keek hem ernstig aan. 'Dat is een vergissing, vrees ik. God is altijd aanwezig en wacht geduldig.'

'Waarop?'

'Tot hij niet langer nodig is.'

'En wanneer is dat?'

'Dat zei ik net. Tot het moment dat wij onze hersens gaan gebruiken.'

'Everything okay?' vroeg Houman die zijn hoofd om de deur stak en verbaasd constateerde dat ze nog niets hadden gedaan met de lakens. Hij klapte verontwaardigd in zijn handen, en keek kritisch toe terwijl ze grendel A wegschoven, de rugleuningen omhoog klapten, punt B en C bevestigden aan de plafondhaken en de doorvalbeveiliging D hadden aangebracht.

'Good night,' zei hij streng toen ze klaar waren.

'Waar gaat u naartoe, als ik vragen mag?' vroeg Deus toen ze weer zaten, nu op hun stapelbedjes.

'Wij gaan onze moeder ophalen.'

'Aha.'

'Ze is overreden door een bus.'

De vader legde een zachte hand op het been van zijn zoon.

'Dat interesseert de meneer toch niets.'

'Jawel, echt waar,' bezwoer Deus. 'Is het ernstig?'

'Ze is dood. Het is eigenlijk mijn schuld.'

De zoon vertelde het, in sobere, zakelijke bewoordingen. Voor haar zestigste verjaardag had hij zijn moeder een reis cadeau gedaan. Omdat ze al vijf jaar voor zijn vader zorgde, die chronisch ziek was. Omdat ze nog nooit op vakantie was geweest. Omdat hij het zich kon permitteren, na een promotie in de fabriek waar hij werkte. Omdat ze nog nooit de zee had gezien. De touringcar stond amper stil bij het hotel in Izmir, of zijn moeder was al uitgestapt, haar blik in verrukking op de Adriatische Zee die in de verte tussen de flatgebouwen zichtbaar was. De bus was uitgerust met een bagagewagen, er was weinig ruimte op de parkeerplaats, en terwijl de chauffeur achteruitreed, was ze eerst met haar voet, toen met haar been, en ten slotte met haar romp bekneld geraakt onder de wielen. Van haar geschreeuw had niemand iets gehoord omdat de hostess op dat moment via de microfooninstallatie de vertrektijden van de eerste excursie had meegedeeld.

De oude man zei ernstig, met waterige ogen. 'Allah heeft haar tenminste wel de zee laten zien.'

Deus knikte. Het leek hem heel fijn als je op dit soort momenten kon geloven in de bedoelingen van een god. 'Maar u denkt,' zei hij tegen de zoon, 'dat het uw schuld is, omdat u de reis voor haar heeft geregeld?'

De ander glimlachte triest. 'Ik weet dat het onzin is, met mijn verstand. Maar toch voelt het zo.'

's Nachts, in hun donkere, wiegende cabine, horizontaal woelend en zuchtend op weg naar het Westen, lag Deus nog lange tijd na te denken over de vreemde, geheimzinnige verbanden tussen moeders en het internationale transport.

Ze werden gewekt door Houman, niemand had goed geslapen, katterig deden ze het omgekeerde kunstje met handgrepen en grendels. Het was halfnegen en al warm. Het landschap was kaal en leeg. Ze kregen thee en rijst met groente in een soort deegflap. De bankschroef in zijn hoofd had 's nachts een paar slagen extra gemaakt, hij slikte een dubbele dosis pijnstillers. Een halfuurtje later ging de trein langzamer rijden, ze schommelden over een paar wissels, het beetje rijwind verdween, en even later stonden ze stil. Deus keek naar buiten. Drie huizen, een laadplatform, een oude Britse stoomlocomotief als bladderend museumstuk met zijn wielen in het cement. Er stapten twee jongens uit, verderop trok iemand een koffer de trein in.

De temperatuur steeg snel, onvermoeibaar bleef de blower van staatswege warme lucht de coupé in blazen. Op het perron hipte een meisje met rode laarzen. Een jaar of tien, elf. Ze zwaaide naar iemand in de coupé naast hen. Achter haar een zwarte tent, misschien haar oma. Rode laarzen – zwarte tent, ook hier een duidelijke generatiekloof. Het meisje lachte, een mond vol tanden en roze vlees, haar gebit groeide kennelijk harder dan haar gezicht. Bij het kleine stationsgebouw een spoorwegchef, een jonge militair en twee politiemannen. Ze drentelden wat rond. Een stap opzij, een naar voren, een paar passen terug. Het was volstrekt onduidelijk waarom ze stilstonden. Na een halfuur lachte het meisje niet meer. Ze was zich bewust van het publiek dat vanuit de trein al die tijd naar haar kleine voorstelling gekeken had. Ten slotte tilde ze nog één keer een vermoeide arm op en verdween samen met haar begeleidster uit beeld.

Een kwartier verstreek. Nog één. De employés deden hun stapjes, maar verlieten het perron niet. Toen de locomotief eindelijk weer in beweging kwam, zwaaiden ze niet. Onbewogen keken ze de reizigers na.

Even later schoof Houman de deur open. 'Please,' zei hij, 'everybody come with me. Bring passports. Leave the luggage behind.'

Ze stonden alle drie op en volgden de kleine spoorwegbeambte. Hij bracht hen naar de restauratiewagon, waar een nieuwe generaal achter de smalle bar hun paspoorten bekeek. Naast hem stond een besnorde man in burger, ongetwijfeld iets geheimedienstachtigs. Hij had een dichtgeklapte laptop voor zich. Waarschijnlijk kende hij alle spionnen uit zijn hoofd. Het duurde eindeloos, blijkbaar werd de tijd benut om in de slaapwagon hun bagage te doorzoeken.

'Mr. Jurgen Hammarskald.'

Deus knikte. Hij hoopte maar dat ze geen vragen zouden stellen over zijn beroep of gezinssamenstelling. Mochten ze dat wel doen, dan had hij besloten dat Jurgen scheikundeleraar aan een Zweeds gymnasium was. Nee, dacht hij opeens, geen scheikunde. Dat was verdacht, dan kon je in een handomdraai een bom maken van wat ammoniak en huishoudazijn. Leraar Frans was beter. Nee, ook niet. De Iraanse overheid stond op dit moment op gespannen voet met alle Europese regeringen. Hij kon beter hypotheekadviseur zijn, besloot hij. In Trondheim.

De generaal sloeg langzaam de kleine pagina's om.

Misschien bestonden er in Zweden geen hypotheken. Had hij niet ergens gelezen dat het Nederlandse systeem van huizenleningen uniek was in de wereld? Hij moest iets onopvallends kiezen, waar geen wenkbrauwen bij werden opgetrokken. Hij was conciërge op een school waar andere, hoger opgeleide mensen scheikunde en Frans gaven. Daar moest hij het spinrag uit de kasten vegen en de bekertjes in de koffieautomaat bijvullen. Hij gokte erop dat meneer Hammarskald het goed zou vinden, in zijn coma.

De treinmilitair boog zich over zijn paspoortfoto. Zijn neus en voorhoofdsbeen lagen dicht tegen elkaar aan, vergroeid als de wortels van een boom tot één geprononceerd stuk bot. Je kon er een deur mee inbeuken, dacht Deus.

'From Sweden?'

'Yes.'

Het was hem allemaal al eerder gevraagd en hij probeerde uit te stralen dat het hem niet kon schelen hoe vaak zijn identiteit gecontroleerd werd. Buiten schoven naargeestige gebouwen van beton voorbij, braakliggende zandvlaktes met autowrakken, de sintelhoop van een kolencentrale, het roestige geraamte van een bedrijvenloods die nooit was afgemaakt, uitgespuugde attributen die zich ophoopten aan de rand van iedere grote stad. Ze moesten Tabriz naderen.

De generaal gaf zijn paspoort terug. 'Please return to your seat and wait for customs.'

De douane zat al op hen te wachten in de slaapcoupé. Snorren, donkerblauwe uniformen. Vader en zoon moesten met hun zak dadels op de gang wachten terwijl Deus binnen ondervraagd werd.

'Mr. Hammarskald?' Bladeren, fotootje bekijken, bladeren.

Deus knikte maar weer eens.

'From Sweden?' Het deuntje leek op een populaire commercial. Iets met toiletpapier, meende hij zich te herinneren. Buiten zag hij een park. Het waren de eerste volwassen bomen sinds de hoofdstad. Ze reden het station van Tabriz binnen, hij zag vrouwen in halflange, getailleerde jasjes die uit de chique mannenmodewinkels in de P.C. Hooftstraat hadden kunnen komen. Ze hadden handtasjes bij zich in oranje, geel en roze.

'Only this suitcase?' Geroutineerd ging de man door zijn spullen.

'What are you looking for?' kon Deus niet nalaten te vragen.

Ongeïnteresseerd gingen de handen langs de randen van het valies, op zoek naar een dubbele bodem die er niet was. 'Drugs,' zuchtte de man. 'It's always drugs.'

Hij wist niet meer wat ze gebruikt hadden, wiet of paddo's of xtc, of allemaal tegelijk, in ieder geval zei Tatja terwijl ze zich uitstrekte op de grond: 'Jouw these is dus dat de totstandkoming van taal niet noodzakelijkerwijs een significante intermenselijke progressie is?'

'Jatuurlijkwel. In het begin.' Hij liet zich op de sofa vallen. 'Toen het ging om de uitwisseling van essentiële informatie. Bijvoorbeeld: als je dat plantje met die rode besjes opeet ga je dood, of: de bizons zijn aan de andere kant van dit bos, of: wie heeft mijn speer gezien? Als je dat allemaal moest uitbeelden, kon je kostbare minuten verliezen zodat je voor de bizons net te laat was en de hele stam doodging van de honger.'

'Of dat je op tijd was, maar je speer niet bij je had omdat niemand je verteld had dat je die nodig zou kunnen hebben.'

'Inderdaad. Totdat de taal zo ver geëvolueerd was dat mensen dingen konden schrijven als: Voorwaar, zie om, mitsdien u gehoor geeft aan de u opgelegde geboden, aanschouw dan thans de zoons Ismaëls, verwekker van de vader mijner voorvaderen. En men definitief de weg kwijtraakte, wereldwijd.'

'De Bijbel is een stap achteruit?'

'Kilometers de verkeerde kant op. Hetzelfde geldt voor de Thora, de Koran, de Veda's van de hindoes, de I Ching, noem maar op. Tot op de dag van vandaag wordt er geruzied over de interpretatie van wat daar nou precies in staat. Hoe simpel was het niet geweest wanneer die apostelen, profeten, imams en verlichte geesten niet gewoon hun levenslessen hadden opgeschreven, in plaats van ze te verpakken in parabels en aforismen en metaforen?'

'Is er nog wat van dat spul?'

'Dat ene is op. Ik heb nog wel iets anders.' Hij haalde een doorzichtig buisje uit zijn jaszak. Er had salmiak in gezeten, populair schoolpleinsnoepgoed, het kon afgesloten worden met een plastic dopje. Er paste ongeveer vier gram cocaïne in. Grootverbruikersverpakking. Met een achteloos gebaar dat eerder thuishoorde in de hotelsuite van een rockster dan op een studentenetage, tikte hij het poeder in een lange witte streep uit op het glanzende tafelblad.

Toen Puck een uur later thuiskwam, zaten Tatja en Deus op de grond, ze staarden elkaar met verwijde pupillen aan en riepen dingen als: 'Onze beschaving staat stil. Sinds de Egyptenaren is er niets veranderd. Nog steeds wordt ons leven beheerst door liefde en verraad.'

'Godsdienstoorlogen.' Tat goot de rest van de drank naar binnen.

'Het enige waar we wat vooruitgang in hebben geboekt is de transportsector.'

'Medische wetenschap.'

'Niet voldoende.'

'Voedseldistributie.'

'Ja,' riep Deus. 'De mens is gereduceerd tot een afvalkoker. Vreten erin, compost eruit.'

'De mens wordt verwekt in een schacht, wordt eruit geboren, leeft in een tunnel en gaat erin dood,' zong Tatja in vervoering, bij dit laatste dacht ze waarschijnlijk aan een crematoriumoven, maar voor de rest was ze compleet de weg kwijt.

'Hoe komen jullie daaraan?' Puck wees naar de tafel met het witte karrenspoor.

'Deus heeft zo z'n adresjes.' Tatja wapperde mysterieus met haar handen in de lucht. 'Maar we waren niet van plan het allemaal op te maken, hoor.'

'Kan ik jou even spreken?' vroeg Puck aan Deus.

'Tuurlijk.'

'Apart.'

'Eh, nee. Dat dacht ik niet.' Hij was heel helder en had het gevoel haar aan te kunnen met één hand op zijn rug.

'Toch wel.'

Tatja probeerde op te staan. 'Waarom doe je zo lelijk tegen hem? We hebben gewoon een beetje lol. Jij hebt het ook wel eens in je kokkerd gestopt.'

'Dit is niet normaal. Wat daar op tafel ligt is genoeg voor een regiment.'

Deus, nog steeds op het tapijt, leunde tegen de zitting van de bank en spreidde zijn armen. 'Normaal, wat is normaal? Is het oké dat wij hier op een bovenetage zitten te blowen en te drinken terwijl de wereld op ons wacht?'

'Wordt er op ons gewacht?' vroeg Tatja gealarmeerd.

'Op de nieuwe generatie waar we deel van uitmaken. Op de hoop die we vertegenwoordigen.'

'Wij zitten onze tijd te verdoen,' stamelde ze, opeens zenuwachtig. 'We moeten iets doen.'

Puck negeerde haar. 'Ben jij een dealer, Deus?'

Hij liet zijn armen zakken. 'Zo zou ik het niet willen noemen.'

'Hoe wil je het dan noemen?'

'Ik koop vaak wat groter in.'

'Om winst te maken.'

'Nou, ik heb er behoorlijk veel werk aan.'

De meisjes zeiden niets.

Hij begon het poeder terug te scheppen in het buisje. 'Ja-jezus, ik moet mijn contacten onderhouden, geklooi met de weegschaal, envelopjes vouwen, gamaardoor. En vergeet het woonwerkverkeer niet. Plus natuurlijk het risico dat je daarbij loopt.'

'Dus je dealt harddrugs.'

'Zou je daarvan schrikken?'

Ja, daar schrok Puck van.

Hij probeerde duidelijk te maken dat dit op zijn minst hypocriet was. Ze gebruikte immers zelf ook, op feestjes bijvoorbeeld, hij had er met zijn neus bovenop gestaan. En je kon geen vlees eten zonder dat iemand ergens in een naargeestig slachthuis op comfortabele afstand van je bord, een mes had gezet in de keel van een levend wezen. Puck wilde de slagers verbieden, riep hij, maar wel af en toe een kippenboutje eten.

Tatja stond wankelend tussen hen in en voelde dat er een veenbrand in aantocht was, maar was te ver heen om een waterslang te gaan zoeken.

Het hele verschil, vond Puck, was dat kipkluifjes niet verslavend waren en drugs wel. Zij kon er makkelijk van afblijven, maar dat gold waarschijnlijk niet voor het overgrote deel van Deus' klanten.

Hij maakte een demonstratief gaapgebaar. Interessante visie. Was het haar bedoeling dat hij zich schuldig ging voelen? Hij gaf haar weinig kans. Hij kon niet verantwoordelijk worden gehouden voor wat zijn clientèle deed. De menselijke soort was erin geslaagd enig succes te boeken op een paar ondergeschikte terreintjes, inclusief af en toe een raketrobot naar Mars, maar voor de rest regeerde de domheid.

'Er zijn nog steeds godsdienstoorlogen,' lalde Tatja, die zich vast moest houden aan de gordijnen om te voorkomen dat ze zou vallen.

'Als ik het dus goed begrijp,' vroeg Puck, 'dan ben jij een van de weinige intelligente mensen in een zee van stupiditeit.'

'Ik schijn een IQ te hebben van boven de honderdveertig. Maar soms kom je een andere drenkeling tegen in de golven en dat is dan vaak het begin van iets moois. Ik ben alleen bang dat jij daar niet open voor staat.'

'Ik verzuip liever dan dat ik iets moois begin met een drugsdealer.'

Puck mocht in veel opzichten een gesloten boek zijn, er waren een paar emoties die bij haar dicht onder de oppervlakte lagen. Haar gezicht kon in een oogwenk vertekenen, alsof ze een open riool rook of een ontbindend kadaver. Op zo'n manier keek ze nu ook naar hem. Het raakte hem meer dan hij wilde toegeven. Zij had makkelijk praten. Ouders met een rietgedekte villa in Bussum of Laren waar ze de weekends doorbracht en die maandelijks geld naar haar overmaakten. Hij had dat allemaal niet, hij ging één keer per jaar uit eten met zijn vader. Toen hij zijn lege wodkaglas naar dat misprijzende hoofd gooide, was dat waarschijnlijk meer uit zelfmedelijden dan uit woede, maar dat wist Puck niet. Ze bukte, het glas suisde langs haar schouder de gang in, waar het op de trap versplinterde. Niet eerder was een woordenstrijd zo ontspoord dat er dingen door de lucht vlogen. Deus, die op het moment dat het glas z'n hand verliet al spijt had, zag Pucks arm naar voren bewegen en kreeg de sleutelbos vol op zijn linkeroog, waarbij, heel tekenend, juist de gekartelde sleutelbaard van de Gooise villa waar ze op zaterdag haar vuile was in de ouderlijke Miele deed, de dunne huid onder zijn wenkbrauw openscheurde. Hij bloedde als een varken, de ruzie was meteen ten einde omdat Tatja zich naar voren wierp, zijn hoofd tegen haar middel drukte en een hele toiletrol besteedde aan het deppen van de wond.

'Hij gooide een glas naar me,' sputterde Puck nog, maar ze wist dat ze deze krachtmeting verloren had door het simpele feit dat zij alleen maar had hoeven bukken, en Deus misschien een oog moest missen. Het was dus helemaal niet waar, dacht hij triomfantelijk terwijl hij door een onvaste maar liefdevolle Tatja de trap af geholpen werd op weg naar de hechtingen van de spoedeisende hulp. Het woord was niet machtiger dan het zwaard. Het was andersom. De rechte lijn, de directe worp, het eerste bloed, dat was allemaal van veel meer gewicht.

Het duurde een volle week voordat ze haar excuses aanbood. Hij haalde Tatja op voor een tentoonstelling en kwam Puck tegen op de overloop. Ze zei: sorry nog van laatst, gelukkig zie je er niks meer van en liep door. Boven Deus' oogkas zat een grote bloedkorst. Een paar uur later, toen ze terugkwamen, hun hoofden vol onbegrijpelijke beelden van Deense videoperformancekunst, zat ze voor de tv. Te wachten leek het wel, ze keek nooit televisie. 'Kan ik je even spreken?' vroeg ze hem. 'Onder vier ogen?'

Even later liepen ze buiten. Het regende, het water liep van de straat in straaltjes langs de gemetselde kade de Bloemgracht in.

'Ik dacht, misschien, heel misschien stopt ie wel. Na ons laatste gesprek.'

Hij zei niets. Bijna tweehonderd gulden per week. Hij zou wel gek zijn om dat op te geven.

'Maar dat blijkt dus niet zo te zijn. Ik heb wat rondgevraagd.' Ze klapte een grote, ouderwetse herenparaplu open, en een tijdje liep ze zwijgend langs de geparkeerde auto's. Hij ernaast. Langzaam maar zeker werd hij zeiknat. Onverwacht gaf ze hem een arm en trok hem onder het regenscherm. 'Is er een kans dat je iets anders vindt?'

'Iets anders?'

'Een ander bijbaantje.'

'Nee.'

'Dat dacht ik al.'

Ze sloegen rechts af de Prinsengracht op. 'Jij denkt dat Tat een gewoon meisje is. Knap, een tikkeltje mysterieus, misschien. Je neemt haar mee naar feestjes, naar de film of een expositie, je gaat dansen.'

'Ja. Ze heeft wat met kunst. Meer dan ik, eerlijk gezegd.'

'Je brengt haar in contact met een bepaald soort mensen.'

'Waar wil je naartoe, Puck?'

'Ik ken haar heel goed. Ze heeft labiele kanten. Ze is makkelijk beïnvloedbaar.'

'Door jou, bijvoorbeeld?'

Ze negeerde de opmerking. 'Die drugsscene, die vindt ze spannend. Ze denkt dat je een pistool hebt. Dat je een schouderholster draagt als je naar een leverancier gaat. Ze vindt het een afschuwelijk idee, maar houdt niet op om erover te praten.'

'Ik heb verschillende vuurwapens. Hangt van het weer af welke ik draag. Mijn shotgun bijvoorbeeld kan alleen samen met een regenjas.'

'Luister, Deus. Wij liggen elkaar niet zo. Dat is niet erg. Maar met Tatja heb je inmiddels een soort relatie.'

'Ja.'

'Ze is mijn beste vriendin. Dat heb je vast wel gemerkt.'

'Ja.'

'Ik vind het niet erg een stapje terug te doen. Ik ben heel tevreden met mijn rol als roommate. Ik probeer haar te accepteren zoals ze is, ook als ze voor iemand kiest die ik niet meteen zie zitten.'

'Ik ben verheugd dat te horen.'

'Maar ik heb een heel slecht voorgevoel over je bijverdienste.'

'Ik verzeker je dat het niet gevaarlijk is.'

'Het is de onderwereld. Je werkt samen met dieven en moordenaars.'

'Dat valt heel erg mee, geloof me.'

'Bovendien zie ik Tat achteruitgaan. Kennelijk heeft ze van jou een voorraadje gekregen, ze gebruikt thuis nu ook, en ik kan nauwelijks nog een normaal gesprek met haar voeren. Ze is altijd high. Ik wil dat ze ermee ophoudt voor het te laat is.'

'Ik dacht dat je net zei dat je haar probeert te accepteren zoals ze is.'

'Ze is de weg kwijt. Ze is verliefd op een drugscrimineel. Het voelt onecht. Jullie verhouding voelt onecht.'

Hij liet haar arm los.

'Niet boos worden,' zei ze. 'Ik wil geen ruzie. Ik zeg alleen maar dat ik me niet kan voorstellen dat jij vroeger dacht: weet je wat, als ik straks op de universiteit zit, ga ik lekker mijn tijd verdoen met poeder verkopen. Als je echt van Tatja houdt, moet je haar laten zien dat er nog iets anders is dan het feestbeest uithangen.'

Hij zei niets. Wat bezielde haar? Ze leek wel een Jehova's getuige.

‘Ik geef je vijfhonderd gulden per maand.’

‘Wat?’

‘Het enige wat je hoeft te doen is haar geen xtc of paddo’s of coke meer geven. Het zou handig zijn wanneer je er zelf ook mee stopt. Inclusief de distributie, bedoel ik.’

Hij wist niet wat hij hoorde. Puck was bekeerd tot de Blauwe Knoop.

‘Het is misschien minder dan je gewend bent te verdienen, maar er is geen kans dat je in de gevangenis belandt en je hoeft geen envelopjes meer te vouwen of tot vier uur ’s nachts rond te hangen in de Reguliersdwarsstraat.’

Hij keek naar haar, onder het zwarte scherm. Hij nat, zij droog. In de gracht voer een nachtelijke vuilnisboot voorbij.

‘Ik zal erover nadenken,’ zei hij.

‘Daar ben ik blij om.’ Ze meende het.

Hij niet.

17 | REX

Vier dagen zat Rex op Bieneke te wachten in Istanbul. Elke ochtend nam hij zich voor om verder naar het oosten te rijden en elke keer deed hij dat niet omdat hij dacht: vandaag zie ik haar misschien, vandaag moet ik haar vertellen dat ik weg moet, niet vrijwillig, maar omdat er iemand op mij zit te wachten in Teheran. Het was van groot belang dat ze die huilbui in de lift zou zien als onverwachte uitglijder omdat hij onder grote druk stond, en niet als de zwakte van een onmachtige puber.

Maar hij kon dat allemaal niet zeggen, want ze was er niet.

Henri deed zijn best om het goed te maken, 's ochtends zat hij opgewekt aan het ontbijt, hoewel hij serieuze slaapproblemen had door zijn nieuwe medicatie. 'Als ik goed had willen slapen, had ik geen nachtclub moeten beginnen,' zei hij. Bezorgd keek hij met een half oog naar Rex, die ongeïnspireerd een eitje pelde. 'Bieneke is heel druk. Er zijn twee oliesjeiks in de stad, plus de president van die Afrikaanse republiek, hoe heet dat land ook alweer, ze hebben net de naam veranderd.'

'En die komen allemaal de salsa dansen.'

Henri hapte in een bagel. 'Precies. Zij kan veel beter met die lui omgaan dan ik. Ze spreekt vijf talen.'

Rex zei niets.

'We hebben de omzet nodig, jongen. Er is een wereldwijde crisis.' Hij wees om zich heen. 'Weet je wat dit allemaal kost?'

'Wanneer komt ze naar beneden?'

'Voorlopig niet, vrees ik. Ze ligt er net in.'

Rex vierde zijn achttiende verjaardag in stilte, er was niemand om hem te feliciteren. Zelfmedelijden welde onstuitbaar in hem op, vooral toen hij een ijsje kocht en zichzelf zag staan, helemaal alleen aan de waterkant, en om hem heen een stad die gonsde van vrolijke opwinding.

Af en toe kreeg hij een berichtje van Bieneke: *Sorry, 't zit er even niet in, bel je straks*. Dat deed ze vervolgens niet, ja, soms, na een paar uur. Ze was voor zaken de stad uit, had de boot gemist, de lunchafspraak liep uit, er waren problemen op de club, de taxi had een lekke band, kortom, er was de hele tijd iets waardoor ze geen tijd voor hem had. Hij overwoog om te vertrekken, gewoon, zonder iets te zeggen. Maar wat blijft er over van grootse plannen als je je hart verloren hebt aan een meisje dat vier jaar ouder is en een liftsleutel bezit waarmee ze naar onbekende sferen kan ontsnappen? Het wakkerde zijn verliefdheid alleen maar aan. Het condoom dat in haar was geweest lag nog steeds op de wastafel, als aandenken. Hij had het nog niet weg durven gooien, als hij niet uitkeek lag het straks onder zijn kussen.

Hij gebruikte de tijd om zijn visum te regelen. De meeste consulaten stonden bij elkaar aan de stoffige boulevard die hij inmiddels goed kende, vanaf de Circe was het een halfuurtje lopen. Die van Bulgarije en het Vlaams Gewest waren altijd dicht – smeedijzeren hekken voor ommuurde stadstuinen, het zag er ongastvrij uit; niet zo leuk als je een Bulgaar of een Belg was en hulp nodig had. Dat van Soedan was open, maar wie ging er uit vrije wil naar Soedan?

En Iran had zijn consulaat kennelijk verplaatst. Het A4'tje met CLOSED was verdwenen, het grote zwarte bord met de Perzische letters ook, binnen stond een zaagtafel, naast een stapel stucplaten. Nergens een aanwijzing waar ze naartoe waren verhuisd.

Hij had Bieneke een berichtje kunnen sturen, maar daar was hij te trots voor. Op het Taksimplein zocht hij naar een taxichauffeur die voldoende Engels sprak. Al snel stond er een groep van tien chauffeurs om hem heen, op elke vraag riepen ze yesyes. Er was er een die wimmenwimmen kon zeggen, en two hundred dollar whole night, maar daar had Rex geen zin in. Hij wilde best een whole night, maar het meisje waarmee hij dat wilde, had geen tijd voor hem. Hij liep de Starbucks binnen in de hoop op westers georiënteerd personeel, maar ook daar sprak niemand Engels. Ten slotte sms'te hij haar toch: *Iraanse ambassade?*

Hij kreeg ogenblikkelijk antwoord*: Geen idee. Zal het opzoeken.* En even later: *Ben vanavond vrij.*

We zullen zien, schreef hij terug, vast van plan zijn waardigheid te behouden, maar al na vijf minuten typte hij: *Eten om halfacht?* Er kwam geen antwoord, maar misschien kwam dat doordat ze heel hard zat te aquarelleren.

Rex wachtte een halfuur, een uur. Van Bieneke hoorde hij niets. Hij was gedwongen naar een internetcafé te gaan om uit te vinden waar Iran zijn diplomaten had verstopt, zichzelf vervloekend dat hij internetten in het buitenland niet in zijn telefoonabonnement had opgenomen. Het consulaat was verhuisd naar de andere kant van de stad. De taxirit duurde ruim anderhalf uur en kostte een vermogen. De straat was minder chic, het gebouw was kleiner, het gepantserde glas had plaatsgemaakt voor een poort van blauwgeverfd staal. Kennelijk moest de Islamic Republic ook bezuinigen. De deur was dicht. Rex schopte tegen de poort.

De chauffeur haalde zijn schouders op. Er waren demonstraties geweest in de stad. Veel diplomatieke posten waren op dit moment gesloten vanwege de onrust. Rex liet zich terugbrengen naar het centrum. Op een terrasje aan het water met de ondergaande zon in zijn rug sms'te hij: *Geen visum, maar over een halfuur bij Galatatoren?* Hij kreeg pas antwoord om een uur of negen: *Sorry werd wat later in de club. Zie je onder de toren over een kwartier.*

Hij rende naar de afgesproken plek en wachtte twintig minuten. Een halfuur.

Om tien uur was hij het zat en ging woedend terug. Er was geen bericht, geen kattebelletje, niets. Op zijn iPad keek hij naar het Italiaanse nieuws. Wegens hevige regenval stond Venetië voor een groot deel onder water. In de nieuwe James Bondfilm zou 007 een Chinese hogesnelheidstrein achtervolgen met een Boeing 747. Een bekende politicus was veroordeeld voor corruptie, maar het belangrijkste item ging over de vredesonderhandelingen tussen de VS en de Taliban in Qatar. Moellah Omar, de eenogige, onvindbare en nooit gefotografeerde Talibanleider, was zelfs bereid om hiervoor een kantoor te openen in de hoofdstad Doha.

Bieneke liet niets van zich horen. Nog even ijsbeerde hij woedend door zijn appartement, maar toen de muziek van boven weer door het plafond begon te dreunen, nam hij de lift naar de keuken en wrikte met een broodmes het sleutelkastje open. Met de loper van het trappenhuis klom hij met een licht gevoel in zijn maag naar de bovenste etage. Hij kwam via de branddeur binnen, de uitsmijters bij de lift hadden hem niet in de gaten. Het was al behoorlijk druk in de hal en het was niet moeilijk ongemerkt over te steken. Binnen, in de schaarsverlichte ruimte die er nu heel anders uitzag dan op de ochtend dat hij hier Bieneke voor het eerst had ontmoet, bewogen een tiental meisjes op een mierzoete, Aziatische cover van een Zuid-Amerikaanse merengue. Hoeveel mensen er buiten op het terras waren kon hij niet zien. Serveersters in glitterstrings brachten drankjes rond.

Verscholen achter een palm nam hij het tafereel in zich op. Het meest in het oog springend was de bar: opgebouwd uit gesoldeerde zinkplaten, twintig meter lang, achter de toog topless meisjes, ze hadden meerminnenkapjes op hun hoofd met cijfers. Aan het einde was een aparte nis, met een meermin achter een computerscherm. Er stond een rij van vier, vijf mannen. Hij stelde vast dat alle gasten mannen waren, en alle vrouwen een nummer hadden, de dienstertjes droegen het achter op hun geschubde slipjes.

Rex glipte naar buiten. Het terras was halfleeg, een paar cijfermeisjes leunden tegen de balustrade of zaten, afwachtend wippend met hun gehakte voeten, aan smeedijzeren tafeltjes in het licht van gekleurde lampionnen. Het zag er treurig uit, vond hij. Een verkleedfeestje met te weinig gasten.

Opeens zag hij haar. Op een bankje in de verste hoek, in een nauwsluitend zilverkleurig jurkje. Verveeld luisterde ze naar een grote, zwarte man in een licht kostuum. Een paar meter verderop twee donkere, opvallend onopvallende mannen in zwarte pakken. Dit zouden de lijfapen kunnen zijn van de Afrikaanse president over wie Henri had gesproken, aan de macht gekomen door gewapende strijd, terreur, kindsoldaten, bloeddiamanten, een bevriende westerse oliemaatschappij of een combinatie van dit alles. Ze waren ongeschoren, droegen sportschoenen onder de slecht vallende kostuums, met twee handen tegelijk tilden ze drankjes van een voorbijkomend blad. Ze gedroegen zich als kinderen in een onbewaakte snoepwinkel. Een van de mannen haakte zijn vingers achter een serveerstersslipje om een blik naar binnen te werpen. Bieneke aaide de schouder van hun baas.

Rex werd duizelig en ging weer naar binnen. Hij verzette zich tegen het besef dat Henri's levenswerk niets meer was dan een matig georganiseerd bordeel. Maar misschien zag hij het niet goed. Door de slepende mechanische zangstem, de pulserende spots en de bewegende lichamen had hij het gevoel dat hij zijn evenwicht ging verliezen. Zijn hart klopte veel te snel, alsof het de muziek wilde inhalen.

Plotseling werd het stil. Een paar meisjes draaiden zich om, hielden op met dansen. Bij de terrasdeuren verscheen Bieneke. Als een koningin schreed ze naar de nis. Daarachter, zag Rex nu pas, was een wenteltrap naar beneden. In het halfdonker, naast de zwak glimmende leuning van de trap, stond een kleine Arabier, de plooien van zijn ruimvallende gewaad konden de omvang van zijn buik niet verhullen. Bieneke was al halverwege de ruimte, toen Rex de twee Afrikaanse bewaakgorilla's op een drafje naar Henri zag gaan. De muziek werd hervat, Bieneke bereikte de nis, de dikkerd drukte een kus op haar uitgestoken hand, maar hij had zijn voet nog niet op de eerste trede of Henri kwam met bezweet voorhoofd tussenbeide. Consternatie. Verontschuldigende handgebaren in de richting van het terras, waar de Afrikaanse president ondoorgrondelijk over de stad stond uit te kijken, alsof hij met de opwinding niets te maken had.

Er werd even onderhandeld, maar de olieprins schudde zijn hoofd en het tweetal verdween alsnog naar beneden. Misselijk en met bonzend hoofd liep Rex naar de uitgang. In het kale trappenhuis, met de loper in zijn hand, twijfelde hij een moment. Was het nodig om de deur te openen op de zesde verdieping? De lange gang te zien met het rode of lila tapijt, de gesloten deuren van de peeskamertjes, de meisjes in badjas die op weg waren naar de douche?

Hij rende de vier trappen af naar zijn eigen etage en wierp zich languit op zijn bed, als de eerste de beste puber in een slechte tienerfilm.

'Ik zal je nooit in de steek laten,' zei Tatja in zijn oor.

Hij lag in haar armen op de kuipbank van Eelco's Swan 52, waarvan hij inmiddels wist dat het geen walvis was maar gewoon een heel grote zeilboot, ruim vijftien meter glanzend polyester, teakhout en roestvrij staal, maar ze gingen schuin, en hij was bang. Eigenlijk was hij te oud om tegen zijn moeder aan te liggen, als je tien was zei je kom op ma, nou kan ie wel weer als ze je te lang omhelsde. Maar dat kon hem nu even niets schelen. De wind maakte een raar, hoog geluid. Dat is normaal, zei Tatja tegen hem, en Eelco schreeuwde ja hoor, dat hoort zo. Hij stond wijdbeens achter een groot stuurwiel en trok uit alle macht aan een eind touw. Deze boot kan echt niet omslaan, riep zijn moeder tegen het geluid van de wind in. Echt niet.

Hij wilde het graag geloven. Het leek ook onmogelijk, in de haven, toen Eelco hen zijn nieuwe aanwinst had laten zien. Nog groter dan de vorige, met een mast zo dik als een brugpijler, maar dan van aluhimium, het sterkste en lichtste metaal dat er bestond. Maar deze reis was totaal anders dan alle andere uitstapjes die ze met oom Eelco hadden gemaakt. Er waren deze keer geen zwempartijtjes, het was onmogelijk om rustig een boek te lezen, hij mocht niet aan een touw achter het schip hangen, hij mocht zelfs niet sturen. Hij was gaan gapen, had geen zin in de sandwiches waar Puck mee naar buiten kwam, en ten slotte was hij in de buurt van de reling gaan zitten voor het geval hij moest overgeven. Hij voelde zich miserabel en wilde terug, maar dat kon niet, riep Eelco. Ze moesten door. Tot ze Vis hadden bereikt. Vis was een eiland bij Kroatië, maar Rex vertrouwde het maar half: met zo'n naam kon het qua vastigheid niet veel soeps zijn.

Naderhand wist hij niet meer hoe lang de oversteek had geduurd. Het grootste deel van de dag had hij in de kuip gehangen, te beroerd om zich ergens voor te interesseren. Het enige, zwakke aan en uit flakkerende lichtpuntje in deze uren was de gedachte dat de tocht op een bepaald moment zou zijn afgelopen. Ergens was een haven of een ankerplek waar het niet waaide, waar die kloteboot niet op en neer ging en waar hij aan land zou kunnen stappen om vervolgens nooit meer een voet aan boord van iets varends te zetten, aluhimium masten of niet. Zijn ellende werd nog vergroot doordat Eelco regelmatig een scherpe bocht nam. De zin ervan ontging hem, ze hadden de zee voor zich alleen, er waren geen borden of markeringstonnen, toch moest het roer dikwijls omgegooid worden, de boot minderde vaart, er waren lange seconden waarin de zeilen woest klapperden, de golven pakten de andere kant van het schip, de mast zei zingtsjak, en na verloop van tijd maakten ze weer vaart, maar dan met de wereld op zijn kop, alles helde naar de verkeerde kant, spullen die net nog veilig tegen de rechterkant hadden gelegen, schoven nu opeens naar links. Het ging dag en nacht door, Puck en Eelco wisselden elkaar af, hij kotste zijn ziel in de Adriatische Zee terwijl Tatja bleef zeggen dat zijn misselijkheid na een dag of twee vanzelf zou verdwijnen. Maar ze loog. Het werd alleen maar erger. Op een gegeven moment nam hij niet eens meer de moeite om over de reling te hangen, braaksel met gal liep gewoon zijn mond uit, de klontjes zaten op zijn kraag en in zijn haar, zijn moeders en oom riepen in koor dat de wind elk moment kon gaan liggen, maar opnieuw was het niet waar en haatte hij hen vanwege hun leugens over een zonnige zeilvakantie waarin tot nu toe geen zon te bekennen was geweest. Hij had zelfs een monstergolf verwelkomd als die een einde had kunnen maken aan zijn kwelling. Wat hij nog niet wist was dat die golf er inderdaad zou komen.

Tegen zijn verwachting in bereikten ze Vis zonder te kapseizen, de volwassenen deden net of dat de normaalste zaak van de wereld was, ze gingen voor anker in de ruime, windstille haven, Eelco klapte de kuiptafel uit, er waren toastjes met zalm en gevulde olijven en gekoelde witte wijn, maar hij had geen honger. Het enige waar hij behoefte aan had was vaste grond onder zijn voeten, dus liet Eelco de dinghy in het water zakken en Rex stoof weg zonder gedag te zeggen. In het dorp kocht hij een ijsje en toen nog één. Hij sloot vriendschap met een Vlaamse jongen die ook van ijs hield en wiens ouders met een huurboot in de haven lagen. Hij had de laatste versie van Combat op zijn laptop.

Om het halfuur beantwoordde hij de sms'jes van zijn moeder met *o.k.!* Of: *Ben nog even bezig!* terwijl ze Wehrmachtsoldaten afslachtten in de Ardennen totdat de accu leeg raakte. Hij belde naar de boot dat hij nog even bleef omdat zijn Vlaamse kompaan niet alleen een snorkel en duikbril had, maar ook een echt mes om op je been te gespen. Voor noodgevallen, als je vijandelijke duikers tegenkwam onder water, het was standaarduitrusting bij de mariniers. Rex had ook een kikvorsmes, zei hij, dat lag op de Swan. Een leugentje, maar hij dacht daarbij aan de gekartelde vleesmessen in de bestekla, en ook had hij al een zeilbandje in gedachten waarmee hij het aan zijn scheenbeen kon bevestigen. Hij belde naar zijn moeder of het mocht, van die vleesmessen, maar merkte dat de verbinding sinds hun laatste gesprek niet verbroken was. Hij riep: mama, zeg es wat, maar hoorde alleen een zwak gekreun. Met de verrekijker keken ze naar het zeiljacht in de verte, dat er heel anders bij leek te liggen dan een uur geleden. Hij mocht de bril en snorkel lenen en zo snel mogelijk voer hij terug, misschien was er een gaslek in de kombuis en lag iedereen te stikken. Halverwege hield het motortje ermee op. Hij trok een paar keer tevergeefs aan het startkoord en haakte toen de peddels in. Navy Seals waren immers ook in staat hun boten in alle omstandigheden handmatig voort te bewegen; voor het geval ze een keer geluidloos een kaperschip moesten enteren. Als een bezetene roeide hij naar de boot, met elke slag maakte hij zich meer zorgen. Dat er iets niet klopte was zo duidelijk als wat. Nog steeds met zijn duikbril op beklom hij de zwemtrap van de Swan. De kajuitdeurtjes waren dicht, maar dat was logisch, terroristen gingen niet in hun zwembroek een beetje op het dek heen en weer lopen. Stil glipte hij naar binnen, opende zachtjes de keukenla en pakte alle vleesmessen die hij kon vinden, een in elke hand, twee in zijn broekband, eentje in zijn sok. In de voorste hut hoorde hij Puck kreunen. O help, riep ze. Hij liet de rest van het bestek vallen, vergat zijn mariniersraining, en gooide in paniek de deur open.

Het was niet zo dat wat hij zag onvoorstelbaar was. Hij was bijna elf, op internet had hij zelfs foto's gezien van een vrouw die het met een pony deed. Op zich was het dus niet heel gek, de piemel in de mond van zijn moeder. Vrouwen deden dat, soms, bij seks. Net zoals mannen wel eens zin hadden om een meisjesplasser te zoenen. Dat leek hem eerlijk gezegd nogal onfris, maar goed, het kwam voor. Dat Puck het nu deed bij Tatja was ook niet vreemd, want in sommige landen konden lesbo's tegenwoordig gewoon met elkaar trouwen, dus dan was het niet raar dat ze ook met elkaar naar bed gingen. Wat het zo onvoorstelbaar maakte, was dat het ging om zijn moeders en zijn oom. Dit waren niet zomaar mensen van internet, het was de huisvriend die hem een indianenwigwam had gegeven, zijn eerste diskman, op zijn achtste verjaardag aan kwam zetten met een kajak van vier meter. Het was de toffe peer die een keer voor zijn slaapkamerdeur had overnacht en die het niet erg vond om dwars door een storm te varen, het was deze joviale, goedlachse zeilkapitein die nu gepijpt werd door de persoon die hij intens lief had, de mama die er altijd was, wier warmte hij kon voelen ook als ze hem niet omarmde, bij wie hij tot vandaag op de eerste plaats had gestaan, maar die zich nu onderwierp aan het onhygiënische gelebber van degene die hem het een na liefst was: de moeder die nooit haar geduld verloor, die een blauwe band had in karate, die wist hoe je een geschaafde knie moest verbinden, die de lekkerste risotto kon maken en als het nodig was met een jachtgeweer hun huis bewaakte. Dit waren de mensen aan wie hij zijn vertrouwen had geschonken. Dit almachtige trio, dat het anker was geweest in zijn tienjarige leven, veel gewichtiger dan het exemplaar waaraan deze vervloekte boot lag, was met elkaar verwikkeld in een regelrechte pornofilmscène.

Langzaam pakte Rex in de Circe zijn spullen bij elkaar. Ergens boven zijn hoofd verdiende Bieneke duizend dollar per uur. Binnen vijf minuten was hij klaar, hij deed geen moeite om op te ruimen. Opeens zag hij wat het was, het appartementje met het kingsize matras en een flatscreen boven de jacuzzi. Hij raakte het onopgemaakte bed niet aan en liet het condoom liggen op de wastafelrand, het zou echt niet de eerste keer zijn dat de schoonmaakster dat daar zou aantreffen.

18 | DEUS

Zoek gezelschap van toeristen, had Yasameen hem geadviseerd, dan val je het minste op.

Deus was een paar maal door de trein gewandeld, maar westerse passagiers had hij niet gezien. Vlak voor de Turkse grens nam hij afscheid van de vader en zoon die met hun zak dadels op weg waren naar de verbrijzelde moeder in Izmir, en verhuisde met zijn koffer naar een andere coupé waar hij tot zijn verrassing drie Engelssprekende dames van middelbare leeftijd trof die heel vereerd bleken te zijn met de belangstelling van een biologiedocent die verbonden was aan een Zweeds gymnasium.

'Ik heb er altijd al een keer naartoe gewild,' kirde de een, die haar magere lichaam gehuld had in een ruimvallend trainingspak. 'Is de natuur daar niet vreselijk mooi?'

'Soms wel. Maar ook koud, hoor,' zei Deus die op de een of andere manier helemaal geen zin had om reclame te maken voor zijn gastland. 'Vanaf oktober zijn winterbanden verplicht.'

'Winterbanden?' huiverde ze. 'Echt?'

'De politie controleert er streng op.'

'Maar je mag er vrij kamperen toch? Je mag overal gaan staan met je tent.'

'Inderdaad. Maar in de winter doet bijna niemand dat.'

'Het lijkt me een eenzaam land. Met al die sneeuw en ijsvlaktes en rotsen om je heen,' zei een andere dame, qua gestalte twee keer de omvang van de eerste.

'Dat valt wel mee, hoor.'

'Bent u getrouwd?'

'Mijn vrouw ligt al een aantal jaar in coma.' Het was de beste manier om te omschrijven hoe hij over Tatja dacht. In 1993 gestorven, onlangs miraculeus weer tot leven gewekt, maar voorlopig onbereikbaar voor zijn wraak.

De dames vroegen niet door, geschokt.

Dat was hij ook, nog steeds.

'Dat lijkt me vreselijk,' zei de kleinste van het drietal na een korte pauze.

Deus zweeg en knikte. Hij hoopte maar dat Jurgen het goed vond dat hij ook de coma even leende.

'Wij maken momenteel een rondreis door de Vruchtbare Halve Maan,' zei de grootste dame om de pijnlijke stilte te doorbreken. 'Men zegt dat de beschaving hier is geboren.'

'We hebben een stukje Iran gedaan.'

'En Jordanië.'

‘Maar Israël helaas niet.’

‘Met een Israëlisch stempel in je paspoort kom je Iran niet in.’

‘Maar je zou het niet zeggen hoor, dat de civilisatie hier is ontstaan. Wat een bende overal.’

‘Een paar olijfbomen en een geit, dan ben je hier al heel wat. De meesten hebben nog minder.’

‘Terwijl de landbouw hier nota bene is uitgevonden, tienduizend jaar geleden.’

‘We hebben hele mooie vuistbijlen gezien, hè Ans?’

De kleinste dame knikte enthousiast. ‘En aardewerk. Zo knap.’

‘Dat heb je in Scandinavië niet.’

‘Weet je nog, die knots die die ene gids ons liet zien? Er zat nog bloed op.’

‘En die dissel. Minstens 8500 jaar oud.’

‘Ja, ongelofelijk. Het is het oudste bewijs dat een van de belangrijkste kantelpunten in onze ontwikkeling in dit gebied plaatsvond. Niet voor niets speelt het hele Oude Testament zich in deze contreien af.’

‘En de Gilgamesj.’

‘Plus de Koran.’

‘Zijn die winterbanden ook verplicht voor fietsers?’

En zo ging het door, de ene zin lokte de andere uit, Deus hoefde niet veel te zeggen. Het was een ondernemend clubje. Bij gebrek aan goede touroperators waren ze hun reizen zelf maar gaan organiseren.

‘Nu zijn we op weg naar Constantinopel,’ kwaakte de magere. ‘Meer dan drieduizend jaar beschaving.’

‘En de mediterrane man, natuurlijk. Voor Agnes, dan.’

*

'Ik hou van je,' zei Tatja en hij zei: 'Ik ook.'

Ze lagen – met hun kleren aan – half naast, half op elkaar op zijn bed onder de zoldering.

'Van mij of van jezelf?'

'Van jou.'

'Wie zegt dat?'

'Ik.'

'Wie is dat dan, ik?'

'Wat bedoel je?'

Ze aaide over zijn wang. 'Gewoon, wie zit er onder deze huid?'

'Wil je de definitie van Jung?'

'Nee, ik wil jouw definitie.'

'Oké. Deus zegt: ik hou van je.' Hij had het nog nooit in zijn leven hardop gezegd, tegen niemand, en nu zei hij het tegen Tatja. Maar dat zei hij niet.

'Ken jij jezelf een beetje?' vroeg Tatja.

'Ik denk van wel.'

'Ik denk van niet.'

'Oké, dokter. Waarom niet?'

'Er zijn bepaalde dingen.'

Hij had gevraagd: welke dan? Zij had gezwegen en nagedacht, haar ogen nog geen tien centimeter van de zijne. Ten slotte kwam ze met een lijstje. Hij bewoog zijn hoofd te veel, vond ze. Niet op dit moment, in bed, maar wel overdag, aan tafel, op straat, in gesprek met anderen. Hij maakte te lange zinnen, keek weg als hij formuleerde, zijn ogen schoten alle kanten op, als bij een knaagdier. 'Alsof je altijd op je hoede bent.'

'Lange zinnen?'

Ze schoof een been over zijn buik. 'Veel te veel woorden, niet ter zake doende nuanceringen, dubbele ontkenningen en samengestelde begrippen zoals geen onverdeeld genoegen of apocrief bewustzijn in microscopisch denken. Heel vreemd voor iemand die op zoek is naar een taal van rechte lijnen.'

'Anoniem bewustzijn, heb ik waarschijnlijk gezegd.'

'Whatever. Laatst had je het erover dat het niet ondenkbaar is dat we in de toekomst woorden kunnen vervangen door cijfercombinaties.'

'Belachelijk. Echt waar?'

'Het komt ook voor dat je een hele tijd je bek niet opendoet omdat je ergens een kat uit de boom kijkt.'

'En dat wijst volgens jou allemaal op een gebrek aan zelfinzicht?'

'Met zelfkennis heeft het niets te maken, eerlijk gezegd denk ik dat je een en ander redelijk goed in de peiling hebt, daar in die eenzame radartoren van je, de vraag is alleen: laat jij je zelf wel eens uitpeilen?'

'En jij vindt dat ik lange zinnen gebruik.'

'Humor à la Deus, met dat cynische glimlachje van je. Was ik nog vergeten.'

Hij legde een hand op haar heup. 'Wat vind je nog meer?'

'Je vertelt nooit over jezelf.'

'Er is niets te vertellen. Ik heet Deus. Ik studeer Nederlands maar overweeg te stoppen. Ik vind jou te gek.'

'Over vroeger.'

'Waarom? Wat hebben we daaraan? Ik heb mijn handen al vol aan het heden.'

'Ik weet niets van je ouders.'

'Houen zo. Wat heeft het voor nut?'

'Het kan heel leerzaam zijn de vader van je vriendje te

leren kennen. Misschien weet hij waar je de sleutel van je kluisje hebt verstopt.'

'Ik heb geen kluisje. En mijn vader is een eenzame, verbitterde man met een persoonlijkheidsstoornis. Hij kan maar over één ding praten.'

'En dat is?'

'Over zichzelf. En dat vrouwen onbetrouwbare sloeries zijn, in het bijzonder mijn moeder.'

'Ik zou hem graag een keer ontmoeten.'

'Geen sprake van.' Hij probeerde op te staan.

Ze hield hem tegen. 'Ik vind dat je moet leren te ontspannen. Er is niemand hier die je op wil eten.'

'Ik ben helemaal niet gespannen.'

Ze rolde om, trok haar benen onder zich, kroop op hem en plaatste haar knieën op zijn bovenarmen. 'Dat ben je wel.'

'Au.'

'Relax.'

'Lastig. Je hebt nogal scherpe knieën.'

'Kom ik te dichtbij?' Ze boog zich voorover. 'Ik heb jou geobserveerd, radarmannetje.'

Haar kruis in de versleten spijkerbroek was vlakbij. Hij probeerde zijn armen te bevrijden, een halfzachte poging, want het was niet onplezierig, dat kruis in de buurt.

Ze zette extra kracht en wilde dat hij zich overgaf.

Hij zei waar heb je het over, zij antwoordde dat weet je best, en zo ging het heen en weer, gaandeweg verdwenen er steeds meer kledingstukken, het praten werd hijgen, en er ontstond een serieuze vrijpartij, waarbij ze hem bleef aankijken, het maakte niet uit of ze boven of onder lag, haar blik was steeds op hem gericht, pupil op pupil, onafgebroken, pogend hem te doorgronden. Hij werd er ongemakkelijk van en deed zijn ogen dicht, zogenaamd in verrukking, maar als hij ze even weer opende, was ze er nog steeds, hem in zich opzuigend, alsof zij hem penetreerde in plaats van andersom. Uiteindelijk draaide hij haar om en vree verder met haar achterkant, nu met open ogen, want van alle ruggen en billen die er bestonden, had Tatja de mooiste.

'Wat moest Puck laatst met jou bespreken?' vroeg ze na afloop.

'Ze wilde me een halve rug geven als ik zou helpen van jou een braaf meisje te maken. Per maand.'

'Wat?'

Deus beschreef Pucks ongewone voorstel.

'Belachelijk, en wie denkt ze wel niet dat ze is?'

'Ze denkt dat het gevaarlijk is. De bekende bullshit. Dat je er niet meer vanaf komt, dat soort dingen. Ze gelooft dat ik een pistool thuis heb.'

'Is dat niet zo?'

'Natuurlijk niet.'

Hij zag teleurstelling in haar ogen. Maar hij ging het niet mooier maken dan het was. 'Ik ben maar een kleine jongen. Het is een bijbaantje.'

'Warren Buffet is ook begonnen in een garage.'

'Ik ben een stuk bescheidener. Zolang ik de huur kan betalen is het goed.'

'Hm.'

'Ze denkt dat je daarop kickt, op gevaarlijke mannen.'

'Zei ze dat?'

'Maar ik behoor niet tot die categorie. Ik hou niet van geweld. Ik verkoop maandelijks vijftien, twintig gram, om een studie te kunnen financieren waar ik niet in geloof. Behoorlijk stom, eigenlijk. Misschien moet je een ander vriendje zoeken. Met meer handelsgeest.'

‘Misschien doe ik dat wel.’

‘Het was een grapje.’

‘Wat ga je nu doen? Gaan we voortaan jus d’orange drinken als we uitgaan?’

‘Ik niet. Wat jij doet moet je zelf weten.’

Dat deed ze. Die avond ging ze als vanouds uit haar bol, deed expres heel lawaaiig toen ze thuiskwam, en maakte tot in de ochtenduren ruzie met Puck. De volgende dag kwam ze naar hem toe met het voornemen die vijfhonderd gulden gewoon te incasseren en er samen speed en sneeuw van te kopen, maar een paar uur later al belde ze hem huilend op dat het plan niet door kon gaan omdat ze het thuis weer goed had gemaakt.

Hij vond het niet leuk om te horen. ‘Puck speelt dus een beetje de baas over je.’

‘Ja,’ zei ze. ‘Dat heb ik nodig, soms.’

*

Aan het einde van de middag bereikten ze Turkije. Je zou het niet zeggen als je naar buiten keek, nergens een slagboom of een hek of grenswachten met blaffende honden, alleen de hoge stem van Houman die vanuit de gang Turkey, Turkey riep alsof hij het avondmenu bekendmaakte. De trein vertraagde, ze schommelden over een klein rangeerterrein, en na nog een paar schokjes stonden ze stil. Deus opende een deur. Woeste, onbegroeide berghellingen, een leeg perron, een bord met Kapikoy erop, en een barak die uit de Tweede Wereldoorlog leek te stammen. Iedereen moest de trein verlaten, met zijn bagage. Hij ging terug om zijn spullen te halen, de dames waren al weg. Aan het einde van de trein werden koffers, valiezen, plunjezakken, tassen en dozen in een veewagon gestapeld door twee spoóremployés. Houman deelde plastic labels uit aan de passagiers die correspondeerden met cijfers die hij met schoolkrijt op hun bagage zette. Deus vroeg zich af waarom.

'We are going on the ferry.'

Deus snapte het niet. Een veerpont? Hij keek om zich heen. Rotsen, heuvels, in de verte bergketens met besneeuwde toppen. Voor zover hij wist lag er geen zee tussen Iran en Turkije.

'We zijn vlak bij Van, dat ligt volgens mij aan de andere kant van dat bergmassief,' zei een van de dames die met een kaart in haar handen achter hem bleek te staan. 'Ooit was het de hoofdstad van een machtig bergvolk dat achtduizend jaar geleden heerste over een gebied zo groot als Polen en Duitsland samen.'

'Ik dacht zesduizend,' viel de andere haar in de rede. Ze had een draagtasje op haar rug waar de hals van een literfles water uit stak.

De magere in het trainingspak boog zich naar Deus. 'Niemand is meer geïnteresseerd in het ontstaan van de mens, daarom doen we dit samen. We zijn het alleen niet altijd eens.'

'Maar veel leuker,' vulde de kleinste aan.

'Je kunt je eigen gids uitzoeken.'

'Agnes heeft een fling gehad met een dertigjarige Nijlschipper.'

'Nou en?'

'Niks liefje. De mensen hier zijn vaak heel gastvrij.'

Ze hadden de Oude Grieken gedaan, het jaar daarna de Feniciërs, toen een piramidetrip, een grottekeningentocht in Frankrijk, steeds verder de geschiedenis in tot ze bij die allereerste versteende disselboom kwamen in Jordanië en de knots met bloed en ze het wezen van de homo sapiens hadden doorgrond. De mens en zijn vooruitgang.

'We beroepen onszelf vaak op de grote progressie die we hebben doorgemaakt sinds die eerste nederzettingen,' zei Deus terwijl hij zich voorgenomen had zijn mond te houden. 'Maar in feite hebben we nog maar klein stapje gedaan.'

Het trainingspak schudde haar hoofd. 'Hoe kunt u dat nu zeggen? We hebben de sterrenhemel ontrafeld, het molecuul, de pest overwonnen, ons los gedacht van de katholieke kerk.'

'De homo's hebben gelijke rechten gekregen,' zei Agnes. 'Vijftig jaar geleden kwam je daarvoor nog in de gevangenis.'

'Dat is geen vooruitgang,' zei Deus. 'Homofilie was in de Helleense cultuur al heel gewoon.'

'Hoe komt u daar nou bij?'

'Het is onzin ons te beroepen op de vrije, tolerante geest van de eenentwintigste eeuw. Die hadden we al. We hebben tweeduizend jaar onze tijd verdaan.'

'We hebben internet,' wierp de kleinste tegen.

'Denkt u eens aan alles wat bereikt is in de architectuur, de kunsten.'

'Bach. Matisse.'

'John Irving.'

'Nee, Agnes. Die niet.'

'De Akropolis dan. De Sacré Cœur.'

De laatste reizigers hadden hun bagage afgegeven, het treinpersoneel schoof de deuren van de wagon dicht en verdween in het kleine stationsgebouw.

'Nee,' zei Deus. 'In wezen is er niet zoveel veranderd. Goed, de materialen zijn niet meer uitsluitend van hout en klei en de bouwwerken zijn een stuk groter geworden. Maar alles wat we bedenken in de architectuur is nog steeds gewoon een doos met een dak erop. In essentie. Ik heb het daar vaak over in mijn biologielessen. Een deur gaat nog steeds op precies dezelfde manier open als die allereerste samengebonden plak plaggen die met leren hengsels de tocht uit de hut hield.'

Niemand zei iets.

Deus had spijt dat hij zijn mond had opengedaan. De man met de bankschroef concentreerde zich nu op een bijzonder pijnlijk stukje boven zijn oor, en scheen van plan dat helemaal plat te drukken. Het liefst zou hij op het perron gaan liggen, met zijn ogen dicht en zijn voorhoofd in een bak ijs.

'Ik geef toe dat we veel hebben ontdekt in de wereld om ons heen,' zei hij terwijl hij zijn pillen zocht. 'Maar bijna niets in onszelf. We weten nog steeds niet hoe onze geest precies werkt. We hebben een formule gevonden voor het bereiden van penicilline en linksdraaiende yoghurt, maar in tienduizend jaar zijn we er niet in geslaagd om een sleutel te vinden tot een evenwichtig en harmonieus leven.'

Aan het begin van het platform ontstond beweging. Drie Turkse militairen begonnen mensen naar een laag gebouwtje van gele baksteen te dirigeren.

'We hebben de voordelen ontdekt van de nederzetting,' ging hij haastig door, 'de meerwaarde van een economische en culturele leefgemeenschap, maar deze kennis heeft ons tot nog toe niet verder gebracht. Als gekken scheuren we over de planeet op weg naar ons werk of onze sociale verplichtingen of dat ongerepte vakantieplekje, altijd op de vlucht, omdat we er niet in geslaagd zijn onze werkelijke bestemming te vinden.'

Een profeet, zag hij de dames denken, hebben wij weer.

Vier gefronste wenkbrauwen, Agnes keek verveeld naar de bergtoppen in de avondschemering.

Graag had hij zijn tong afgebeten. Hij wist niet waar de woordenstroom vandaan kwam, het gulpte uit hem zonder dat hij het tegen kon houden.

*

Zijn vader had een van zijn Onassispakken aan. Ze waren gemaakt van comfortabele, lichte stof en in combinatie met een uurtje onder de zonnebank kreeg hij dan iets van een scheepsmagnaat, zoals hij daar zat op het terras van het Americain, benen over elkaar, overhemd halfopen.

'Hallo. Ik ben Tatja,' zei Tatja.

Hoffelijk stond hij op. 'Thomas Reinhart de Ru. Leuk om je eindelijk te ontmoeten.'

'Dag pa.'

'Dus jij bent dat meisje waar mijn zoon het de hele tijd over heeft,' zei Reinhold alsof Deus er helemaal niet was.

'Ik weet het niet. Ben ik dat?'

'Pap, ik heb je twee maanden geleden voor het laatst gezien.'

'Ja. En toen heb je het uitgebreid over haar gehad.' Hij had nog steeds haar hand vast.

'En daarvoor was met Kerstmis.'

'Klopt. Toen had je ook over haar.' Hij liet haar los, met tegenzin, leek het.

Deus wendde zijn blik af. Op de rand van de fontein naast het terras zat een man met een mobiele telefoon, zo te zien een makelaar, hij had een map in zijn hand met een bekend logo. Het was een belachelijk gezicht, een kerel die midden op straat in een grote zwarte sigarendoos aan het lullen was.

Tatja ging zitten. 'In december kenden we elkaar nog niet eens.'

'Het is ook niet waar wat hij zegt.' Deus wenkte een ober. 'Technisch gezien is het ook onmogelijk om het veel over jou te hebben in gesprekken met mijn vader, aangezien hij altijd het hoogste woord heeft.'

Reinhold glimlachte. 'Let maar niet op hem. Deus laat geen kans onbenut om lekker op zijn verwekker in te hakken.' Opnieuw pakte hij haar hand. 'Het doet me veel genoegen om te zien dat mijn zoon erin is geslaagd de vrouw van zijn dromen voor zich te interesseren. Kan ik je iets te drinken aanbieden, Tatmeidje?' Met zijn andere hand trok hij een fles sancerre uit de wijnkoeler.

Deus haatte het als hij zo charmant deed. De jovialiteit was een pose. Er was een tijd geweest dat hij – tien, twaalf jaar oud – met bewondering opgekeken had naar zijn vader, als die, achterovergeleund in het Amstel of Krasnapolsky, een duur aperitief bestelde en ondertussen verslag uitbracht van de levensreddende operaties van de ziekenhuisafdeling die onder zijn leiding stond. Net zo'n kostuum, de revers waren misschien breder, het haar in halflange dracht over de oren, en ook de zelfgenoegzaamheid was eender: 'Die vent moest dus meteen onder het mes, hup op de tafel en ik zei nog doe eerst een kleine incisie boven het linkeroor, maar nee, die chirurg greep een spreider, en toen, precies wat ik dacht, een bloedprop in de halsslagader en bijna een flatline op de monitor.'

Het was een soort pilotentaal, de elfjarige Deus vond het ongelofelijk cool, maar wellicht kwam dat ook door de achteloze Pall Mall in de mondhoek van zijn vader. Specialist in het AMC zei Deus, als ze op school vroegen wat zijn ouders voor de kost deden, of: geneesheer-directeur, als er toevallig een advocaten- of burgemeesterszoontje naast hem zat, want op iedere lagere school is er een periode dat je status in de klas staat of valt met het beroep van je ouweheer en is het dus een kwestie van overbieden. Tot het moment dat zijn vader met pensioen ging en hij op het afscheidsfeest ontdekte dat zijn papa een laborantenbaan had gehad.

Reinhart/hold had er niet moeilijk over gedaan: grijnsde. 'Jij denkt nu: mijn pa deed net alsof hij een chirurg was, maar hij was al die tijd maar een simpele purser die op nachtvluchten in de pantry voor zijn pilotenexamen zat te studeren in de hoop dat ie ooit de cockpit zou bereiken.'

Deus haalde zijn schouders op.

'Ik heb meer mensen door een operatie gesleept dan de meeste gezagvoerders.'

'Maar...'

'Ik heb nooit in de pantry gestaan. Ik ontwierp de vliegtuigen.'

Deus knikte op die momenten afwezig, hij reed al op een brommer, het laatste wat hem boeide was de voormalige werkkring van zijn pa. Met dat knikken moest je trouwens oppassen, want het kon gebeuren dat Reinhart opeens stopte met praten en vroeg waarom hij zo stompzinnig met zijn hoofd zat te bewegen als het hem kennelijk niet interesseerde, de medische vooruitgang.

Jawel, jawel, bezwoer Deus hem dan, heel erg. Er was namelijk altijd een kans dat zijn wraakzuchtige vader kon besluiten zijn toelage te stoppen.

Reinhart vulde Tatja's glas en knipoogde naar haar. 'Wijn en whisky hebben meer mensen het leven gered dan er zijn doodgegaan aan leverbeschadiging.'

'Is dat zo?' vroeg ze belangstellend. Kennelijk had ze het

voornemen bij hem in de smaak te vallen.

'Ik heb geen idee. Maar het is een prikkelend standpunt. Alcohol verwijdt de bloedvaten.'

Ze lachte.

'Nog niet zo lang geleden had ik mijn secretaresse kunnen bellen om er een paar researchresultaten bij te zoeken, maar nu zullen we het moeten doen met alleen de stelling.'

'Wat deed u in het AMC?'

'Stollingsonderzoek. Het is raar spul, bloed. Er is maar heel weinig voor nodig om dat levenselixer van ons te veranderen in de vloeistof des doods. Een vaatvernauwing, een paar rebellerende bloedplaatjes, en het is gebeurd.' Hij schonk zichzelf bij. 'Ik heb gedaan wat ik kon, maar het was vaak niet genoeg.'

'Maar pap, je hebt toch...'

'Noem me alsjeblieft geen pap. Ik heet Reinhart.'

Deus zwaaide nogmaals naar de ober, die deed of hij hem niet zag. 'Mijn vader heeft een aandoening gevonden, cerebrale persfusie, of hoe heet het ook alweer. Ze hebben de ziekte naar hem vernoemd.'

Reinhart maakte een wuifgebaar en dronk zijn glas leeg. 'Onbelangrijk, ziekte van Ru. Bloed-hersenbarrière permeabiliteit, familie van die goeie ouwe alzheimer, maar daar willen we dit meisje toch niet mee vervelen?'

'Hij heeft een hoogleraarschap in Melbourne geweigerd om door te kunnen gaan met zijn onderzoek,' ging hij verder. Opeens wilde hij trots zijn op zijn vader.

Die haalde zijn schouders op en lachte opnieuw naar Tatja. 'Dat klinkt veel nobeler dan het is, hoor.'

'En ook een leerstoel in Rotterdam afgewezen.'

Reinhart maakte opnieuw een wegwerpgebaar. 'Wie wil er nou naar Rotterdam? De hele tijd die boten en kranen en treinen, ik zou depressief geworden zijn van die voortdurende goederenstroom. Bovendien, Erasmus mag dan misschien een toonaangevende humanist geweest zijn, als medicus stelde hij niets voor. De kleinzoon van een Zevenbergse pillendraaier. Een Jodenhater. Op zo'n universiteit wil ik niet werken.'

De ober kwam, eindelijk. Deus bestelde een biertje, Reinhart nog een fles sancerre. Hij boog zich naar Tatja. 'Het is ook nogal saai, hoor, dat lesgeven. Je denkt: kennisoverdracht, dat is mooi, daar zullen die jongelui wel om zitten te springen. Maar nee. Desinteresse. Gegaap en geginnegap in de collegezaal. Drugs.'

Tatja knikte. 'Niet alleen bij medicijnen. Dat is bij ons ook zo.'

'Bij ons?'

'Letteren.'

'Ah. Maar daar is overdracht van kennis ook wel moeilijk. Wat moet je daar zeggen, als professor? Lees dat boekje nog maar een keer van Hermans of Heijermans, en o ja, laten we morgen een tentamen doen over de gebiedende wijs en het aantal jamben in de Gijsbrecht.' Hij maakte een minachtend gebaar. 'Letteren is een dode wetenschap, zeg ik. Wie heeft er tegenwoordig nog zin in literatuur? Het wordt tijd dat jullie daar eens een bom laten ontploffen.'

Tatja glimlachte. 'Ik zal het in overweging nemen.'

'Doe dat. En nu wordt het tijd dat je iets over jezelf vertelt. Geboren in Kabul, begreep ik.'

Ze aarzelde.

Reinhart leunde achterover. 'Totaal andere wereld, Afghanistan.'

'Ik denk er niet zoveel over na.'

'Kun je je nog iets herinneren?'

'Van mijn ouders vrijwel niets.' Ze was even stil. 'Details. Het opgestoken haar van mijn moeder. De schaduw op een hand. De manchetknopen van mijn vader. Hun gezichten ben ik vergeten.' Afwezig keek ze naar de fietsers op het Leidseplein. 'Ik heb één foto. Mijn moeder heeft haar handen voor haar mond. Mijn vader staat een stukje verderop, onscherp.'

Deus wachtte af. Zelfs zijn vader hield zijn mond.

'Ik kan me het weeshuis wel heel goed herinneren,' zei ze.

De granaatontploffing slaat ze over, dacht Deus. Ze was gevonden met de lichamen van haar ouders boven op haar, wist hij.

'En de vlucht naar Nederland met Carly en Pim. Ik wist toen nog niet dat het mijn nieuwe ouders waren. Ik dacht alleen: deze mensen moeten wel heel rijk zijn, met een bus die vliegt.'

Reinhart glimlachte meelevend. Deus kon het niet aanzien. De makelaar was klaar met bellen en probeerde de telefoon op te bergen in zijn koffertje. Het lukte maar net.

'Heb je nog contact met ze?'

'Sinds kort weer. Mijn moeder, pleegmoeder dus, heeft onlangs een tractorongeluk gehad.'

Voor de derde keer pakte Reinhart haar hand. 'Dat spijt me om te horen.'

'Dank u wel.'

'Mijn vrouw is ook omgekomen bij een verkeersongeval.'

'Met een vliegtuig, ik weet het. Deus heeft het me verteld.'

'Het transportgilde haalt soms vreemde dingen met ons uit,' zei Reinhart terwijl hij afwezig naar de fontein keek. Tatja en Deus wisten niet goed wat ze hierop moesten antwoorden.

Toen ze naar huis terugfietsten, zij bij hem achterop, riep ze in zijn oor: 'Wat een leuke vader heb jij!'

Hij knikte maar wist dat dit niet zo was. Reinhart verstond de kunst om zich heel anders voor te doen dan hij in werkelijkheid was. Het was een eigenschap die hij verafschuwde, maar helaas ook herkende.

*

In de kleine barak zaten zo'n honderd mensen te wachten, schatte Deus. Zakenlieden, gezinnen met kinderen, boerenechtparen, een enkele toerist. Er waren ongeveer vijftig stoelen, een kleine toiletruimte, en twee Turkse douaniers die in een glazen hokje de reisdocumenten zaten te stempelen. De een had lange bakkebaarden met stoppels en was duidelijk de chef, de ander was gladgeschoren. Die moest misschien nog carrière maken voor hij zich gezichtsbeharing kon permitteren. Deus zocht de dames uit zijn coupé, maar ze stonden ver voor hem, in een aparte rij voor vrouwen, en keken niet om. Lijdzaam zocht hij een lege stoel, hij had geen zin om in de file te staan.

De twee grenswachters deden ongeveer tien minuten over één paspoort. Personalia controleren, fototje bekijken, bladeren, computerbestand raadplegen, zegeltje van de rol pulken, visum plakken, honderd Turkse lira incasseren, stempeltje zetten. Dollars mocht ook, maar dan duurde het nog langer, want dan kwam er een calculator uit een la en moest er omgewisseld worden. Deus rekende uit dat ze hier langer dan zestien uur zouden zitten en ging verontwaardigd naar buiten om de Iraanse spoorgeneraal te zoeken, maar de deuren van de trein zaten dicht, alle lichten waren uit. Een koude wind waaide over het verlaten perron. Hij probeerde een coupédeur te openen. Aan het einde van het platform floepte een zoeklicht aan. Hij stak zijn handen in de lucht als verontschuldiging en keerde terug naar de barak. De wachtrij was een halve meter opgeschoven. Gelaten keerde hij terug naar zijn stoel. Zijn hoofd bonkte, hij nam een blauwe smurf en viel, met zijn hoofd tegen de barakmuur, heel even in slaap. Het was drie uur in de ochtend.

*

'Ik heb mijn leven aan je te danken,' zei Tatja met enige regelmaat. Meestal gebeurde dat wanneer ze in een postcoïtale omstrengeling lagen uit te hijgen, wanneer het sentiment vlak onder de huid ligt, alle poriën openstaan, en je bereid bent niet alleen elkaar, maar ook de rest van de wereld te omhelzen.

'Hm,' mompelde Deus dan, niet op zijn gemak. Hij wist niet zeker of het waar was. Ja, het klopte dat ze keihard een brug af gereden waren, dat de naaf van het achterwiel haar lange rode sjaal gepakt had zodat ze van de bagagedrager was gerukt. Het was waar dat het midden in de nacht gebeurde, dat de straten stil en verlaten waren, dat wol veel sterker is dan je denkt, zeker wanneer het in elkaar is gedraaid tot een dikke streng, dat er niemand aan kwam rennen met een mes of een schaar, dat Tatja eerst rood en toen blauw was aangelopen, dat hij als een kip zonder kop heen en weer had gerend op zoek naar iets scherps, en dat hij haar ten slotte met een nagelknipper had bevrijd, draad voor draad. Niet zeker was wat er gebeurd zou zijn als hij gewoon zijn verstand had gebruikt en onmiddellijk had aangebeld bij het eerste het beste donkere grachtenpand. Waarschijnlijk had iemand haar dan veel sneller kunnen verlossen van haar strop, met een keukenschaar bijvoorbeeld. Misschien had ze dan niet twee maanden lang met keelpijn en een dieprode striem in haar hals hoeven rondlopen. Het was dus niet helemaal terecht dat ze zich schatplichtig voelde aan Deus, maar van enige nuancering wilde ze niets weten. Het zou goed kunnen dat haar Afghaanse geboortegrond hiermee te maken had, met al dat zand en die rotsen, doortrokken van eer en bloed, waar een vijand je vijand bleef, ook na drie, vier generaties en waar loyaliteit werd gemeten met dezelfde maat. Soms, als ze lagen te neuken, had hij het gevoel dat ze een hypotheek aan het aflossen was. Eén keer had hij na het vrijen het licht aangeknipt en gezegd dat ze ermee op moest houden, met die erkentelijkheid, maar hij had daar direct spijt van gekregen door de manier waarop ze hem had aangekeken. 'Maar je hebt me gered,' zei ze ernstig.

Ze bedoelt mijn koelbloedigheid, dacht hij: als een dolle in de goot zoeken naar glasscherven om een galgenkoord mee door te snijden totdat je, twee volle minuten later, bedenkt dat er een knippertje aan je sleutelbos hangt.

'Nee,' zei ze. 'Het was erna. Hoe je bij me bent blijven zitten, op de koude straatstenen aan de Amstel, wat je gezegd hebt om me kalm te krijgen, het uur waarin we langzaam naar jouw huis liepen door een slapende stad, het moordwapen gedwee naast ons aan jouw hand, de geïmproviseerde kompressen die je maakte van theedoeken uit de vriezer in een poging de zwelling te stelpen, de pijnstillende zalf die je er naderhand op smeerde, je gezelschap in de wachtkamer van de eerste hulp op de ochtend erna, de vasthoudendheid waarmee je eiste dat er röntgenfoto's werden gemaakt, die lelijke donkerblauwe coltrui die je voor me kocht waardoor ik er niet meer uitzag als een wurgslachtoffer, maar als een Franse intellectueel – en we niet wisten wat erger was. Kortom, alle kleine dingen die je deed en bleef doen, ook toen mijn nek er weer normaal uitzag en ik gewoon T-shirtjes kon dragen.'

'Het was geen moeite,' zei hij, en ook dat was waar. Een sjaal om een naaf, het was te absurd voor woorden, er was al een keer iemand aan doodgegaan, een filmster, als hij het zich goed herinnerde. Hij had het zichzelf nooit vergeven wanneer Tatja hetzelfde zou zijn overkomen. Hij voelde zich verantwoordelijk voor het meisje – een emotie die nieuw was voor hem. Uiteraard had hij een excuus voor het feit dat de empathie tot nu toe ontbroken had in zijn zelfzuchtige leven: een kind dat opgroeit in het mijnenveld van een mislukkend huwelijk, en op zijn tiende definitief verlaten wordt door zijn moeder en daarna iets minder definitief maar toch behoorlijk structureel genegeerd wordt door zijn vader, heeft alle reden om zich terug te trekken in een ommuurde vesting.

'Arm jochie,' zei Tatja terwijl ze aan zijn oor kriebelde.

'Ja,' zei Deus. 'Ik ben best zielig. Ik heb veel liefde nodig.'

Ze gaf het hem: van boven, van beneden, zijwaarts, en ten slotte eindigden ze in een heel ingewikkeld standje: hij staand achter de bank, zij ruggelings steunend op haar schouders met haar benen op de leuning en haar billen in de lucht. 'Ik hou van je,' riep hij.

'Daar ligt een handdoek,' kreunde ze. 'Draai 'm in elkaar en geef me een mep.'

'Wat?' Hij dacht dat hij het niet goed verstaan had.

'Je moet me een klap geven.'

Zijn erectie verslapte.

'Toe nou.'

'Ik dacht het niet.'

'Jawel. Sla me.'

Na afloop dronken ze een kopje thee. Nog steeds naakt, het was te warm om je aan te kleden. De handdoek hing onschuldig over de radiator. Zij had 'm onder de kraan gehouden, in een driehoek gevouwen, en het textiel in elkaar gedraaid tot een vochtige, korte knuppel.

'Ik vond het niet leuk om je te slaan.'

'Het deed niet zeer. Niet echt.'

'Dus het gaat niet om de pijn. Waar dan wel om?'

'Weet ik veel. Waarom vind jij pijpen lekkerder dan rukken?'

Daar had hij even geen antwoord op. Hun relatie duurde al een tijdje, ze hadden elkaar grondig verkend en geëxploreerd, er waren geen verborgen steenpuisten of harige moedervlekken gevonden, maar nu was hij plotseling op iets onverwachts gestuit, alsof je in een mijnschacht een onbekende ertslaag aantrof. En het was geen goudader. Hij werd niet opgewonden van slaan. Integendeel, het enige wat hij wilde was haar strelen en liefkozen, haar beschermen en behoeden voor gevaar en onheil. Tatja had iets in hem wakker gemaakt wat groter was dan hijzelf, niet eerder had hij de behoefte gevoeld om op te gaan in een ander, en nu wilde zij opeens billenkoek.

'Waar maak je je druk om?' Ze trok haar theezakje langzaam in een cirkel door het glas. 'Het kan geen kwaad.'

Daar was hij nog niet zo zeker van. Op een vreemde manier kon hij Tatja's behoefte niet los zien van de rode halsband die ze aan het begin van hun verhouding wekenlang om haar nek had gedragen. Er was iets dierlijks aan haar, iets hondachtigs ook, zoals ze hem ook nu zat aan te kijken met haar donkere ogen, het zwarte haar in pieken en slierten over het bezwete voorhoofd. Tussen haar benen glinsterde sperma.

Hij wist niet hoe lang hij had geslapen, maar de rij voor het loket was aardig geslonken. Misschien hadden de douaniers het werktempo opgeschroefd. De drie dames zag hij nergens meer.

Vijftig minuten later was hij eindelijk aan de beurt. Paspoort, fotootje snuffelen, bladeren, blik op computerscherm. 'Mr. Hammarskald?' Moeizaam worstelde de baardloze assistent zich door de onbekende lettergrepen.

'Yes, from Sweden,' zong Deus terug. Hij probeerde te glimlachen, zonder succes. Wat bezielde deze functionarissen om honderden mensen de hele nacht in een wachtlokaal op te sluiten? Waarom deden ze zo ingewikkeld als je hun land wilde bezoeken? Waren de straten met goud geplaveid? Stonden er verderop mooie meisjes met fruitschalen op hun hoofd om je welkom te heten? Nee, Turkije was een dorre, kale natie met heel veel rotsen, zand en droge bulten en aan de kust misschien een paar leuke havenstadjes waar je kebab kon eten. Geen reden voor de overheid om zich zo arrogant op te stellen.

'Mesleğiniz nedir?'

Hij begreep niet wat de ander zei.

'Meslek, meslek.'

'Don't you speak English?' probeerde Deus.

Geïrriteerd wees de beambte op het lege vakje *occupation*.

'Ah. I teach biology.'

De ander begreep hem niet.

'Eh, teacher.' Deus beeldde het uit. Armen over elkaar, voor de klas, met een aanwijsstok naast een schoolbord met daarop de verschillende onderdelen van het menselijk lichaam. 'Head, throat, chest.' Hij wees naar zijn buik. 'Stomach, pelvis.'

De man reageerde niet.

Deus had spijt van zijn betrekking als biologieleraar. Het was misschien beter geweest om gewoon conciërge te blijven.

De ander bladerde terug in het paspoort. Bekeek het visum uit Iran. Klikte met de muis van zijn computer. Overlegde met zijn superieur. Ten slotte klapte hij het document dicht en legde het opzij. 'Burada beklemeniz gerek.' Hij wees naar een rij met vier lege stoelen aan de zijkant.

'But,' zei Deus. 'My passport?'

'Yerinize oturun. Burada beklemelisiniz.'

Als een schooljongen met straf ging hij naast het glazen hok zitten, verderop ontwaarde hij eindelijk de drie mevrouwen uit coupé 323, die met plaids over hun benen minstens zes stoelen in beslag namen en af en toe koeltjes zijn kant op keken.

Iemand van het treinpersoneel kwam naar hem toe en vroeg om zijn bagagelabel.

'Why?' vroeg Deus.

De spoorknecht haalde zijn schouders op en wees naar de twee despoten achter het glas. Met tegenzin gaf Deus het label af. Misschien wilden ze zijn koffer nog een keer doorzoeken. Met een snuffelhond, of een geigerteller. Hij vond alles best. Glimlachend beantwoordde hij de meewarige blikken van zijn medereizigers, hij had niets te verbergen.

Twintig minuten later werden de laatste passagiers gecontroleerd, de mannen in het controlehok stonden op en knoopten hun uniformjasje dicht. Iedereen ging naar buiten.

Deus tikte op het glas en wees op zijn paspoort dat nog steeds aan de andere kant van de ruit op de balie lag.

De bakkebaardloze douanier hief zijn hand op, palm naar voren. Kalm aan. Rustig.

Deus ging weer zitten, zijn blik op de menigte die onder de booglampen van het platform snel dunner werd, tot ook de laatste reiziger in de trein stapte en de deuren zich een voor een sloten. Hij stond weer op. Dit ging niet goed. De twee controleurs waren weg, de wachtruimte was leeg. Hij wilde naar buiten, maar de glazen deur zat op slot. Ze zouden hem toch niet vergeten?

'Hé,' riep hij naar het verlaten perron. 'Help!'

De trein schokte en kwam in beweging.

'Stop!' schreeuwde hij. De mensen achter de coupéraampjes konden hem niet horen, maar toch keken sommigen zijn kant op. Zij wel en hij niet, dacht hij terwijl ze langzaam voorbijschoven. Opeens realiseerde hij zich dat de volgende trein pas over een week ging. 'Wacht!' riep hij, volkomen nutteloos, want er is niets zo definitief als een wegrijdende locomotief. Al dat ijzer en staal ging onverbiddelijk op weg naar Istanbul en hij kon niet mee. Het licht van de achterste wagon verdween in het donker.

Hij schopte tegen de aluminium plint van de deur. Wat was er aan de hand? Vonden ze de pasfoto niet kloppen? Beschikten ze over biometrische apparatuur? Was Jurgen Hammarskald uit zijn coma ontwaakt in dat ziekenhuis in Teheran? Had hij, tegen alle verwachtingen in, opeens zijn ogen opengeslagen en om zijn paspoort gevraagd? Het leek hem onwaarschijnlijk.

Duizelig ging hij zitten. Zijn hoofd klopte alsof iemand daarbinnen in paniek een uitgang zocht, maar als je eenmaal in de timmermansklem terecht was gekomen, kwam je er niet zomaar uit. Terwijl het buiten langzaam licht werd overwoog hij een extra pil te nemen, maar deed dat toch maar niet. Hij moest bij zijn positieven blijven. Hij voelde zich zoals alle mensen zich voelen als ze stuiten op iets wat sterker is dan zij: een lift die blijft steken, een vertraagd vliegtuig, een staking van het busbedrijf. Je roept opstandig door de intercom of tegen het grondpersoneel dat er geen tijd te verliezen is, dat je een afspraak hebt, dat het zomaar niet kan, maar na een halfuur of een uur ebt de verontwaardiging weg, accepteer je geleidelijk dat je dag heel anders zal verlopen dan gepland, en hoop je alleen nog maar dat de boel ooit weer in beweging komt.

Hij was door de mand gevallen. Ze zouden hem een poosje vasthouden vanwege identiteitsfraude. Maar hij was op Turks grondgebied. Dat hoorde toch al zowat bij Europa? Misschien kreeg hij alleen een boete.

Hij kwam overeind. In het stationsgebouw aan de overkant van de rails zag hij de twee douaniers achter een raam. Hij zwaaide, bonkte op de ruit, maar ze deden alsof ze hem niet zagen. Getergd liep hij door de wachtruimte. Het uitzicht was overal hetzelfde: kale hellingen, steenhopen, tussen de takken van een paar halfwassen berkenboompjes zag hij verderop een aantal lage gebouwen en een vlaggenmast met de Turkse halvemaan. Voor de poort stond een gevechtstank in camouflagekleuren. Achter de kleine legerplaats wederom de Turkse vlag: vijftig bij vijftig meter, met rode verf op de bergwand.

Hij veegde snoepwikkels, oude kranten en lege waterflesjes opzij, strekte zich uit op de kuipstoelen en probeerde te slapen. Dat lukte niet erg, want daar zijn ze speciaal op ontworpen, die stoeltjes. Wereldwijd hebben ze allemaal dezelfde vorm, met van die venijnig opstaande zittingsrandjes. De wachtende mens dient nederig rechtop te zitten.

*

Ze lieten het tedere geweld een tijdje achterwege. Als ze vreeën bleven de handdoeken in de kast, Tatja haalde niet opeens een zweep onder het bed vandaan, er was liefde en passie en ze kwam klaar zonder veel herrie. Het was net of ze nooit haar rug hol had getrokken en om slaag had gesmeekt. Deus had het zo kunnen laten, in elke relatie zijn er immers geheimen, maar de hond die hij voorbij had zien rennen in het gezicht van Tatja liet hem niet los. Met kleine rukjes trok het beestje aan zijn riem. Dit is de vrouw van mijn leven, dacht hij. Met haar ga ik waarschijnlijk oud worden. Wil ik al die jaren het gevoel hebben dat er ergens een mijngang is waar we niet mogen komen?

'Ik wil je baas niet zijn,' zei hij in de tram. Ze waren naar een voormalige overslagloods geweest waar Peruaanse en Noorse kunstenaars gezamenlijk cultuurverbindende bouwwerken van houtlijm en etensresten hadden gecreëerd. De deprimerende omgeving van het havengebied had hem uitgeput.

'Hoe kom je erbij dat ik een baasje zoek?'

'Is dat niet zo dan?'

'Ik geloof het niet,' antwoordde ze na een tijdje. 'Ik weet niet waar het vandaan komt.' Ze werd rood. Het blozen was zo in tegenspraak met haar donkere kant – de kant die om klappen vroeg – dat het Deus ontroerde.

'Jij hebt ook geheimen, diep in de catacomben van die verkeerstoren van je,' zei ze. 'Of wou je dat ontkennen?'

'Nee, hoor.'

'Je ontkent het niet.'

'Jawel. Geen geheimen. Ik vrees dat ik vrij saai ben.'

'Ik denk dat je het mis hebt. Wedden?'

'Prima,' zei hij overmoedig.

'Die keer op het strand, met Eelco en Giacomo. Waarom wilde je niet zwemmen?'

Vanwege het afvalwater van Hoogovens, wilde hij zeggen, maar dat was niet waar. 'Dat kwam door mijn onderbroek,' zei hij. 'Het was een slobbergeval. Ongeschikt voor de zee. Niet handig wanneer je voor de eerste keer met een paar leuke mensen hebt afgesproken.'

'We waren allemaal bloot.'

'Niet allemaal. En ik ben nogal preuts.'

'Is dat geheim?'

'Toen wel. Nu niet meer.'

Ze stapten uit, de halte was vlak bij zijn huis.

Tatja schakelde naar een hogere versnelling. 'Ik weet zeker dat er een paar seksfantasieën in je kelder liggen. Ik heb de mijne laten zien. Wat is de jouwe?'

'Hoe kom je daar nou bij?'

'Het is zo.'

'Welnee.'

'De essentie van een liefdesrelatie is dat je kwetsbaar durft te zijn. Wees eerlijk.'

'Goed dan. Er zijn inderdaad een paar fantasietjes.' Nu was het zijn beurt om rood te worden.

'Kom op.'

'Eh, moet dat?'

'Ja, dat moet.'

Voor hem uit besteeg ze de trappen naar zijn zolderappartement, vier keer veertien treden keek hij naar haar hakken en dacht: ik doe het niet, maar boven schonk ze twee glazen wijn in, ging tegenover hem zitten en zei: kom op.

Hij vertelde het. Twee meisjes die elkaar zoenen, de een donker, de ander blond of kastanjebruin, die elkaars borsten strelen, met hun tong rond een navel gaan, langs de zoom van een slipje, en die daarna elkaars geslachtsdeel betasten.

'Hm.' Ze keek Deus neutraal aan. 'Dat is het?'

Nee, dat was niet alles, maar Deus geneerde zich voor de pornofilm in zijn hoofd. Hij dwong zichzelf het hardop te zeggen: de broekjes gingen uit, er verdwenen tongen in schaamspleten, er werd heftig geschaard en gekreund, en ten slotte kwam er een man binnen die mee ging vrijen en zijn penis in hun monden stopte. Op het moment dat hij klaarkwam spoot hij eerst een beetje zaad bij de een naar binnen, en daarna, na een paar snelle stappen, nog wat bij de ander.

Tatja zweeg. Hij durfde haar niet aan te kijken.

'Die man ben ik,' voegde hij er nog aan toe, zijn blik gericht op de grond.

Ze bleef even zitten, schijnbaar afwezig tikte ze met het topje van haar wijsvinger tegen haar onderlip, alsof ze een ingewikkeld wiskundig vraagstuk moest oplossen. Uiteindelijk stond ze op en pakte haar tas. 'Ik geloof dat ik dit liever niet had geweten,' zei ze terwijl ze naar de deur liep. 'Ik bel je nog wel.'

Hij bleef achter in zijn toren met de nu lege kelder en wilde dat hij zijn tong had afgebeten in plaats van zich ertoe te laten verleiden een keer eerlijk te zijn.

In de week die volgde op zijn pornofilmbekentenis probeerde hij haar te bellen. Twee, drie keer op een dag. Ze nam niet op. Toen het bandje van haar antwoordapparaat vol was, pakte hij zijn fiets en reed naar haar huis. Het was een kille regenachtige ochtend, de pijpen van zijn spijkerbroek waren na honderd meter al doorweekt.

Puck deed open, in kamerjas. 'Tatja is er niet.' Ze leek niet van plan hem binnen te laten. 'En ik weet ook niet hoe laat ze terugkomt,' voegde ze eraan toe, kennelijk om te voorkomen dat Deus binnen op haar ging zitten wachten.

Hij probeerde haar stemming te peilen. Had Tatja haar op de hoogte gebracht van zijn gênante fantasietje? Het was moeilijk te zeggen, ze nam hem op met haar normale, licht vijandige gereserveerdheid.

'Ik heb al een tijdje niets van haar gehoord,' probeerde hij. 'Gaat het wel goed met haar?'

'Ja hoor, prima. Hebben jullie ruzie dan?'

'Heeft ze daar niets over verteld?'

'Nee.' Puck keek verontrust. De blik van iemand die ergens buiten gehouden wordt.

'Geen ruzie,' improviseerde hij. 'Meer een verschil van inzicht.'

'Waarover?'

'Iets technisch.' Strikt genomen klopte dit. Wederzijdse ontboezemingen over wat je het meeste opwond, waren in essentie niets meer dan een uitwisseling van informatie, zij het dan van de meeste intieme soort. In feite zou je menselijke communicatie heel goed kunnen classificeren in een paar hoofdgroepen, dacht hij, terwijl de regen op zijn rug en schouders sijpelde. Diametraal tegenover intimiteiten stonden:

1. Spreekverplichtingen. De noodzaak tot beleefd, oppervlakkig contact aan de ontbijttafel, bij de koffieautomaat of een geopende voordeur: Goeiemorgen. Ik moet weer verder. Hoe gaat het? Lekker weer. Nog een fijne dag.
2. Dagelijkse vragen aan buitenstaanders: Hoe laat is het? Mag ik een half volkoren? Waar heb je die hippe tas gekocht? Weet u op welke verdieping Interne Geneeskunde zit?
3. Zakelijke info: Wanneer is mijn deadline? Hoeveel korting zat er op die tas? Ik heb een andere visie op dit beleid. Kunt u mij doorverbinden met uw chef?

4. Dagelijkse vragen thuis: Wat zullen we vanavond eten? Mag ik eerst douchen? Wie heeft mijn schoenen gezien? Volgens mij is het jouw beurt om de hond uit te laten.
5. Affectieve berichten: Wat heb je lekker gekookt. Je ziet er geweldig uit. Dat je de auto daartussen krijgt! Zullen we naar bed gaan?
6. Afwijzende meldingen: Ik vind dit niet zo fijn. Ik hou niet van pizza. Je ruikt uit je mond. Misschien is het beter als we een tijdje uit elkaar gaan.
7. Emotionele mededelingen: Rothoer. Kutwijf.
8. Geheimen: Met dit apparaat kunnen we alle berichten van de vijand decoderen. Prop je lul erin en sla me. Laten we Puck vragen of ze mee wil doen aan een triootje.

Meer hoofdgroepen waren er niet. Het was een absurde opsomming waar zijn hoofd mee bezig was terwijl de rest van zijn lichaam op de stoep stond tegenover een dame in kimono. Maar toch dacht hij: ik moet hier een keer iets mee doen.

'Deus? Ik weet dus niet wanneer ze terugkomt.' Ongeduldig kruiste Puck haar benen, kennelijk had ze last van de tocht die van de koude straat langs haar blote kuiten waaide.

'Wat voeren jullie de hele tijd uit in de weekends?' vroeg hij.

Puck maakte zich los van de deurpost. 'Wat bedoel je? In de weekends is ze toch bij jou?'

'Zelden. Vanwege jullie abonnement op de zondagochtendconcerten.'

'Concerten? Ik heb de pest aan klassieke muziek.'

Ze waren allebei even stil.

'Als ze niet bij mij is, en ook niet bij jou,' zei Deus, 'waar zit ze dan?'

Het was niet zo dat ze een voet verzette en dat haar been daardoor zichtbaar werd in de split van haar peignoir. Ze stond er heel zedig bij toen ze haar hand uitstak. 'Kom even binnen.'

Dat zou werkelijk het stomste zijn wat hij zou kunnen doen, wist hij.

'Heb je zin in koffie? Je bent kletsnat.'

'Nee, hoeft niet. Ik moet weer verder.' De enige reden dat ze hem uitnodigde was om hem uit te horen, te fileren, binnenstebuiten te keren.

'Jezus Deus, kom nou binnen. Ik heb ook muffins.'

'Heel aardig, maar nee, echt.' Hij gebaarde naar zijn fiets die verderop tegen een lantaarnpaal stond alsof hij hem niet langer kon laten wachten.

'Zoals je wilt. Heb je nog nagedacht over mijn voorstel?'

'Daar heb ik inderdaad over nagedacht. Ik denk niet dat het iets wordt.'

'O?'

'Het zou een wonderlijke toestand worden, vrees ik, als jij me elke maand geld gaat geven. Dan is het net alsof ik bij je in dienst ben.'

'Doe niet zo gek. Zie het als een toelage. En je hoeft er niets voor te doen. Alleen iets voor te laten.'

'Precies. Jij draagt mij iets op. Dat maakt van mij een soort werknemer.'

'Nee, hoor.'

'En jij mijn werkgever. Dat voelt niet goed.'

'Stel dat ik het bedrag zou verhogen naar, zeg zevenhonderd gulden?'

'Dan nog niet.' Wat dacht ze wel? Hij was niet te koop.

Hij fietste naar het einde van de gracht en bleef besluiteloos op de brug staan wachten, in de ijdele hoop dat Tatja nog kwam. Vanwaar hij stond kon hij haar flessengroene voordeur net zien. Had ze een andere minnaar? Minnares?

Als voorheen stond hij bij haar huis te posten, in de regen, alsof er in de tussentijd niets was gebeurd, en Tatja en Puck nog steeds het onbereikbare en ongenaakbare duo waren van de eerste taalwetenschapcolleges. Langzaam raakten zijn schouders doorweekt, zijn rug, zijn armen. Hij had het gevoel stil te staan in de tijd, terwijl Amsterdam zich langs en om hem heen haastte, de hijgende fietsers die de brug namen, de zuchtende auto's; hun ruisende banden op de natte bestrating, het zwiefzoeven van de ruitenwissers, het holle tikken van druppels op passerende paraplu's, af en toe de zwaardere brom van een vrachtbusje, een claxon verderop vanaf de Rozengracht, het geluid van een rondvaartboot die een bocht in draaide. Hij wist niet hoe lang hij daar stond, zijn blik gericht op Tatja's deur, hij merkte niet eens dat het stopte met regenen. Wat wilde hij? Een eerlijke relatie? Zo een waarin je geen geheimen voor elkaar had en het niet uitmaakte wat je deed en je kon gaan zwemmen met een lubberende onderbroek, omdat het voor de ander niet ging om de buitenkant? Maar wat was zijn binnenkant waard? De enkele keer dat hij iemand daar een blik gunde, bleek er een vies kistje te staan met allerlei ranzige gedachten. Misschien, dacht hij, was dit het moment om te stoppen, het was gezonder voor allebei, ook Tatja had haar beduimelde doosjes.

Wat zou er gebeurd zijn als hij op dit moment zijn rug gekeerd had naar de PTT met haar onbetrouwbare en instabiele bedrijfsfilosofie en de brug was af gereden, met dezelfde vaart als waarmee zijn verhouding met Tatja ooit begonnen was? Hij had geen tijd om erover na te denken, want plotseling kwam ze de hoek om fietsen, precies zoals hij het zich had voorgesteld, aan de overkant van de Bloemgracht, in haar donkere parka, het zwarte haar in vochtige slierten langs haar wangen.

Hij rende haar tegemoet, in een impuls, helemaal vergetend dat het fietsend veel sneller zou gaan. Naarmate de afstand tussen hen kleiner werd, kon hij haar gezicht beter zien en zag hij dat de mascara rond haar ogen was uitgelopen, meer nog dan anders leek ze een smartelijke protagoniste uit een klassieke tragedie, en dat had een waarschuwing moeten zijn. Maar toen had ze hem al vast, huilde zijn natte schouder nat en mompelde hij: hetisgoed, stilmaarhetisgoed.

Ze stopte met huilen, verborg haar hoofd nog even in zijn kraag, en hij vroeg: 'Waar ben je elke zondag?'

'Mahler.' Ze maakte zich los en ze liepen naar de brug waar zijn fiets stond.

Zwijgend stapte hij op, het leek vanzelfsprekend dat ze naar zijn huis gingen. Toen hij de hoek omsloeg zag hij Pucks hoofd uit het raam. Ze riep iets. Hij reageerde niet. Tatja scheen niets te zien. In zichzelf gekeerd hing ze gebogen over haar stuur en duwde met moeite de pedalen naar beneden, alsof er een heftige tegenwind stond.

Ze sliep de hele dag. Om vijf uur 's middags maakte hij haar wakker en fluisterde in haar oor: 'Je hebt helemaal geen abonnement voor het Concertgebouw.'

Ze trok het dekbed over haar hoofd. 'Nee.'

'Waar ga je dan naartoe? Puck heeft ook geen idee.'

'Ik vertel het je nog wel. Het is privé.'

'Oké,' besloot hij groothartig. 'Sorry van laatst. Ik schaam me over de natte droom waarin jij figureerde.' Hij ging een eitje voor haar bakken.

'Vind jij dat wij vreemder zijn dan andere mensen?' vroeg ze toen ze hem een tijdje had liggen observeren vanuit bed.

Hij perste vers sinaasappelsap. Een parttime drugsdealer en een weeskindje uit Kabul die zich bezighielden met de zinloze studie van een imperfecte, overbodige taal. 'Nee,' zei hij, terwijl hij op het bed ging zitten en haar de jus d'orange overhandigde. 'Ik denk niet dat wij heel raar zijn.'

Ze keek hem aan over de rand van haar glas. Ze bedoelde de seks natuurlijk.

Hij beantwoordde haar blik.

Ze zeiden niets.

Ze stond op en ging douchen.

Deus luisterde naar het geruis en gegorgel van het water en vroeg zich af of ze nou een pact hadden gesloten. Het leek erop dat ze hun respectievelijke kluisjes dicht lieten. En dat was misschien ook wel het beste. Tatja torste een verleden mee dat hij niet kon overzien, met neergeschoten ouders, warlords achter elke heuvel, een opvanghuis in oorlogstijd, waar kinderverkrachtingen wellicht aan de orde van de dag waren geweest. Wie wist wat haar daar overkomen was? Wie wist hoe ze als kind was omgegaan met haar trauma?

Ze kwam de badkamer uit met een handdoek om haar hoofd en zei: 'We moeten praten.'

Goed, dacht hij. Logisch. Ze ging hem uitleggen hoe het was geweest; om als klein meisje geconfronteerd te worden met baardige mannen en grote, ongewassen geslachtsdelen, hoe het gemis aan ouders, liefde en aandacht uiteindelijk vorm had gekregen in een heimelijke, masochistische wens die zich op momenten van grote seksuele opwinding soms onweerstaanbaar openbaarde. Hij zou het luisterende en begrijpende oor zijn waar ze behoefte aan had. Maar hij ging haar niet meer slaan met een natte lap.

'Het is niet gezond,' begon ze.

Nee, knikte hij meelevend. Maar wel voorstelbaar.

'Hoe kom je aan het idee dat we dat leuk zouden vinden, Puck en ik, jouw sperma tegelijkertijd in onze monden?'

Overschakelen, dacht hij. U-bocht, ruk aan het stuur. Het ging opeens over hem. 'Eh, ik heb het een keer gezien geloof ik. Op de pay-tv van een fout hotel. Op de een of andere manier is het blijven hangen. Helemaal verkeerd natuurlijk.'

'Waar bevinden we ons?'

'Wat bedoel je?'

'In je fantasie. Hoe liggen we erbij?'

Ze wilde details weten. Hij kon nog doen alsof hij het niet zo helder voor zich zag, de hele situatie bagatelliseren, alsof hij het allemaal niet zo belangrijk vond. 'Nou...'

'De waarheid.'

Hij aarzelde. Wat hadden ze daaraan, aan de waarheid? Aan de andere kant: wat hadden ze aan leugens? Ze bezag hem kritisch, hij had het gevoel voor een belangrijk examen te zitten. Als hij wilde dat deze relatie zinvol en diep en vertrouwd werd moest hij tot het gaatje gaan.

'Op een tafel. Heel stevig. Een stalen frame met spoorbielzen.'

'En jij? Waar ben jij?'

'Ik sta ernaast.'

'Jouw kruis op de hoogte van ons gezicht.'

'Ja.'

'Het is een zeer vrouwonvriendelijke positie.'

'Het spijt me. Ik kan er niets aan doen.'

‘Ruggelings op een tafel. Lekkere hapjes, moet ik daaraan denken?’

‘Een vrouw is meer dan een lekker hapje, dat weet ik echt wel. Maar in de erotiek vernauwt het perspectief zich soms tot banale proporties.’

‘Jouw lesbo-ejaculatiescène is tamelijk vernederend, voor ons.’

‘Dat is niet de bedoeling, echt niet.’

‘Je maakt vagina’s van onze monden, dat besef je toch? Sperma is bedoeld voor de onderste opening.’

‘Je hebt helemaal gelijk.’

‘Slikken we het door?’

‘Wat?’

‘Ja, wat zou ik nou bedoelen?’

‘O, dat. Meestal wel. Sorry.’

Ze bestudeerde hem zwijgend.

Hij keek weg, weer terug en weer weg, wachtte op de minachting die hij verdiende. Mijn moeder is ook heel vroeg gestorven, had hij nog willen zeggen, ik heb ook een beetje recht op een trauma, zeker met een vader die me bij voortduring van de wal in de sloot hielp, mijn hele kindertijd lang. Weliswaar was het geen weeshuis, van seksueel misbruik kon hij zich niets herinneren, maar dat wilde niet zeggen dat het niet had plaatsgevonden. Het zou een hoop verklaren, dacht hij.

Ze kwam overeind en draaide weg, hij kon haar gezicht niet zien. Ze gooide de handdoek over een stoel, schudde het haar los en vroeg: ‘Zal ik Puck bellen?’

Hij schrok.

‘Dat wil je toch? Ons tweeën op de tafel?’

‘Eh...’

‘Of durf je niet?’

Hij zei niets.

Ze bestudeerde hem een tijdje en zei toen: 'Juist. Dat dacht ik al.' Ze liep de trap af naar beneden en liet hem opnieuw achter in grote onzekerheid.

*

Hij hoorde de deur van de wachtruimte opengaan en duwde zichzelf overeind.

De bebakkebaarde douanier was in gezelschap van een forse man in burger.

'Ammerskold?' Hij wapperde met het paspoort.

Deus knikte. 'You made me miss my train. Why?'

'Iran'dan mı geliyorsunuz?'

'Sorry, I don't speak Turkish.'

'Iran'dan geldiniz de vizeniz yok. Nasıl olur?

'I don't understand.'

De man klapte het paspoort open en hield het voor Deus' gezicht. 'Hani vize?'

'Yes, yes. My passport, it's wrong. I know. I'm sorry.'

'Okay.' De man stak het in zijn binnenzak. Hoewel hij een halve kop groter was dan Deus, had hij een opvallend klein gezicht. Het voorhoofd met de wijkende haargrens vormde een wonderlijk contrast met de grote, contourloze kin die rechtstreeks uit de nek leek voort te komen. Ogen, neus en mond lagen dicht bij elkaar, alsof ze geplet werden tussen twee grotere broers. 'Dikkat etmelisin,' zei hij.

Dikkat. Wat zou dat betekenen?

Pletmans greep zijn bovenarm en leidde hem naar buiten. De mannen staken het spoor over en brachten hem naar de achterkant van het kantoorgebouwtje. Daar stond een witte personenauto, zijn koffer ernaast.

'Where are we going?' vroeg hij.

'Seni Van'a götürürüz.'

Deus wilde zijn reservevoorraadje tramadol uit de koffer pakken, maar dat mocht niet. Hij moest op de achterbank gaan zitten en zijn mond houden, Bakkebaard naast hem. Pletmans schoof achter het stuur.

Zwijgend reden ze door het boomloze, bruine landschap, de zon in hun rug. We gaan in ieder geval naar het westen, dacht hij. Als we een beetje opschieten halen we die klotetrein misschien wel in.

Ze waren de enige auto op de weg, ronkten door een dorpje, daarna een halfuur langs andere kale heuvels, ook bruin, weer een dorpje, ze kwamen een landbouwmachine tegen en daarna een bestelbusje, vervolgens een onduidelijke buitenwijk met morsige laagbouw. Van, zag hij op een bordje bij een veldje staan. Drie autowrakken langs de weg en een paar honden; hoofdstad van een machtig bergrijk. Het lag tegen een heuvel, een stadje zonder poespas met saaie, vierkante huizen, de meeste waren drie of vier verdiepingen hoog. Weinig groen. Een winkelstraat met juweliers, schoenenzaken, een drogisterij. Een Vodafonereclame: beschaving. Tussen twee flats zag hij het meer. Een uitgestrekte schijf donker azuur, glinsterende, eeuwige sneeuw op de toppen rondom.

Het politiebureau lag vlak bij de kleine haven, ze fouilleerden hem bij de portiersbalie, de envelop met het geld van dokter Riahi, Reza's usb-stick en de pijnstillers gingen in een plastic zakje met treksluiting en verdwenen in een la.

Ze brachten hem naar een kantoortje op de eerste verdieping. Een drietal politiemensen in burger zat achter stalen bureaus te werken. Ze wezen naar een stoel bij de muur en negeerden hem verder. Op een klein tafeltje lagen wat folders over de stad, in het Engels en Duits. Hij dacht na over zijn opties. Ze hadden dus ontdekt dat hij op een vals paspoort reisde. Hij had geen idee welke sancties daarop stonden, maar vroeg of laat zouden ze de ambassade bellen en dan was het een kwestie van tijd voordat ze hem kwamen halen. De Nederlandse overheid zou een van haar burgers echt niet in een Turkse gevangenis laten creperen omdat hij een verkeerd papiertje bij zich had.

De politie in Van had het kennelijk heel druk. Na twee uur zat hij er nog steeds. Hij had honger, zijn hoofdpijn kwam onvermijdelijk opzetten. Toen hij overeind kwam om naar zijn medicijnen te vragen, hield iedereen op met werken en werd hij terug gedirigeerd naar zijn stoel.

'But I need my painkillers. Please.'

'Yerinize oturun lütfen.'

'They took my pills. Please give them back.'

'Yerinize oturun.'

Hij moest weer gaan zitten. Ze lieten hem nog drieënhalf uur wachten. De linkerkant van zijn hoofd werd stijf en hard als een aambeeld, zijn oor klopte en gloeide alsof het in brand stond. Hij moest de folderteksten over Van vier keer lezen voordat hij begreep wat er stond. Het meer werd omsloten door hoge bergketens. Het was onmogelijk gebleken om er een spoorlijn aan te leggen, dus treinreizigers werden per pont vervoerd, samen met de bagagewagons. Aan de overkant stond een andere trein klaar, voor het resterende stuk naar Istanbul. Het Vanmeer hoorde bij de drie legendarische Binnenzeeën van Armenië en bevatte zoveel zout en soda dat je er de was in kon doen zonder zeep. Al millennia was er nauwelijks leven mogelijk, er groeiden geen planten in, het kon veertig graden onder nul zijn, maar het water bevroor nooit. Het enige visje dat erin slaagde een tijdje in leven te blijven was klein en doorzichtig en werd niet groter dan vijftien, twintig centimeter. Het smaakte naar afwasmiddel.

Uiteindelijk kwam Pletmans terug. Hij droeg nu een uniform met een naamplaatje op de borstzak. Gilmez. Deus werd naar een ander kantoor gebracht, kennelijk van een superieur, want er moest geklopt worden en eerbiedig gewacht tot er een kortaf *Buyurun* klonk en ze naar binnen konden. Weer een bureau, strategisch geplaatst aan het einde van de ruimte, zodat de binnenkomer het maximale aantal nederige meters moest afleggen.

Een vermoeid ogende zestiger met wit haar en een ouderwetse bril zat naast een ventilator en bestudeerde Deus' papieren. Een zwart bordje met witte letters vermeldde dat dit het kantoor was van dr. T.M.H. Kozul. Deus vroeg zich in stilte af waar deze meneer dan in afgestudeerd was, dat hij nu in een politiebureau naast een ventilator mocht zitten. De doctor liet hen een tijdje staan en vroeg ten slotte, zonder Deus aan te kijken: 'Van'a ne diye geldiniz?'

'I don't speak Turkish, sorry.'

'Hayır.'

'English? German? French?'

'Hayır. Türkiye'de ne işiniz var?'

'I really don't understand what you're saying. Please let me call my embassy.'

'Mr. Hammarskald, three years ago.' Kozul zocht naar de juiste woorden. 'You were. Arrested. In Istanbul, tanrı'ya hakaret.'

'I'm not Jurgen Hammarskald. It's not my passport. What is tanrıyahakaret?'

'You know it.' Hij zocht opnieuw naar de goede woorden. 'Blasphemy.'

'What?'

'You insulted Mohammed. You were convicted. By mahkeme. The court. You were released after paying bail.'

Jurgen was veroordeeld wegens godslastering. Deus kreeg de neiging om heel hard te gaan lachen, maar hield zich in.

Kozul raadpleegde een computeruitdraai. 'After that. You left the country. Illegal.'

'I know nothing of that.' Van de weersomstuit drukte hij zich ook in steenkolenengels uit.

'We have to arrest you again.'

'No, no. You don't understand.'

'You must to pay the fine.'

'I have done nothing wrong.'

'Yes, you have. Pay the fine. Ten thousand Turkish lira.'

'How much is that?'

Kozul sloeg een paar toetsen aan op een rekenmachine.

'Nearly five thousand euro. Or thirtheen months in prison.'

Ze brachten hem naar een kleine verhoorkamer en lieten hem alleen. Er stond een tafel met twee stoelen. In de deur zat een kleine ruit van onbreekbaar draadglas. Soms kwam er iemand voorbij. Hij klopte op het raam, schreeuwde, maar niemand besteedde enige aandacht aan hem. Hij liep een paar machteloze rondjes, ten slotte restte hem niets anders dan te gaan zitten. Hij legde zijn hoofd op het tafelblad. Het was langer dan vierentwintig uur geleden sinds hij een beetje had geslapen.

*

Net op tijd kwam hij de collegezaal binnen, hij had maar een paar seconden nodig om haar rug te herkennen, een paar rijen voor hem. De hoogleraar begon met een citaat van Du Perron, Deus hoorde het maar half. Voor semantiek had hij nooit lager dan een negen gehaald, maar de stof verveelde hem, zoals gewoonlijk. Hij snapte niet waar iedereen zo moeilijk over deed. Over tien jaar, aan het begin van het nieuwe millennium, waren alle differentiaties vergeten waar nu zoveel woorden aan werden gespendeerd. Omdat er nog maar één universele taal zou zijn in de beschaafde wereld: waarschijnlijk een meer toegankelijke vorm van MS-DOS of een doorontwikkelde grafische variant. Mensen zouden voornamelijk via afkortingen met elkaar communiceren, niemand zou nog geïnteresseerd zijn in teksten waarbij je op zoek moest naar de betekenis van een beeldrijm of een metafoor. Behalve een kleine groep debielen die met elkaar in leesclubjes zaten. Dezelfde mensen die nu naar poëzievoordrachten gingen. Taalwetenschap kon in haar geheel naar de vuilstort. Die rug, dat was veel belangrijker. Wat ging er in haar om? Hield ze er rekening mee dat hij hier ook zou zitten? Was het een teken? Vond ze zijn lesbofantasie een onoverkomelijke aberratie? En dat kleine masochistje dat in haar zat, dan? Was een lel met een handdoek minder erg dan twee meisjes die zijn sperma van elkaars lippen likten? Was hij geestelijk niet helemaal in orde? Wat had ze bedoeld met: 'Zal ik Puck bellen?' Had ze haar studiegenoten verteld dat er tussen zijn oren een seksfilm draaide? Wat moest hij doen als Tatja straks opstond en langsliep? Hij zou vriendelijk doch afwezig knikken, alsof de hele kwestie van stereo-ejaculatie te ver weg lag om hem nog te interesseren. Hij probeerde haar achterkant te lezen alsof het een boek was. Vijf minuten geleden was die gekromd geweest, het hoofd naar beneden genegen, de armen grotendeels onzichtbaar op het tafelblad, de vingers gevouwen om een pen om een aantekening te maken. Maar daarnet was ze rechter op gaan zitten, haar lichaam, zo leek het, meer geopend naar de ruimte, haar bovenkant helde sterk naar rechts, je zag de spieren onder haar shirt bewegen toen ze haar rechterbeen over het linker kruiste, haar schouders draaiden mee, een elleboog steunde op de tafelrand van haar buurman, en nu wierp ze zelfs een blik over haar schouder. Een paar seconden keek ze hem recht aan, en toen glimlachte ze flauwtjes.

Deus was deze reactie nog aan het interpreteren toen ze haar notitieblok greep, opstond en wegliep. Zonder zich te bekommeren om wat de hoogleraar en de andere studenten ervan zouden vinden stommelde hij achter haar aan. Op de trap haalde hij haar in.

'Tat, wacht even.'

'Sorry,' riep ze zonder om te kijken. 'Helemaal vergeten dat Puck op me zit te wachten in De Knol.' Op een drafje verdween ze de hoek om.

De Knol was een vegetarisch eetcafeetje vlak bij het universiteitsterrein. Het rook er naar vochtige washandjes. Hij vertraagde, was er niet helemaal zeker van of hij dat aankon, het hoofd bieden aan de PTT in een omgeving van rapen en boekweit. Hij rookte een jointje, liep in zijn eigen tempo de honderd meter naar het eetcafé en bedacht ondertussen wat hij zou doen.

Ze zaten aan de leestafel, naast hun vruchtensap lag een envelop met een buitenlands briefhoofd, maar hij was te zenuwachtig om het goed te lezen. 'Ik moet mijn verontschuldigingen aanbieden,' zei hij.

De meisjes keken naar hem op.
'Ik heb dingen over jullie gedacht die misschien niet juist waren.'
Puck fronste haar perfecte wenkbrauwen.
'Het is niet belangrijk,' zei Tatja.
'Dat is het wel.' Het kostte hem meer moeite dan hij had gedacht. 'Het was sterker dan ik. Het was precies wat je zei...'
'Deus, echt. Het is niet nodig. We hebben allemaal onze particuliere dingetjes.'
'Het was ongezond.' Het lijkt zo makkelijk, door het stof gaan; alsof je erna alleen even hoeft te douchen om weer verder te gaan met je leven. Maar de ruwe stenen onder je knieën, de spanning in de nekwervels door het deemoedig gebogen hoofd, de smaak van zand en straatvuil tegen je gehemelte, het is allemaal echt en vernederend en heel moeilijk te verkroppen, vooral als twee mooie meisjes je aankijken alsof je niet goed wijs bent. 'Het spijt me,' fluisterde hij uit de grond van zijn hart, of tenminste, hij ging er maar even van uit dat het daarvandaan kwam.
'Hou nou even je klep.' Tatja hield de envelop omhoog. 'Puck heeft niet stilgezeten. Dit is de officiële bevestiging uit Portogruaro. Ik ga naar Venetië!'

Hij werd wakker omdat ze hem kwamen halen, uit de verhoorkamer waar ze hem ruim zes uur hadden laten wachten. Zijn hoofd was veranderd in een kloppende bol van pijn. 'I want my tramadol,' riep hij. 'And a lawyer! My name is not Hammerskald. I'm Amadeus. De Ru. Look it up. Call the Dutch embassy in Ankara, call the General Hospital in Tehran, Jurgen Hammarskald lies there in bed.'
Ze brachten hem opnieuw naar Kozul. Op het bureau

lagen zijn pillen, zijn broekriem, de usb-stick van Reza, de dollars van Riahi en de donatie van Jong Iran.

Kozul hield de usb-stick omhoog. 'Yours?'

'Yes. No. It was a gift.'

'From who?'

'A friend.'

'Do you know what's on it?'

'No.'

'I don't believe you.'

'Really, I don't know.'

Kozul knikte naar zijn begeleiders. Audiëntie beëindigd. Handen op zijn bovenarmen.

'Tell me,' zei Deus. 'What ís on it?'

'Pornografic material. Illegal.'

'I know nothing.'

'Homo erotic stuff. Very much forbidden. Not possible in Turkey.'

'Listen, I don't want it. I am not gay. I like women very much.'

'There is also a list with two hundred and thirtysix names. With addresses in Iran.'

'Please. I'm innocent. It was a present.'

'You lie. It is part of your gay network.'

Het politiebureau had geen echte kelder, hoewel het vochtige cellenblok aan de achterkant deels onder de grond zat. Als Deus uit het raam met het gewapende glas keek, zag hij op een meter afstand een hoge muur van beton. Er was nauwelijks daglicht, meer een soort permanente schemer. Er zat een knopje bij de deur dat hoorde bij een zwaar zoemende tl-buis aan het plafond, blijkbaar waren de Turkse autoriteiten niet bang dat je de schakelaar zou demonteren om met je tong op de spanningsdraden een einde aan je leven te maken.

Met heel veel moeite had Deus kunnen bewerkstelligen dat hij de ambassade mocht bellen. Daar hadden ze hem vriendelijk maar afstandelijk te woord gestaan, hij had zijn naam en geboortedatum gegeven, de verwarring over zijn paspoort uitgelegd, het misverstand over de usb-stick, en een medewerkster had beloofd contact op te nemen met de politie in Van.

Hoe had hij zo stom kunnen zijn? Reza's Jong Iran was een homoclub. Vandaar de geheimzinnigheid en het afgelegen bedrijventerrein: in Teheran werden homoseksuelen ter dood gebracht. Opeens begreep hij waarom Rahman zijn zoon op stel en sprong het land uit had willen hebben. De stick was geen cadeautje geweest. Reza en zijn vrienden wilden dat hun personalia in het buitenland bekend waren voor het geval er opnieuw homo's terechtgesteld werden.

Zijn hoofd gloeide als een supernova. Met een voorhamer sloeg de klusjesman op zijn oor. Hij probeerde zich te concentreren. Het ging niet. Kreunend liep hij een paar rondjes in zijn cel. Bewegen hielp een beetje.

Om vijf uur kreeg hij een maaltijd in een papieren zak, zo te zien van een afhaalrestaurant. Rijst, groente, deegflap, plastic bestek. Wat water. En, godzijdank, een tramadolletje. Kennelijk hadden ze besloten dat het geen kwaad kon.

Het werd donker, een tijdje probeerde hij met de tl-buis sos te seinen naar vliegtuigen die hoog boven de stad op weg waren naar de westerse vliegvelden waar je nooit moeite had om je verstaanbaar te maken, maar na een uur kreeg hij kramp in zijn vingers en hield hij ermee op.

De volgende ochtend moest hij wederom naar Kozul. Die verspilde geen tijd aan beleefdheden. 'Mr. Hammarskald. The day after tomorrow you go. To the police in Istanbul.'

Goed, knikte Deus. Istanbul was goed. Ambassades, consulaten, en ook een stukje dichter bij huis.

'The plane is leaving at 5 p.m.'

Deus hapte naar adem. 'Nonono. I cannot fly.'

'There will be someone with you.'

'You must understand. My head. There was an operation.' Hij boog zijn hoofd, streek het haar opzij rond het litteken op zijn schedeldak. 'It is forbidden by the doctors.'

Kozul werd ongeduldig. 'You must listen.'

Verwoed wees Deus op zijn kruin. 'Look, look.'

'Mr. Hammarskald, calm down. The police in Istanbul. They want to ask the questions. Country in, country out, how? You must pay the fine. It is simple. Then you go home.'

'Not Hammarskald. My name is Amadeus de Ru. From Holland. If you put me in a plane, I will die!'

'This morning, this mail.' Kozul wapperde met een A4'tje. 'From your embassy. In Ankara. You are not him. You are not mr. De Ru.'

'Yesyes. Of course I am.'

'That is not possible. Amadeus de Ru was killed last year. In Afghanistan.'

Hij trok de deur van het gastenverblijf achter zich dicht. In de gang galmde de salsadreun van boven onverminderd door.

In de lift kwam hij Henri tegen. Hij zag er verhit uit, alsof hij net de marathon had gelopen. 'Excusez,' mompelde de kleine nachtclubeigenaar. 'Meningsverschilletje gehad. Mijn dochter heeft een afwijkende visie als het gaat om de exploitatie van dit horecabedrijf.'

Hoerentent, hoerentent, dacht Rex.

'Ga je weg?' Henri wees op de tas aan zijn schouder.

'Ja. Sorry. Dank voor de gastvrijheid.' Uit zijn achterzak haalde hij drie twintigjes. 'Voor de reparatie van de auto.'

De lift stopte op de privéverdieping, Henri nam het geld aan. 'Ik denk dat ik er een nieuw sleutelkastje voor koop. Een onverlaat heeft onlangs het slot geforceerd.'

'Het spijt me heel erg. Maar ik heb een paar keer voor niks op Bieneke zitten wachten. Gisteravond opnieuw. Ze nam haar telefoon niet op, voor de zoveelste keer. Ik wilde weten wat er aan de hand was.'

'En toen ben je naar boven gegaan.'

'Ik was behoorlijk pissig.'

'En nu?'

'Ik heb geen zin om erover te praten. Hoe jullie je geld verdienen is mijn zaak niet.'

'Het gaat niet om geld. Niet alleen.' Henri maakte een gebaar naar de keuken. 'Drinken we nog een kopje koffie?'

'Ik heb geen tijd.'

'Ik wil het je graag uitleggen. Jij bent boven geweest. Jij denkt nu bordeel, betaalde seks, de hele rataplan.'

Rex gaf geen antwoord.

'Weet je wat het betekent, Circe?'

'Nee. Is nu ook niet belangrijk.'

'Het is de naam van een beeldschone zeenimf die woonde op een eiland in de Middellandse Zee. Bieneke heeft het bedacht.' Henri gaf hem een zacht duwtje in de richting van de espressomachine.

Eén kopje, dacht Rex. Dan ga ik.

'Beroemde en gevreesde helden uit de Oudheid werden stapelverliefd op haar en vroegen toestemming om bij haar te mogen slapen. Dat bleef natuurlijk niet beperkt tot een nachtje, niet zelden ontstond er een romance die weken of maanden duurde. Op den duur gingen de meesten zich echter misdragen. Ze gingen elke avond voetballen met hun vrienden, dronken alle wijn op, hadden affaires met andere vrouwen, en als ze dan 's ochtends eindelijk in Circes bed rolden, wilden ze opnieuw van bil. En als ze hun zin niet kregen, werden ze link en begonnen ze te slaan. Niks nieuws onder de zon, zou je zeggen, maar Circe beschikte over goddelijke krachten. Als straf transformeerde ze hen in beesten, meestal in iets ongevaarlijks zoals een varken. Op een gegeven moment liepen er zoveel dieren rond dat het eiland een kinderboerderij leek.'

Rex knikte afwezig, het kon hem allemaal niets schelen, maar Henri wilde van hem weten of hij de gelijkenissen zag: een legioen van verliefde mannen die om de beurt een mooie vrouw het hof maakten, maar die zich, na het behalen van de overwinning, ontpopten tot wilde zwijnen. Henri zette zijn schuimcreatie voor hem neer.

'Jullie runnen dus een varkensstal.' Het leek Rex een mooie samenvatting.

'Nee, het is een plek waar mannen varkens kunnen wórden. Maar met een halsband om. En wij houden de andere kant van de riem vast.'

‘Wat een gelul. Misschien moet u ook eens een avond met een nummer op uw achterwerk gaan rondlopen. Mag ik de autosleutels?’

‘Niemand valt nog op mij, beste jongen. Dat is wel eens anders geweest kan ik je verzekeren. Mijn rol is nu op de achtergrond.’

‘Een achtergrondpooier, zeg maar.’

‘Ik doe de boekhouding.’

Rex zei niets.

‘Ik krijg een administrateursalaris. Niet zo heel riant, moet ik zeggen. Het pand heb ik lang geleden verkocht aan de bv. Ik krijg wat rente. Dat is het. Alles wat er binnenkomt, wordt hoofdelijk omgeslagen. De meisjes delen mee in de opbrengst.’

‘En Bieneke?’

‘Wat is er met haar?’

‘Deelt zij ook mee in de winst?’

‘Zij krijgt een honorarium op basis van haar parttime inzet.’

‘Als seksmeisje of als administratrice?’

‘Dat moet je maar aan haar vragen.’

Rex was niet van plan dat te doen, hij hoopte dat hij haar nooit meer hoefde te zien. ‘Ze heeft me verteld dat u druk op haar uitoefent om de boel over te nemen.’

‘Inderdaad. Ik maak me zorgen over mijn gezondheid. Als ik in het ziekenhuis beland voor ik de boel aan haar heb kunnen overdragen, wordt er een andere beheerder aangesteld. Dat zou ik erg jammer vinden.’

‘Ze wil een reis om de wereld maken.’

‘Daarom ben ik daarop tegen.’

Rex keek hoe de mollige boekhoudpooier tegenover hem een croissant met jam wegwerkte. De opvolgingskwestie mochten ze samen uitzoeken. Hij wilde vertrekken. 'Mag ik nou mijn sleutels?'

Henri overhandigde ze. Met tegenzin, leek het. 'Weet je zeker dat je wilt gaan? Ik zou je heel graag willen voorstellen aan een paar interessante mensen.'

'Nee, bedankt.' Hij moest er niet aan denken, getverdemme, mensen die Henri interessant vond. Hij liet de lift voor wat die was en sprong met twee treden tegelijk de trappen af. Hij had behoefte aan beweging.

Buiten stond Bieneke. Ze leunde tegen het portier van de Scirocco.

'Hai,' zei ze.

Hij zei niets.

'Ik wil je graag wat uitleggen.'

'Geen tijd. Ik moet weg.'

'Mag ik een stukje meerijden? Heb een beetje ruzie.'

Hij wist niet wat hij moest zeggen. Ze zag er moe uit. Logisch.

'Ik moet naar Agah Ateş. Je komt er praktisch langs op weg naar het oosten.'

Hij zei niets.

'Ik wil een tijdje de stad uit.'

Nu pas zag hij de bagage bij haar voeten. Ze meende het.

Een echte kerel had een schop gegeven tegen die tas, overigens ook een Tatjana Toscana zag hij nu, en tegen Bieneke gezegd: pleur op sloerie, waarom zou ik jou een lift geven? Omdat je toevallig mot hebt met je ouweheer? Ga fijn uit je dak in jullie fuckclubje en bel een taxi als je zo nodig de stad uit moet. Maar Rex was geen echte kerel, hij vermoedde dat ze wel tien manieren wist om Istanbul en haar vader te ontvluchten, inclusief een Saoedische prins met een helikopter op het achterdek van een hagelwit motorjacht. Toch gaf ze de voorkeur aan een Volkswagentje. Waarom? Zou het kunnen dat ze zich niet helemaal lekker voelde over gisteravond? Had ze misschien last van een schuldgevoelentje? Maar ze zei niets. Met haar armen over de opgetrokken knieën, voeten tegen het dashboard, keek ze naar buiten toen hij de stad uit reed. 'Accelereert wel lekker. Dubbele carburateur?'

Hij zweeg en laveerde tussen het ochtendverkeer door.

Het was even stil. Ze reden heuvelafwaarts een smalle straat uit en kwamen langs een plein met een markt.

'Wil je me nog vertellen hoe dat nou precies zit, met die lesbische moeders van je?'

'Nee.' Ze had haar kans gehad. Hij ging hier niet zielig zitten doen over zijn jeugd.

'Zal ik maar uitstappen?'

'Wat je wilt.'

Ze leek er serieus over na te denken, en toen ze de afslag naar Atatürk Airport passeerden, verwachtte hij eigenlijk dat ze zou zeggen ga hier maar rechtsaf, ik pak de eerste de beste vlucht naar een leuk Grieks eiland, dat is veel aangenamer dan met jou in een auto zitten, maar dat deed ze niet, in plaats daarvan zei ze: 'Je bent boos.'

Hij haalde een paar auto's in.

'Teleurgesteld. Gekwetst.'

Hij was het alle drie maar zei niets, want hij wilde dat allemaal niet zijn. Hij was verliefd op een prostituee, op zijn best een heel dure callgirl, ze zou lachen om zijn jaloezie. Koel en cool, daar moest hij zich aan vasthouden, dus toen ze vroeg of hij honger had mompelde hij mwah en reed door. Een eetpauze zou betekenen tegenover elkaar zitten en niet kunnen wegkijken en de hele tijd moeten denken aan waarom dat gezicht en dat lichaam te huur waren voor iedereen die wat geld had gespaard. In een auto hoefde dat allemaal niet, daar moest je de blik op de weg houden. Ze reden een heuvel af vol flatgebouwen.

Bieneke keek naar buiten. 'Ik had het misschien moeten zeggen.'

'Ach.'

'Maar ik was bang dat het je af zou schrikken.'

Weer deed hij ach, alsof het hem niet zoveel uitmaakte wat ze deed, 's avonds.

'Heeft Henri het je uitgelegd?'

'Ik weet niet of ik het goed begrepen heb. Hij vertelde dat hij alleen af en toe de cijfers deed.'

Ze moest lachen. Haar vader deed wel wat meer dan alleen dat.

'Ik hoef het niet te weten.'

'Waarom niet? Het is gewoon werk.'

'Wat Henri doet? Of wat jij doet?'

'Allebei.'

'Ik wil er niet over praten.'

'Oké, dan niet. Ga je naar Iran?'

'Gaat je niks aan.'

'Ook goed.'

Een tijdje zeiden ze niets. De afstand tussen hen was sinds de vorige avond onmetelijk gegroeid. Hij was een schoolverlater in een tweedehands vw, zij een beroepssloerie die cocktails dronk met oliesultans in privéjets. Een halfuur keken ze naar buiten: huizen, winkels, flats. Eigenlijk was er niet zoveel te zien, maar alles was beter dan praten. Het ging niet snel, het verkeer kroop van kruising naar kruising, na de woonwijken kwamen de bedrijventerreinen, de doorstroming werd iets beter, hij zag dat Volvo en UPS vestigingen hadden in Turkije.

'Ik heb hier nog geen één Zweedse auto gezien,' zei hij toen maar.

'Wat?'

'Laat maar.' Hij wilde niet de kans lopen dat ze straks zou zeggen: tuurlijk rijden hier Volvo's, wat denk je nou? Ik ben een keer opgehaald door een v70, met verlengd chassis, ik denk dat het de ambassadeur van Chili was. We hebben het op de achterbank gedaan, ik geloof dat we met z'n drieën waren. Hoop ruimte hoor, en heel veilig, vanwege het composietstaal in de portieren.

'Vind je het leuk, je werk?' vroeg hij, ondanks zijn voornemen er niet over te beginnen.

'Soms wel, soms niet.'

'Wanneer niet?' Achter zijn luchtige toon zeurde het sarcasme.

'Maakt het verschil?'

Dat niet, moest hij toegeven. Het was allebei even weerzinwekkend. Hij keek strak voor zich uit en had spijt dat hij haar had laten instappen.

'Die exclusiviteitsgedachte die nu door je hoofd gaat, staat heel veel mooie dingen in de weg,' zei ze.

Hij had geen idee waar ze het over had.

Ze probeerde het hem te vertellen, de nuances van haar werk. 'De huidige perceptie van seksualiteit is verwrongen. Het hele idee dat mannen en vrouwen voor elkaar bestemd zijn is een achterhaalde opvatting.'

Hij wilde het niet horen, maar het probleem van autorijden is dat je moeilijk vingers in je oren kunt stoppen, tenminste, als je achter het stuur zit. 'Dus liefde bestaat niet?'

'O, ja. Zeker wel. Maar anders dan jij denkt. Jij verbindt gevoelens van aanhankelijkheid, verlangen, geborgenheid en seksuele drift aan bezitsdrang en noemt dat hartstocht.

Dat doe je onbewust, want je bent geconditioneerd door vierduizend jaar monogamie. Je dénkt dat je niet op twee meisjes tegelijk verliefd kunt zijn. Maar de liefde die ik bedoel, beperkt zich niet tot één persoon.'

Hij zei niets. Wat moest hij hierop antwoorden? Ten slotte vroeg hij: 'Waarom heb je ruzie met je vader?'

Ze zweeg, keek naar buiten. Na een tijdje zei ze: 'Hij weet niet waar de grens ligt.'

'Wat bedoel je?'

'Hij regelt de jongens.'

Hij knikte. Met luid geraas vielen er een paar puzzelstukjes op hun plaats.

Ze wees naar rechts. 'We moeten de volgende afslag hebben.'

Aan beide kanten van de autoweg trok de lelijkste woonarchitectuur voorbij die hij ooit had gezien, het overtrof zelfs de troosteloosheid van Sofia. Alle betonnen dozen leken op elkaar, alles was goedkoop en eenvormig. Heel af en toe werd de geometrische wanstaltigheid doorbroken door de koepel van een moskee.

'Soms krijg ik het gevoel dat het Henri alleen maar om het geld gaat,' zei ze.

'En dat kan jou niks schelen, natuurlijk.'

Ze negeerde zijn cynisme. 'Naastenliefde is een uitgehold concept geworden, een paar muntjes in een collectebus, een automatisch overschrijvinkje naar Amnesty; en we denken dat we dan iets gedaan hebben voor een ander. Maar voor mij is dat niet genoeg. Voor mij gaat de liefde veel verder.'

Hij wierp een snelle blik opzij.

'Kijk niet zo serieus. Het is niet het einde van de wereld.' Bieneke lachte. Tussen de huurkubussen schitterde de Bosporus in de ochtendzon, in het tegenlicht leek het alsof haar hoofd zich in het middelpunt bevond van een stralenkrans.

DEUS

Hij had het niet geloofd. Notpossible, notpossible had hij geroepen.

'I am sorry, mr. Hammarskald.'

'My name is De Ru. De Ru. De Ru.'

'You are wrong.'

'Not wrong. My name is Deus. Echt waar, believe me.'

Ten slotte had dr. Kozul hem een afdruk overhandigd van het ambassadebericht dat hij die ochtend ontvangen had.

To: Polis Van
Att: Karakol dr. T.M.H. Kozul
Urutha Kaddesi 246, Van

Hollanda 21-9-68 doğumlu Amadeus de Ru'nun kimlik tespitine dair talebiniz üzerine sözkonusu şahısın Afghanistan'da, Hollandalı askerlerin Tarin Kowt'da bulunduğu arada kaçırıldığını ve kendisinin ölümüne dair rapor alındığını bildirmek zorundayız.

Regarding your request concerning identification of Amadeus de Ru, born 21-9-68 in the Netherlands, we have to inform you that mr. De Ru has been kidnapped in Afghanistan during the presence of Dutch troops in Tarin Kowt, and was recently reported dead.

Het was ondertekend door een attaché, droeg het logo van Buitenlandse Zaken en de Ambassade van het Koninkrijk der Nederlanden in Ankara, en het stond er zwart op wit, in twee talen. Reported dead, in Afghanistan. Onderstreept. Hij kon er niet omheen en moest gaan zitten. Tussen de lichtflitsen in zijn hoofd schitterden besneeuwde heuvels, een uitslaande brand in een donkere nacht, twee ogen achter een chadorvenster. Waren dit zijn eigen herinneringen, of beelden uit een film die hij ooit gezien had? Hij kneep zijn ogen dicht, een vergeefse poging om de hoofdpijn buiten te sluiten zodat hij kon nadenken. Er was iets met een buitenlandse reis die hij ondernomen had, maar die was naar Troje geweest, daar was hij zeker van. 'Maybe it's a movie,' zei hij.

Hij herinnerde zich een militair kamp. De roestende containers waren in tien jaar van strijd onderdeel geworden van het roodbruine, rotsige landschap. Hij wist niet meer precies waar het was, in die tijd vlogen ze hem overal naartoe, maar hij nam aan dat het in de buurt van de Pakistaanse grens geweest was, want de medewerkers van het cateringbedrijf dat de eetzaal exploiteerde spraken onderling allemaal Sindhi. Er was een roodharige Amerikaan, zijn naam schoot hem nu moeiteloos te binnen: Ralph. Hij nam Deus mee naar een streng bewaakte ruimte – drie, vier keer moesten ze hun badges laten zien – en stelde hem voor aan twee militairen en een jongen in spijkerbroek en sweatshirt die op de achterkant van een pen zat te kauwen.

Ze hadden een probleem. In Abbottabad, een stad net over de grens, woonde een belangrijke en zeer gevaarlijke terrorist. Tenminste, dat dachten ze. Ze wisten het niet zeker. Wat ze wel wisten, was dat deze man regelmatig contact moest maken met het terreurnetwerk waar hij leiding aan gaf. Hij moest dus af en toe van een computer gebruikmaken, of van een telefoon, of van een koerier. Of alle drie. Het dagelijks dataverkeer in en uit Abbottabad was weliswaar niet te vergelijken met dat van een stad als Londen of Los Angeles, maar toch te omvangrijk om er net dat ene bericht uit te filteren van de persoon die je zocht.

'De luitenant hier werkt bij een speciale eenheid die voornamelijk bestaat uit hackers, maar dan in een uniform,' zei Ralph. 'En Edward' – hij legde zijn hand op de schouder van de bebrilde jongen – 'weet alles van het synchroniseren van zendmasten. Officieel is hij niet in Afghanistan, de Agency heeft hem een maandje uitgeleend omdat we ten einde raad zijn. En de kolonel daar wordt geacht een en ander te coördineren.'

Ze vertelden hem over afluisterprogramma's met exotische namen als Paradise Vision en Black Elise. Software die informatie verzamelde van internet en telefoonservers en in hapklare brokken klaarlegde voor gespecialiseerde zoekmachines. Maar als je de boef op heterdaad wilde betrappen terwijl hij in een Pakistaanse provinciestad rondjes reed om ontdekking te voorkomen, had je er niets aan. Ze moesten iets hebben waardoor ze alle gesprekken van een bepaalde zendmast tegelijk en in een oogwenk konden scannen.

'Jij schijnt een logaritme voor het Urdu en Pasjtoe te hebben ontworpen waarmee dat kan,' zei Edward terwijl hij met zijn afgekloven ballpoint naar hem wees.

Deus kon zich de gezichten voor de geest halen, de smaak van de slechte koffie en het woestijnstof op de schragentafel. Maar niets, helemaal niets van een logaritme.

Kozul leunde ongeduldig naar voren. 'Read the message.'

Deus streek het ambassadebericht glad op zijn knie, alsof

hij zo de tekst zou kunnen veranderen. 'I am not dead,' stamelde hij.

'We just want to know your real name.'

'Deus de Ru. I told you a hundred times.' Opnieuw ontblootte hij zijn belittekende kruin. 'I was in the hospital.'

'There are doctors in Istanbul, very good. They will examine you.'

'I don't want to go there. Not by plane.'

'The Istanbul police decides what to do, mr. Hammarskald.'

'Jurgen is in the hospital in Iran. How many times I have to tell you? I never insulted any God. Maybe I was in Afghanistan, I don't remember. I woke up one morning in the General Hospital in Tehran, the doctors told me: partial amnesia.'

'You just said Jurgen Hammarskald was in the General Hospital.'

'He is, he is. I am here, he is there. In a coma.'

'Geçmiş olsun. Size güvenli yolculuklar dilerim.'

'I don't know what you're saying.'

Kozul gaf een teken aan de twee agenten bij de deur. 'I hope you will get better. Have a nice trip.'

Deus sprong op. 'But the plane. It is forbidden.'

Vier handen pakten zijn schouders.

Hij stak zijn arm uit. 'Fingerprints! Take fingerprints and send them to Istanbul! Then you know!'

Ze trokken hem achterwaarts naar buiten.

'Fingers don't lie! Please take them!' Wanhopig strekte hij zijn hand uit naar de man achter het bureau, alsof hij een geliefde was achter de ruit van een vertrekkende trein, maar ze trokken hem de gang door naar de verhoorkamer waar ze van twee kanten foto's van hem namen en ten slotte, godzijdank, vingerafdrukken.

'Pleaseplease, fax them to Istanbul,' smeekte hij terwijl ze zijn duimen en wijsvingers op een inktkussen duwden.

Tot zijn ontsteltenis verdwenen de documenten in een map die vervolgens opgeborgen werd in een stalen dossierkast.

'Neenee, don't put it away. Fax it!' Hij beeldde het uit, hakte met zijn handen een vierkant uit de lucht, toetste een nummer in zijn handpalm, bracht duim en pink aan zijn oor en duwde het denkbeeldige papier door de telefoonlijn.

De brigadier keek hem ernstig aan. Het was duidelijk dat hij er niets van snapte.

Hij moest de veters uit zijn schoenen halen. Het was nu officieel: hij was aangehouden en zijn vingerafdrukken zouden Istanbul nooit bereiken.

'I have to use the phone,' zei hij met een besmeurd oor. 'It is very urgent.'

Gilmez kwam erbij. Hoewel Deus slechte ervaringen had met de man, deed hij het handpalmbellentoneelstukje nog een keer.

'If you arrest me I have the right to make a phonecall.' Hij deed het voor. Geboeide polsen, inktvingers aan zijn oor.

Het in elkaar gefrommelde blotebillengezicht van Gilmez kwam nog meer onder druk te staan door een diepe, geïrriteerde frons. Zonder hem te begrijpen sloot hij de dossierkast af.

Deus verzette zich hevig toen ze hem naar beneden wilden brengen, maar de agenten hielden zijn onderarmen in een stevige greep en sleurden hem de trap af. Hij trok zijn benen van de vloer, zette beide voeten tegen de muurbevestigingen van de leuning en hield ze tegen. 'I want to speak with doctor Kozul!' riep hij en duwde zich een stukje omhoog. Zijn begeleiders hadden moeite in evenwicht te blijven.

'Kozul!' schreeuwde Deus keihard door het trappenhuis.

Als ze hem eenmaal in de cel met de zoemende tl-buis hadden, was hij verloren, wist hij.

Twee verdiepingen boven hem verscheen het geërgerde grijze hoofd van de politie-inspecteur.

'I have the right to make a phonecall!' riep Deus, die eigenlijk niet wist of deze standaardzin uit een willekeurige Amerikaanse politieserie ook gold in Turkije. 'I really have to call somebody!' Met de moed der wanhoop klampte hij zich vast aan de enige man die hem kon verstaan.

Vermoeid tilde Kozul de bril van zijn gezicht en masseerde neuswortel en voorhoofd, alsof het verzoek een exorbitante eis was. Ten slotte knikte hij.

Ze lieten zijn armen los en brachten hem naar het kantoortje waar hij al eerder geweest was. De folders over de legendarische binnenzee van Van lagen er nog. Hij moest op dezelfde stoel gaan zitten en kreeg een telefoon voor zijn neus. Gilmez maakte een ongeduldig gebaar, handen geopend, alsof de wereld aan zijn voeten lag. Waar wachtte hij op?

Deus aarzelde. Nu hij zijn zin had gekregen wist hij niet wie hij zou bellen. De ambassade had geen zin, daar dachten ze dat hij dood was. Van Yasameen en dokter Riahi kende hij de nummers niet uit zijn hoofd, en het was bovendien maar de vraag of ze iets voor hem zouden kunnen doen. Besluiteloos keek hij naar het communicatietoestel voor hem op tafel. Het was een ouderwets apparaat, met drukknoppen en een hoorn aan een krulsnoer. Eigenlijk was er maar één persoon die hij kon bellen.

'Friedrich Miescher Verzorgingscentrum.'

'U spreekt met Amadeus de Ru. Ik heb een dringende boodschap voor mijn vader.'

Hij vond het moeilijk de woorden uit te spreken. Reinhold had geen enkele boodschap beantwoord, geen geld gestuurd, niet teruggebeld. Hij had zijn zoon simpelweg laten stikken.

'Kamernummer?'

'Weet ik niet. Hij zit in het begeleidwonenproject.'

'Wat was de naam ook weer?'

'De Ru.'

'Ogenblikje.'

Een klikje, een evergreen van Sinatra. Hij wachtte. Gilmez fronste, zijn gezichtje werd mogelijk nog kleiner. Nerveus draaide Deus het snoer om zijn vinger. 'My Way', zong Frank.

'Ja?' klonk het na geruime tijd.

'Papa?'

'Nee hoor.' Het bleek het afdelingshoofd te zijn, die zichzelf niet meer zo mocht noemen van de bewoners omdat ze immers zelfstandig waren en helemaal geen leidinggevende nodig hadden. Coördinator mocht wel. Hij heette Sjaak.

Deus vertelde wat er aan de hand was.

Sjaak antwoordde dat hij dan beter later kon terugbellen, want Reinhold was op dit moment bezig met IVO, de wekelijkse cursus Internet Voor Ouderen.

'Sjaak luister,' riep Deus, 'er staat een nurkse Turk voor me die me na dit gesprek weer in de cel zal gooien. Ik heb maar één kans om naar Nederland te bellen. Geen twee. Het moet nu.'

'Het spijt me erg. Maar ik kan natuurlijk een boodschap aannemen, dan zorg ik dat uw vader die meteen krijgt.'

Deus keek naar het krulsnoer dat hem voor eventjes verbond met de beschaafde wereld. Een reddingslijn aan een zinkend schip.

'Goed. Zeg tegen mijn vader dat ik in Van vastzit. Schrijf

dat op, alsjeblieft. V-a-n. Het ligt in Oost-Turkije. Ze hebben me gearresteerd omdat ze denken dat ik uit Zweden kom en Jurgen Hammarskald heet. Schrijf dat ook op.'

'Oké. Heb ik.'

'Als ik de politie hier zeg wie ik ben, en nou komt het, zeggen ze dat dit niet kan omdat ik overleden ben.'

Het bleef stil aan de andere kant. Even dacht Deus dat de ander de verbinding had verbroken. 'Hallo?'

'De lijn is slecht, ik dacht dat u zei dat u dood was.'

'Dat klopt. Hier denken ze dat ik dat ben.'

'Dit is een heel vreemd gesprek, sorry.'

'Heel vreemd, Sjaak. Hang alsjeblieft niet op. Mijn vader moet ogenblikkelijk contact opnemen met Buitenlandse Zaken of Interpol en om ervoor te zorgen dat dit misverstand uit de wereld wordt geholpen. Ik zou het prijs stellen wanneer jij 'm daarmee wilt helpen.'

'Wacht even. Ik zit hier naast een computer, ik kan het zo voor u opzoeken.'

'Ik geef je een e-mailadres en een faxnummer, zodat jullie de politie hier kunnen bereiken.'

'Hier heb ik het. Jurgen Hammarskald, auteur van *The Humans Against The Gods*.'

'Ja, daar is hij in Turkije dus voor veroordeeld.'

'Hij schrijft dat, even kijken, eh, de goden...'

'Het kan me niet zoveel schelen wat hij schrijft, Sjaak. Het is belangrijk dat iedereen weet dat hij op dit moment in een ziekenhuis in Teheran ligt. Schrijf dat ook op, alsjeblieft.'

'Teheran, oké. Ik stuur de informatie wel even op, er is ook een foto. Moet die mee?'

'Het gaat mij er vooral om dat iemand mijn vingerafdrukken opstuurt naar de ambassade in Ankara, zodat ze weten wie ik ben.'

'Heeft de politie hier dan uw gegevens?'

'Wat bedoel je?'

'Als u nooit gearresteerd bent in Nederland hebben ze ook uw afdrukken niet.'

'O.'

'Die van mij hebben ze wel. Ik ben ooit gepakt omdat ik een wietplantage in de wijnkelder had. Bent u wel eens veroordeeld voor drugshandel?'

Deus zei niets. Hij dacht van niet.

'Ik heb u trouwens even gegoogeld. U bent inderdaad overleden. Ik zie hier een paar krantenartikelen. U was nogal een bolleboos. Taalwetenschap, toegepaste wiskunde, logaritmische lineariteit.'

'Ik weet niet wat dat is.'

'Het staat op het net.'

Gilmez wierp een nadrukkelijke blik op zijn horloge. Snel las Deus het nummer op van het politiebureau in Van. Hij spelde de naam van Kozul. Tot slot zei hij nogmaals: 'Mijn vader heeft denk ik wel wat hulp nodig wanneer hij gaat bellen.'

'Maakt u zich geen zorgen. We gaan het samen uitzoeken. Als we iets horen van Buitenlandse Zaken laten we het u meteen weten.'

'Bedankt.' Op de achtergrond hoorde hij een aanzwellend murmelen, alsof er een optocht van Tibetaanse monniken naderde.

'Wat is dat?' vroeg hij.

'O,' zei Sjaak, 'dat hoort erbij. Elk halfuur zingen ze mantra's tegen de straling.'

'Welke straling?'

'Van de wifi. Wist u dat niet? Die tast onze hersenen aan.'

Rex en Bieneke lieten de lelijke buitenwijken van Istanbul achter zich, de weg slingerde zich langs een ravijn met in de diepte een onstuimige rivier. In de struiken langs de oever hingen talloze gekleurde plastic slierten; bij hoogwater bleef het huisvuil aan de laaghangende takken haken als bewijs dat geordende afvalverwerking in Turkije nog in de kinderschoenen stond.

Ze aten wat bij een klein wegrestaurant. Terwijl ze wachtten op hun bestelling werd de auto gratis gewassen door een oude man en een jongen. Het was warm. De oude zat op een klapstoeltje en wees met een tuinslang waar de jongen moest poetsen. Als het nodig was spoot hij de lak nat.

Bieneke wilde thee. Na het sekscollege in de auto hoopte Rex dat ze het over gewone dingen konden hebben, mountainbikes bijvoorbeeld, of mercantilisme, maar toen de ober hun bestelling bracht, fluisterde ze: 'Eigenlijk is het jullie schuld, die verwrongen moraal over vrouwen.'

'Sorry?'

'Die vreemde combinatie van lust en liefde, begeerte en behoeftigheid. En tegelijkertijd zo voorspelbaar, zo makkelijk te duiden: de mannelijke natuur. Heren zijn niet moeilijk af te richten, met allemaal dezelfde zwakke plek in het centrum van hun lichaam, biologisch bepaald, genetisch aangedreven. Alsof God jullie een handvat heeft gegeven waarmee wij kunnen sturen.'

'Dan heb je die halsband dus helemaal niet nodig.'

'Henri overdrijft altijd een tikje met z'n parallel naar die mythologische varkens, maar hij heeft wel een punt, denk ik. De masculiene seksbeleving is een woest berglandschap met steile wanden.'

'Jij kan het weten.
'Ik beschouw mezelf als een soort gids.'
'Heb je ook een zaklamp?'
'Ik schijn alleen maar bij, af en toe.'
In de stilte die volgde had Rex alle tijd om te overdenken welke scènes Bieneke dan moest bijlichten, op de bovenste etages van Henri's huis.
'De masculiene lust is onverzadigbaar. De man is zo geprogrammeerd dat hij steeds opnieuw bevrediging zoekt, als vee dat als vanzelf naar de trog wordt getrokken. Elke dag opnieuw is het voedertijd.'
'En vrouwen? Hoeven die niet te eten?'
'Natuurlijk wel. Maar wij overleven ook als we een paar maanden niets krijgen. Bovendien willen we dan aan tafel zitten, met servetjes en schone glazen. Daar hoef je bij de meeste mannen niet mee aan te komen. Die hebben gewoon honger. Als het aan hen ligt, eten ze gewoon staande.'
Hij nam een hap van zijn broodje. Hij herkende zich hier niet in.
'Begrijp me goed,' zei ze, 'ik veroordeel het niet. Het is wat het is. Ik hoef de mensen niet te veranderen, ik breng ze alleen een stukje verder op de route die ze eigenhandig gekozen hebben.'
'En waar voert die weg heen?'
'Nergens heen. Dat is het gekke. Maar niemand vindt het erg om in rondjes te lopen.'
'Hoe zit het dan met de vernedering? Ik bedoel, je moet je toch een keer uitkleden en op je rug gaan liggen?'
Bieneke glimlachte. In de heterofiele copulatie was het niet de vrouw die zich vernederde, het waren de kerels. Had hij daar wel eens over nagedacht? Over die grote, hijgende, harige lijven die nietsziend, repetitief bekkenstotend

op of onder of achter het andere lichaam krampachtig een onzichtbare heuvel beklommen en catatonisch schokten als het de top bereikte? De orgastisch ingestelde man beschouwde de bedwongen berg als een overwinning, maar eigenlijk was dit hoogtepunt zijn zwakste moment. Had Rex zich wel eens voorgesteld hoe deerniswekkend het er voor de meevrijende partner er soms uit moest zien? Van onderaf of achteromkijkend zag het meisje of de vrouw in kwestie op het toppunt van de vrijage een fysiek superieur lichaam dat hulpeloos en in volslagen afhankelijkheid blind om zich heen greep en houvast zocht aan de dichtstbijzijnde borst of heup: homo aper est.

Ze scheurde een reepje brood af. Had Rex wel eens een manege bezocht? Had hij zich wel eens afgevraagd waarom er zoveel vrouwelijke ruiters waren, in het bijzonder adolescente meisjes die vaak een krukje nodig hadden om hun ruin of hengst te bestijgen? Het was een goed voorbeeld van de heimelijke wens van de vrouw: de teugels in handen houden van iets wat ze lichamelijk niet de baas konden.

'Dus de meisjes van de Circe vinden het leuk om te doen?' vroeg Rex met understatement.

'Ze houden van de macht die ze hebben over kerels die in het dagelijks leven leiding geven aan een multinational, of de scepter zwaaien over een ministerie of een boorplatform, of achter het stuur zitten van een achttienwiels kraanwagen. Ze veranderen die alfamannetjes voor één avond in volgzame en voorspelbare kuddedieren. Vandaar de behoefte van jongens om af en toe wraak te nemen en de rollen om te draaien, je ziet het veel in de porno-industrie: gangbangs, orale bevrediging van meerdere penissen, ejaculatieshots. Het is een fascinerend proces.' Ze roerde in haar thee, hoewel er geen suiker in zat. 'Maar genoeg over onze arme soort. Hoe zit het met jou? Waarom rijdt de zoon van Tatjana Toscana in Turkije rond in een opgevoerde, aftandse vw?'

'Ik had het plan om naar de oostkust van China te rijden, en dan bovenlangs terug, via Siberië,' zei hij. Je werd een beetje overmoedig wanneer je met een callgirl aan tafel zat die thuis was in de donkere jungle van de lust. Op de een of andere manier kon hij niet vertellen dat hij een vader ging opzoeken die in geldnood zat. Hij was zo lang blijven hangen in Istanbul dat ze terecht zou vragen waarom hij zo treuzelde. 'Na m'n eindexamen meteen gaan studeren leek me niks,' improviseerde hij. 'Een paar vrienden gaan backpacken in Marokko, of een jaar werken op een Franse camping. Ik ga naar China.'

Ze keek weg, naar buiten. Hij zag dat ze er niets van geloofde. De oude man met de waterslang was verdwenen, de poetsjongen stond moederziel alleen in de brandende zon te boenen met slome, lusteloze bewegingen alsof hij er niet van overtuigd was dat dit autootje het zou halen, helemaal naar Shanghai.

Zijn telefoon zei ping.

Van (0031628446590):
Beste Rex, ik stuur deze boodschap met de telefoon van Sjaak, aangezien ik ivm mogelijk stralingsgevaar zelf niet in bezit ben van mobiele apparatuur. Deus blijkt in Van te zitten, vlak bij de grens tussen Turkije en Iran. In het plaatselijke politiebureau. Het leek me van belang dit even te melden, want het scheelt een hoop kilometers.

Hartelijks, Reinhold de Ru

Zijn vader zat bij de Iraanse grens. Dat scheelde in één klap duizend kilometer, schatte Rex. Ogenblikkelijk belde hij terug, maar kreeg alleen een voicemail. 'Neem s.v.p. zo snel mogelijk contact met me op voor meer informatie,' riep hij tegen Sjaaks computermevrouw die vroeg of hij een boodschap wilde inspreken.

Bieneke bestelde een icetea en keek hem vragend aan.

'Ik ben hier ook om de plek te bezoeken waar mijn vader is verongelukt,' zei Rex in een impuls. Misschien was dat sympathieker dan een reis naar China en Siberië; jongeman met verborgen leed.

'Ik wist niet, ik bedoel, je vertelde dat...'

'... hij een pizzaketen had op Sicilië. Ja. Maar dat is dus niet zo.'

'O.'

'Samen met mijn moeder en een vriendin bezocht hij een ruïne hier aan de kust. Op de terugweg vlogen ze uit de bocht. 's Nachts. Bij Intepe. Zo'n negentien jaar geleden.'

'Jeetje.' Ze leek geschrokken, als een klein meisje.

Hij knikte ernstig. Een beetje gepijnigd, zoals het hoort bij zo'n onderwerp.

De rekening van hun bescheiden lunch bedroeg 55 Turkse lira. Bieneke betaalde met een honderdje en hoefde het wisselgeld niet terug. Werken in de entertainmentindustrie heeft zo zijn voordelen, dacht Rex.

Voordat ze wegreden in de naar wax geurende Scirocco, zette hij de routeplanner aan. Zijn stoel was vochtig, kennelijk had het portierraam gelekt. 'Welk adres moet ik invoeren?'

'Wat bedoel je?'

'Agates, daar moest je toch naartoe?'

'Agah Ateş. Maar ik weet niet meer zo zeker of ik dat nog wil.' Ze draaide met haar voet. 'Ik zat te denken, misschien is het wel leuk als ik mee ga naar Intepe.'

'Wat?'

'Ja, er wonen een paar goeie vrienden in de buurt, aan het strand. Ik kan je de omgeving daar laten zien, als je wilt. Het is echt een heel fraai stukje Turkije.'

Hij pakte de kaart en keek naar de rode streep die van Istanbul met een bocht naar het westen liep. Tweebaansweg. Als je naar het oosten moest, was het bijna driehonderd kilometer om. Hij wilde dat hij z'n mond gehouden had.

'Kom op,' zei ze. 'Kun je me onderweg alles vertellen over het verkeersongeluk van je ouders.'

Hij twijfelde. Hij had moeten vasthouden aan China. Dan waren ze in ieder geval de goede kant op gereden. Nu had hij iets uit te leggen aan een meisje met wie hij gisteren nog naar het einde van de wereld had willen gaan, maar die hij vandaag het liefst uit zijn auto zou gooien.

Ze zat naast hem met de deur open, en glimlachte, één voet op het warme asfalt, haar jurk opgestroopt tot haar dijen. Dat deed ze natuurlijk expres, zo zitten. Hij moest er niet in trappen.

'Hoe is het om op te groeien zonder vader?' vroeg ze toen hij bij Izmit rechts afsloeg op de kustweg richting Intepe.

'Gewoon. Ik wist niet beter.' Hij was geïrriteerd. Hij werd gemanipuleerd maar kon zich er niet tegen verzetten.

'Zeg eens hoe dat voelde, als kind.'

Hij haalde zijn schouders op en vertelde kortaf iets over Mazzorbo, de melodie van elke zin geknepen en dalend, alsof iedere punt een einde kon betekenen.

Bieneke scheen het niet te merken. Ze wilde alles weten, van de onaantastbaarheid van zijn beide moeders in de beschutting van hun kleine vrijplaats aan de oever van de zeearm, het ontbreken van auto's, de lome middagen op het gazon voor het huis – afgesneden van de rest van de wereld, en toch ook weer niet, door de honderden toeristen die dagelijks voorbijvoeren – het magische laboratorium met de bemoste muren, de gekleurde onderarmen van zijn moeder, in azuur en oker, het onbegrijpelijke proces van vilten in de grote, stomende ketels, het succes van de eerste exposities, de versnelling die plaatsvond door de koppeling met Pucks commerciële vernuft, geïllustreerd door een nieuw bedrijfspand op Murano en bezoek van mannen met dure pakken en dito koffertjes, de namen van de Europese hoofdsteden die op de koelkastdeur hingen en waar Tatja keer op keer werd uitgenodigd maar nooit heen wilde, en ten slotte opnieuw de armen van zijn moeder waarop het rood langzamerhand alle andere kleuren verdrong omdat ze nog maar met één kunstwerk bezig was.

'Je bedoelt die sluier waar ze al jaren aan werkt?'

'Het is geen sluier. Je kunt er niet doorheen kijken. Het is eigenlijk een heel lange sjaal, een compact weefsel van rode wol, het grootste deel ligt inmiddels buiten, in het gras. Als de tong van haar eigen prehistorische monstertje, zegt Puck altijd.'

'Wie is Puck?'

Rex vertelde het.

'En zei je nou dat je andere moeder bang is voor auto's?'

'Dat is mild uitgedrukt.'

'Wat vindt ze er dan van dat jij op stap bent in een exemplaar dat zowat uit elkaar valt?'

'Ze eh, is 't er niet mee eens.'

'Ik begrijp het.'

'Ze is gek. Al achttien jaar moet ik naar die onzin luisteren. Genoeg is genoeg.'

'Klassiek thema. Zoon vecht zich vrij uit knellende matriarchale omhelzing.'

'Ja. Heel anders dan een dochter die samen met haar vader een seksclub runt.'

'Het is geen seksclub. Bovendien denk ik erover om te stoppen.'

'Zal Henri leuk vinden.'

'Dat kan me op dit moment geen fuck schelen.'

Hierna zeiden ze een hele tijd niets meer. Lage geelbruine heuvels trokken aan beide kanten voorbij, sommige met een krans van naaldbomen, af en toe scheen de zon er schilderachtig doorheen. Bieneke leek het niet te zien, ze zat te sms'en en had geen oog voor de omgeving. De weg slingerde langs kale hellingen, onthulde soms een onverwachte bebouwing, meestal stoffige, grijze loodsen van beton en golfplaat waar een al dan niet defect lichtbord aangaf welk bedrijf er gehuisvest was. Een houtopslag, een autodealer, een uitlijncentrum, een conservenfabriek, een badkamerspecialist, een showroom met landbouwwerktuigen. Ze passeerden een paar dorpen, toen een stadje: kleine, keurige wijkjes van nieuwbouwhuizen met rode daken boven witte muren. Mensen zaten daar voor de televisie of lazen een boek of deden boodschappen – hij kon zich nauwelijks voorstellen dat er ergens nog een normale, ongecompliceerde wereld was die niet bestond uit schuld en woede en vlucht en verplaatsing. Opeens wilde hij niet dat Bieneke zou uitstappen. Ze mocht zo de hele dag naast hem blijven zitten, in dat plakkerige jurkje, tekstberichtjes duimend naar... ja, naar wie eigenlijk? Ze sliep waarschijnlijk elke nacht met een andere man, en toch was hij jaloers op degene die aan de andere kant van het netwerk haar sms'jes mocht lezen. Afgunst onttrok zich aan alle logica, in die zin kon je beter de affectie de nek omdraaien, want het gaf alleen maar gezeik, iemand aardig vinden. Ik vind haar niet leuk, dacht hij uit alle macht, het is een bordeelslet. Daar, tussen die opwindende bruine benen heeft een paar uur geleden nog een vettig olieventje liggen zweten, hoezo zou ik me kwaad maken over een telefoon?

Ze daalden een flauwe helling af, passeerden een rode rotswand, en opeens lag ze daar: de Hellespont, als een mes in het landschap, de zon schitterde op het lemmet. Ik zet haar af, besloot hij, en daarna is het klaar. Ik ga alleen verder.

'Ze zijn er niet,' zei ze, en borg haar telefoon weer op.

'Wie?'

'Mijn vrienden met dat huis aan het strand. Ze moeten vanavond naar een première. Operaliefhebbers.'

Klanten, dacht hij. Hoerenlopers, ouwe rukkers.

'We zijn van harte welkom, maar ze komen pas laat thuis. Zullen we dan eerst naar Hissarlik gaan? Daar zijn we nu vlakbij.'

'Hissarlik?'

'De ruïne die je ouders bezocht hebben. Vlak voor ze dat ongeluk kregen.'

*

'Waar ga je naartoe?'

'Wat denk je?'

'Ga je nu nog verf mengen? Het is na middernacht.'

'Ja.'

'Komt het ooit af?'

'Dat is niet relevant.'

'Je hebt al heel lang niets nieuws gemaakt.'

'Ik heb geen zin om iets nieuws te maken. Ik heb gedaan wat ik moest doen. Nu wil ik nog maar één ding.'

'Je denkt al heel lang aan één ding.'

'Jij denkt: wat levert het op?'

'Ik ga er maar van uit dat je dat niet meent.'

'Laat ik het zo zeggen: ik vind je perceptie in deze aan de eenzijdige kant.'

'Tat, de wereld van de mode is voortdurend in beweging. Je weet niet hoeveel moeite ik heb om ontwerpen van zes, acht jaar geleden in de collecties te krijgen.'

'Ik ga geen ceintuurtjes meer bedenken, als je dat soms bedoelt.'

'Nee, je zit liever in je schuurtje te kantklossen.'

'Is dat hoe je ertegenaan kijkt?'

'Je moet toegeven dat je commitment de toewijding allang voorbij is.'

'Commitment is het enige wat telt in de kunst.'

'Het is geen kunst, Tatschatje, wat je daar maakt.'

'Wat is het dan, volgens jou?'

'Weet ik veel. Een obsessie. Een rode loper voor een première die je maar uitstelt en uitstelt.'

'Het is geen rode loper. Ik weet zelf niet eens wat het is.'

'Dat weet je wel. Zevenenzeventig inch is honderdvijfennegentig centimeter en vijf millimeter. Dat is precies de helft van die bergweg in Turkije. Dacht je dat ik dat niet wist? Je bent al ikweetniethoeveel jaar bezig met het breien van een rijstrook.'

'Wat?'

'Je hebt me wel gehoord. Wat wil je ermee? De doden opnieuw begraven? Maar dan in jouw kleedje?'

'Ik weet werkelijk niet wat je bedoelt.'

'Tuurlijk niet. Als iets te confronterend wordt, verschuil je je altijd achter onwetendheid.'

'Belachelijk.'

'Jawel, dan ga je het labiele oorlogsslachtoffertje uithangen.'

'Je gaat te ver.'

'Ik ben nog niet eens begonnen. Jij hebt de gewoonte ontwikkeld om je pootjes voortdurend in onschuld te wassen. Met die grote rode washand van je.'

'Ik hoef dit niet te pikken.'

'Nee, dat zou ik ook niet, als ik jou was.'

'Dus dat is je professionele mening? Een washand?'

'Ja. Een gigantische schaamlap.'

'Je hoeft niet zo te schreeuwen. Het is geen schaamlip.'

'Schaamlap. Schaamsjaal. Schuldflap. Schuldsjaal.'

'...'

'Sorry.'

'Jezes.'

'Dat had ik niet mogen zeggen.'

'Nee. Maar je hebt gelijk.'

'Helemaal niet.'

'Jawel. Ik ben anders dan jij. In het begin dacht ik: prima, opgeruimd staat netjes. Maar het is niet opgeruimd. We hebben een grote rotzooi achtergelaten.'

'Ik weet niet hoe we dat hadden kunnen voorkomen.'

'Ik ook niet. Maar nu zijn we een stuk verder, toch? We zijn nu zover dat we met Deus kunnen dealen. Ik zou dat kunnen. Met hem praten. Als het nodig is. Als Rex daarom zou vragen.'

'Ik niet. Ik hoef die lul niet terug in ons leven.'

'En dan verwijt je mij dat ik het verleden niet los kan laten.'

'We hebben een besluit genomen en ik heb het achter me gelaten. Ik wil die zak niet meer zien.'

'Van ons tweeën ben jij dus degene met een ongezonde fixatie, Puck.'

'Helemaal niet.'

'Jawel. Jouw behoefte aan wraak loopt als een slijmspoor helemaal terug naar Troje.'

*

'Hier moet je linksaf.'

Gehoorzaam volgde Rex haar aanwijzingen. Wat kon hij anders? Bieneke had de regie overgenomen.

'Kun je Henri wel zo lang alleen laten?' vroeg hij.

'Hij is te aardig voor de business waarin hij terecht is gekomen,' verzuchtte Bieneke. 'Dus nee, ik kan hem eigenlijk niet zomaar alleen laten.' Ze stak haar onderarm uit het raam, spreidde en sloot haar vingers, draaide haar hand rond als een dolfijn in de voorbijsuizende wind. 'Maar moet ik dan de mooiste jaren van mijn leven slijten als assistent-bedrijfsleider?'

Nee, dat leek Rex inderdaad onrechtvaardig.

'Henri moet de boel gewoon verkopen en in de zon gaan zitten in Dalyan,' zei ze geërgerd.

'Wat is er in Dalyan?'

'Daar hebben we een huis aan de kust, heel mooi, bij een rivierdelta. Er is een strand met reuzenschildpadden.' Ze trok haar hand terug en bekeek het lichaamsdeel met een frons, alsof het terugkwam van een lange reis. 'Maar dat doet ie niet, hoor. Hij is verslaafd aan de stad, de meisjes, de jongens, de rijke Arabieren, de etentjes, de bazaar. Wist je dat hij in zijn kamer meer dan honderd waterpijpen heeft staan? Sommige zijn al duizend jaar oud.'

Rex verwerkte de nieuwe informatie. Henri was mogelijk dus geen dirty old man, maar een lankmoedige spelverdeler die zijn kleine seksimperium bestuurde vanuit een kamer met zacht pruttelende rookaccessoires. 'Het lijkt me een goede zaak wanneer jij je eigen weg zou gaan,' opperde hij. Misschien zou ze die belachelijke theorietjes over erotiek en varkens dan los kunnen laten. 'Assistent-bedrijfsleiders kunnen overal aan de slag. Of wil je alsnog die cross country door Afrika?'

'Ben je gek. Op het moment denk ik: zeilen. Je laat geen CO_2-print achter en je kan toch de hele wereld rond. Ik zou kunnen beginnen in Venetië.'

Ja, dacht Rex. Dat kan. Maar je kan ook starten in Kiel of Tanger. Wat bedoelde ze met Venetië? Wilde ze zichzelf uitnodigen? Hij minderde vaart, de weg versmalde, het asfalt maakte plaats voor steenslag. Het was inderdaad denkbaar dat hij met haar mee zou varen, een stukje. Desnoods naar Australië, mocht ze dat vragen.

Maar ze vroeg: 'Waarom heeft je moeder het verzwegen? Die springlevende vader?'

'Ze haatte hem, geloof ik.'

'Haat en liefde liggen vaak niet zo heel ver van elkaar.'

Daar moest hij even over nadenken. Het was niet prettig om ouders te hebben die elkaar de tent uit hadden gevochten, maar als ze het gedaan hadden uit een gemutileerde vorm van liefde was het misschien minder erg. 'Ze wisten niet dat ik op komst was, dat bleek pas na het ongeluk. Ik denk dat mijn moeders daar toen behoorlijk van geschrokken zijn, maar toch hebben ze me niet laten aborteren. Waarom niet, vraag je je af, als ze mijn vader zo gehaat hebben? In ieder geval wilde de ene moeder niet dat de andere mij vertelde hoe de vork in de steel zat.'

'Met de ene moeder bedoel je Tatjana Toscana.'

'Nee, dat is de andere. Ik heb het vermoeden dat Puck haar al die tijd onder druk heeft gezet om te zwijgen.'

'Had je liever geaborteerd willen zijn?' vroeg ze.

'Wat een vraag.' Hij sloot aan in een korte file. Verderop stond een zwetende wegwerker in een geel hesje. Het verkeer moest naar een andere rijstrook. Nu er geen wind meer door de ramen kwam voelde hij hoe warm het was. Was het beter geweest als hij niet was geboren? Wonderlijk genoeg kon hij niet meteen antwoord geven. Was hij blij met zijn leven? Hij geloofde van wel. Tot dat onverwachte, ontwrichtende gesprek in de serre thuis op Mazzorbo was hij gelukkig geweest. Dacht hij. Er werd van hem gehouden, hij woonde een kwartiertje varen van de mooiste stad van Europa, hij had seks gehad met twee meisjes, de kans dat hij voor zijn eindexamen zou zakken was nihil. Je zou kunnen zeggen dat hij een fantastische jeugd had gehad. Dat was nu allemaal in één klap weg.

'Ik ben wel blij.' Ze haakte haar gordel los, trok haar knieen op en draaide een kwartslag om hem goed aan te kunnen kijken. 'Dat ze je in leven hebben gelaten.' Ze leunde achterover tegen het portierraam, hield haar hoofd scheef en lachte naar hem als een junimeisje op een autobandenkalender. Waar was ze op uit? De rij auto's kwam weer in beweging, stapvoets hobbelden ze langs een enorme asfaltmachine. Hij keek naar haar open, vrolijke gezicht. Geen spoor van ironie. Na honderdvijftig meter reed hij een parkeerplaats op, zette de motor uit en vroeg: 'Wat wil je nou precies, Bieneke?'

'Hoe bedoel je? Ik mag je toch gewoon leuk vinden?'

Natuurlijk mocht dat, dacht hij, met de minuut meer in verwarring. Graag zelfs. Zou het kunnen dat het zo simpel was als ze zei? Dat dit meisje een oogje op hem had? Omdat hij erfgenaam was van een tassenimperium maar toch rondreed in een eenvoudig autootje?

'Ik wil je gewoon helpen,' zei ze. 'Zo zijn wij. Meisjes met zaklampen. Mensen helpen in het donker.' Met haar tenen duwde ze tegen zijn bovenbeen.

Hij bloosde, wat absoluut niet cool was, maar hij had nog nooit een plaagstootje gehad van een blote voet die vastzat aan een vrouw zoals Bieneke. Hij kreeg de aanvechting om tussen de stoelen op de vloer te gaan liggen en te roepen 'steek 'm in mijn mond, steek die voet in mijn mond', want hij zou alles voor dit meisje doen, bedacht hij toen hij opzij boog om haar te zoenen.

Een serieuze vrijpartij in een Scirocco is moeilijk, de middenconsole zit in de weg bij ongeveer alles wat je van plan bent. Verhuizen naar de achterbank is geen optie wanneer die vol ligt met lege jerrycans. Even een luchtbed opblazen is er ook niet bij, je kunt immers niet uitgebreid met een voetpomp en slangen in de weer terwijl je smachtende geliefde op de voorbank zit te wachten.

Rex moest denken aan zijn amoureuze ervaringen in de berging van het Venetiaanse gymnastieklokaal. Andere obstakels, dezelfde frustratie. 'Wacht even,' fluisterde hij en haalde zijn hand uit Bienekes bloesje.

Hijgend keken ze elkaar aan. In Amerika startte je dan de motor en zat je binnen tien minuten in een motel, in Turkije is dat helaas niet zo.

'Ik heb nog meer vrienden die hier in de buurt wonen.' Bieneke streek een haarlok uit haar bezwete gezicht. 'Ze zijn op vakantie. We kunnen er gewoon in.'

Ze loodste hem het centrum van het stadje in. Een stomend kwartiertje later stopten ze voor een statig, westers aandoend gebouw van zes, zeven verdiepingen. Rex vroeg zich af hoeveel kennissen Bieneke had op de route naar Hissarlik en parkeerde in de schaduw van een palm. Hand in hand wandelden ze de koele hal in, een broeierige vrijpartij tegemoet in een vreemd huis. Een lift met ijzeren harmonicadeuren bracht hen naar de vijfde etage en een grote overloop met drie deuren van donker hout. Geboende parketvloeren, overdadig stucwerk, art-decolampen aan de wand, een moderne brandblusser. Bieneke ging met haar hand langs de felrode cilinder. Zocht erachter. Eronder. Knielde naast het apparaat en gluurde in de spleet tussen de beugel en de muur. 'Shit,' zei ze. 'Hier zat altijd een sleutel.' Besluiteloos keek ze naar hem op.

Een deur ging open en een oude man in driedelig kostuum bemonsterde hen over de rand van zijn leesbril.

'Ne yapıyorsunuz?' vroeg hij.

Er volgde een korte, ietwat wonderlijke dialoog in het Turks, zij nog steeds op haar knieën, de man argwanend in zijn deuropening.

'Polis'i çağırsam...' mompelde de oude baas op een gegeven moment.

Polisi, dat verstond Rex. Bieneke stond op, pakte zijn arm en trok 'm de lift in.

'Dimitri heeft het huis vorige maand verkocht. Dat wist ik niet. Sorry.'

'Wie is Dimitri?'

'Een Russisch vriendje van me. Zijn vader zit in de olijfolie. Kennelijk gaan de zaken niet zo goed.'

In de auto zei ze links, rechtdoor, hier rechts en probeerde tevergeefs haar olijfvriendje aan de lijn te krijgen. De zon ging onder, en na tien minuten stonden ze voor een lelijke hotelflat met veel neonlicht. Hij keek naar de mistroostige gevel. Het verlangen naar acute minnekoos was gezakt. Bieneke verborg haar hoofd in haar handen en zuchtte.

Rex vond het niet zo erg. Een hotel in de volgende stad

was wat hem betrof ook goed, het was zelfs wel opwindend om nog even rond te rijden in het besef dat ze straks naakt tegen elkaar aan zouden liggen.

'Wat nu?' vroeg ze.

'We gingen toch een ruïne bezoeken?' antwoordde hij opgewekt.

Hissarlik was uitgestorven. Het was moeilijk voor te stellen dat het dorp in de Oudheid al had bestaan: veel huizen van geprefabriceerd beton en kozijnen van kunststof, een kleine moskee in aanbouw. Vijftienhonderd meter voorbij de gemeentegrens zagen ze een blauw bord met een witte pijl naar links. 'Troya' stond erop.

'Ik hoop dat ze er goede espresso hebben,' mompelde Bieneke.

Hij sloeg een hobbelig weggetje in van steenslag dat na twee kilometer uitkwam op een klein parkeerterrein met een drietal terrasjes naast een paar souvenirshops. Verderop een huizenhoog paard van ruwe planken, met een wenteltrap uit zijn buik. Het was nog vroeg, ze waren de enige gasten, de luiken voor de ramen van de winkels waren dicht, maar voor een van de eethuisjes zat een bebrilde jongeman de krant te lezen. Ze kregen hun cafeïne, hoewel de tent eigenlijk gesloten was. De jongen, student geschiedenis in Istanbul, bleek Goran te heten, sprak goed Engels en was de neef van de eigenaar. Hij was niet onknap, door de stof van zijn T-shirt kon je zijn buikspieren zien. Naast geschiedenis moest hij ook veel aan sport doen, dacht Rex.

'Troje is dicht,' zei Goran.

Hij vertelde dat er gewerkt werd aan een groot restauratieproject. De laatste vijftig jaar van zure regen had meer schade aangericht aan de stad dan de drie millennia die eraan voorafgingen. Dankzij een subsidie van de Europese Unie kwam er een overspanning van honderdvierenvijftig vierkante meter in aluminium en glas over de hele lengte van wat er over was van de westmuur, maar nu scheen dat het EU-geld nog niet was overgemaakt en dus had de Griekse aannemer halverwege de klus de handdoek in de ring gegooid met als gevolg dat de oude stad voorlopig niet toegankelijk was voor toeristen.

'En hoe lang gaat dat duren?'

'Dat hangt van jullie af.'

'Van ons?'

'Van Brussel.'

'Ah.'

'Maar het panoramaterras is wel open. Vanaf daar kun je alles redelijk goed zien.'

De uitkijkplek, gebouwd tegen de top van de heuvel, was een plankier van een schamele zes bij vijf, een roestige verrekijkerautomaat hing halfstok op zijn sokkel. Panoramisch kon je het niet noemen, het uitzicht op de met gras en onkruid begroeide helling was bescheiden: er lagen lichtgekleurde stenen in alle denkbare soorten en maten, soms zo gerangschikt dat je zou kunnen denken: daar heeft misschien een poort gestaan, en daar een muur, en daar wellicht een zuilengalerij. Dat was alles. Mos, klimop, gras, kalksteen. Rex was teleurgesteld.

'De fundering van de Apollotempel kan je vanaf hier niet zien maar de paleistrap wel, dat is daar links,' klonk de stem van Goran, die hen gevolgd was. 'Helaas hebben de opgravingen van Schliemann veel schade aangericht, nog afgezien van het feit dat hij de interessantste voorwerpen het land uit heeft gesmokkeld.'

'Echt waar? Dat wist ik niet,' mompelde Rex, die op de

een of andere manier het gevoel kreeg dat de student hun ook deze diefstal aanrekende.

'O ja, op 31 mei 1873 gaf hij iedereen een vrije dag en groef in z'n eentje een schat op van sieraden en een tiental grote vazen en borden, alles van massief goud, verpakte het in een paar kratten en verpatste het stiekem aan een Duits museum. Hij noemde het de Schat van Priamus.' Goran klonk bitter.

'Dan is het maar goed,' zei Rex, 'dat hij deze stenen en omgevallen zuilen niet mee kon nemen. Want daar gaat het uiteindelijk toch om.'

'Hoe bedoel je?'

'Nou, het merkteken van een belangrijke periode. Trojaanse oorlog, werelderfgoed en zo.' Dat laatste had hij gelezen op een bordje bij de ingang. Het leek hem dat Goran, tijdprofessor in de dop, zou onderschrijven dat de vondst van wat gouden potten en pannen niet opwoog tegen het historische belang van de opgraving.

'Van mij mogen ze deze hele ruïne opruimen en de stenen hergebruiken in de wegenbouw.' Goran liep het pad af naar beneden. Hij was van mening dat dat gouden servies het enige waardevolle was dat op deze heuvel was aangetroffen.

Ze kregen nog een kopje koffie. 'Maar de geschiedenis dan, Hector en Paris, Homerus?' sputterde Rex.

'Wat is daarmee?'

'De universele verhalen. Trouw, hoogmoed, trots en overspel, dat soort dingen.'

'Je bedoelt dat ze elkaar hier tien jaar lang hebben lopen afslachten. Zogenaamd vanwege de mooiste vrouw ter wereld. Tegenwoordig zouden we zeggen: Helena was de aanleiding, de rest was geopolitiek en economie. Troje was gewoon een belangrijke havenstad, haar voorspoed wekte de afgunst van Griekenland. Vergelijkbare oorlogen zijn daarna uitgevochten tussen Rome en Carthago, Venetië en Istanbul, Amsterdam en Londen. Miljoenen onnodige slachtoffers. En in de toekomst zal het niet anders gaan.'

'Nou...' Rex wilde graag enige nuance aanbrengen maar wist niet goed hoe.

'De geschiedenis is een hond die achter ons aan loopt. Wanneer we omdraaien en naar ons voetspoor kijken, staat ie daar, afwachtend, met z'n staart omhoog, in de hoop dat we een keer een nieuwe richting inslaan, maar dat doen we nooit. We herhalen onze stupiditeiten keer op keer.'

'Kan ik hier even naar de wc?' vroeg Bieneke.

Goran liep mee om het haar te wijzen.

Ze bleven lang weg.

Toen ze weer naar buiten kwamen, brachten ze een nieuwe icecoffee mee voor Rex. 'Van het huis.' Goran maakte een royaal gebaar. 'Het maakt mijn oom niets uit. Hij betaalt me om de boel een beetje in de gaten te houden en te studeren. Volgende week tentamens, ik vind het prima.'

Ze zaten een tijdje in de zon. Goran leek geen aanstalten te maken om daadwerkelijk te gaan studeren. 'Het huidige tijdsgewricht,' zei hij opeens, 'de welvaart waarin we leven, is onvergelijkbaar met het harde en sobere bestaan van onze voorouders. De stand van de medische wetenschap, de digitale revolutie, de mogelijkheden van sociale media, de ontwikkeling van de democratie, energie uit zonnecellen, in zes uur aan de andere kant van de oceaan, dat is progressie. Niet te ontkennen. Maar is het ook een morele vooruitgang? In de zin van: denken we wezenlijk anders nu we geen honger meer hebben en ons kunnen verplaatsen met de snelheid van het geluid?' Het glas van zijn bril fonkelde in het licht van de zon. 'Ik zeg nee. Ik zeg: moreel gezien staan we op hetzelfde punt als die gekken die elkaar hier bevochten, drieduizend jaar geleden.'

Rex knikte afwezig. Hij wilde zo langzamerhand weer eens verder.

'Eigenlijk,' peinsde Goran, 'zijn de rollen dus omgekeerd. De feiten lopen voorop, en wij zijn de hond die volgt, altijd te laat en te dom om te leren van onze fouten.'

22 | DEUS

In de muur boven Deus' brits zat een barst. Niet heel groot, misschien een centimeter of twintig, bij de randen was het pleisterwerk gebladderd. Liggend op zijn rug kon hij de barst goed zien, het leek op een bergrug met twee pieken, een haastig neergekalkte letter M, of twee golven die elkaar achternazaten op de oceaan, het maakte niet veel uit, voor zijn dwalende ogen bood het enige houvast op de gladde, lichtgroene wanden. Daar hadden ze kennelijk verstand van, op dit politiebureau, van kalmerende kleuren. Niet dat het aanvankelijk enig effect op hem had gehad, er waren drie man nodig geweest om hem zijn cel in te krijgen.

'Not Hammarskald!' had hij herhaald in het kantoor van Gilmez.

'Yes you are,' antwoordde de brigadier vermoeid.

'Sus artık be!' riepen de bewakers, die genoeg hadden van het geschreeuw en hem de gang op wilden trekken. Snel omklemde Deus het dichtstbijzijnde computerscherm.

'Check the internet!' riep hij. 'Check Facebook, Wikipedia! Look at the pictures! You will see it is a different man!'

Een voor een trokken ze zijn vingers los en sleurden hem weg. Ze droegen hem de trap af naar de kelder, voor straf sloegen ze twee maaltijden over en hielden zijn smurfenpil achter. Het eten kon hem niets schelen, hij werd volledig in beslag genomen door de pijn die van zijn hoofd opnieuw een compacte, pulserende bom maakte. Er is iets helemaal mis met mijn hersenvlies, dacht hij. Alleen als hij heel stil op zijn zij bleef liggen was het enigszins uit te houden. Vanuit deze positie leek de scheur in het stucwerk op een dalende grafieklijn. De kans dat hij hieruit zou komen werd met het uur kleiner. De autoriteiten in Nederland hadden zijn overlijden al geregistreerd, zijn burgerservicenummer was gewist, zijn weinige bezittingen waren in overleg met een notaris opgeslagen in een container, over twintig jaar zou een of andere boekhouder verbaasd vaststellen dat er geen verwanten waren geweest die de spullen hadden geclaimd en alles naar de kringloopwinkel laten brengen. De kans dat Amnesty International lucht zou krijgen van zijn absurde situatie was te verwaarlozen, zelfs als Sjaak woord zou houden en inderdaad contact opnam met Buitenlandse Zaken, zou het dagen, misschien weken duren voordat ze in actie kwamen. Wie kon verhinderen dat ze hem straks op een vliegtuig zetten?

Hij keek naar de schakelaar van de neonverlichting aan het plafond. Hij zou de behuizing eraf kunnen wrikken en zichzelf een elektroshock toedienen in de hoop zijn toestand zo te verslechteren dat 'fit to fly' echt niet meer op hem van toepassing was. Zonder doktersverklaring zouden ze hem dan moeilijk aan boord kunnen krijgen. Of hij kon zijn benen achter de stalen rand van het bed haken en zichzelf voorover laten vallen zodat hij iets ernstigs zou breken, kortom, je gaat rare dingen bedenken als je al bijna zesendertig uur niets hebt gegeten en ze je in een mintgroen keldervertrek hebben opgesloten terwijl iemand voortdurend met een hamer op je oorschelp slaat.

Hij klampte zich vast aan de paar dingen die echt waren: hij had een studie gevolgd in Amsterdam en had zijn toelage aangevuld met inkomsten uit de verkoop van relatief kleine hoeveelheden drugs. Volgens een verpleger in een Amsterdams verzorgingshuis was hij een bolleboos, iets met logaritmen en mathematica. Hij had een zwartharige vriendin gehad, Tatjana, en een vader die Thomas heette. Of Reinhart. Reinhold kon ook. Op zich was dit wel vreemd, dat hij dit stuk niet helder kon krijgen. Wat betekende het als je de naam van je vader niet meer wist? Kon hij dan wel zeker zijn van zijn eigen identiteit? Stel dat De Ru niet zijn volledige naam was en hij simpelweg de helft was vergeten? Had hij misschien ook in Zweden gestudeerd? Hij kon het zich niet herinneren, maar dat zei niets. Hij had evenmin geweten dat hij het Perzisch machtig was, mogelijk sprak hij ook wel een beetje Zweeds. Hij probeerde het, hardop: 'I ben Deus de Ru Hammarskald. I ben opslöt in kellar op politstation.' Het klonk redelijk geloofwaardig. Er kwam ook een getal in hem op: 1514470. Was het een telefoonnummer? Een bankcode? Hij brak het steeltje van zijn plastic vork doormidden, met de scherpe punt kraste hij de cijfers in het pleisterwerk. Wie weet kwamen ze nog eens van pas. DEUS schreef hij eronder, in ongelijkmatig spijkerschrift. Voor het geval hij zou vergeten hoe hij heette. Toen hij aan DE RU wilde beginnen brak de punt af, een vlijmscherpe splinter drong in de huid van zijn wijsvinger, onder de nagel. Hij schopte tegen de muur, bezeerde zijn tenen in de veterloze schoen, vloekte, zoog op zijn bloedende vinger in een poging de pijn te verminderen. Het was slechts een klein stukje plastic, maar hij kon er niet bij, het schemerde wit onder de hoornlaag, dichtbij maar onbereikbaar. Een grote rode golf van hete razernij sloeg over hem heen. Waar had hij dit aan verdiend? Wat had hij verkeerd gedaan? Waarom lieten ze hem niet met rust? Waarom kon hij niet gewoon naar huis? Had hij wel een huis? Woedend op het noodlot dat hem achtervolgde trapte hij links en rechts tegen de muren, gooide de stoel tegen de deur, trok de dekens van het bed, wierp ze door de ruimte, ze waaierden op onbevredigende wijze alle kanten op, hij schopte ze tot een prop, bezeerde zijn andere voet aan het bedframe, en eindigde ten slotte op de grond, in de hoek, jammerend als een baby om het onrecht dat hem werd aangedaan, al vanaf het moment dat hij wakker werd in een buitenlands ziekenhuis zonder geheugen, hulpbehoevend, een nobody, een paria, een speelbal van hogere machten.

Hij zag de witte rechthoek pas toen hij een halfuurtje hartgrondig had zitten janken, vervuld van medelijden met zichzelf, zijn hoofd tussen de knieën. Twee A4'tjes, keurig opgevouwen, voor de helft zichtbaar op de drempel, als een wasserijbriefje onder een hoteldeur.

nl.wikipedia.org – Jurgen Hammarskald, Zweeds wetenschapper, geboren op Borkum, Duitsland, 1968, moeder Ingsolde Hammarskald, vader onbekend.

Hammarskald geldt als een moderne natuurfilosoof, in lijn met denkers uit de Verlichting die kennis over de exacte wetenschappen combineerden met theologische en morele vraagstukken. Al op zeer jonge leeftijd bleek bij de jonge Jurgen een uitzonderlijke aanleg voor wiskunde. Hij schreef zich, amper zestien, in aan de Sorbonne, op zijn drieëntwintigste verschenen de eer-

ste grensverleggende publicaties. Al snel behaalt hij zijn eerste doctoraat, gevolgd door doctorstitels in applied mathematics en neurobiologie in Stanford en Amsterdam. In de jaren negentig werkt hij samen met zijn studievriend Achmed Khan op de universiteit van Karachi aan het beroemde 'free will'-onderzoek, waarin het duo twee jaar lang de dagelijkse keuzes bestudeerde van ruim twaalfduizend werkneemsters in de plaatselijke naaiateliers en hiermee aantoonde dat de 'vrije wil' niet bestaat.

Jurgen Hammarskald bekleedt diverse hoogleraarsstoelen, onder andere in Umeå, Zweden en Stanford, USA. *Hij spreekt zeven talen, is een veelgevraagde gast op internationale congressen en is getrouwd met Shalil Khan, de zuster van zijn Pakistaanse co-onderzoeker. Voor zover bekend geen kinderen.*

Het echtpaar maakt een moeilijke periode door na de publicatie van het boek Humans Against the Gods. *In deze analyse verbindt Hammarskald het gebrek aan vrije wil met de door de mens gecreëerde Godsbeelden. De God, betoogt hij, belemmert een volledig gebruik van onze geestelijke vermogens, het maakt niet uit of dit verbeeldingen van de Azteekse zonaanbidders, christendom of islam zijn. God is de natuurlijke vijand van de homo sapiens en zal er alles aan doen om ervoor te zorgen dat de mens zijn beperktheid niet ontstijgt en zodoende zelf god wordt.*

Het onderwerp slaat niet aan, het boek wordt nauwelijks verkocht. Toch roepen diverse islamitische leiders om een fatwa, er volgt een scheiding van Shalil, de verstandhouding met zijn schoonfamilie verslechtert drastisch. Hammarskald duikt onder en tot op heden weet niemand waar hij woont. Af en toe geeft hij een lezing. Steevast veroorzaakt dit veel commotie, met name onder moslims. Hetzelfde geldt voor de artikelen die sindsdien van zijn hand zijn verschenen: 'Algoritmen in de islam', 'Jezus Christ Jackson' en 'De Triomf van de Godmol'.

Deus liet zijn hoofd tegen de muur zakken, zijn ogen dicht, in verwarring. Applied mathematics was zijn vakgebied. Gestudeerd in Amsterdam en Stanford. Dat kon kloppen. Hij herinnerde zich immers Ralph, mogelijk een postdoc of een prof met wie hij had samengewerkt. Hij zag schema's, getallenreeksen, berekeningen, tientallen servers in een loods van golfplaat. Misschien stond die niet in de buurt van Abbottabad zoals hij eerst dacht, maar was het een noodgebouw van een onderzoeksinstituut in Umeå. Neurobiologie kwam hem ook bekend voor, weliswaar schoot hem op dit moment geen vakliteratuur te binnen, maar het was duidelijk dat hij veel kennis bezat over het onderwerp. Niet voor niets had hij in de trein gekozen voor het beroep van biologiedocent, hij had het idee veel te weten over het menselijk brein, hoewel dat van hem op het moment niet zo goed werkte. Hij zoog op zijn wijsvinger, het plastic was onzichtbaar geworden door het bloed dat zich onder de nagel ophoopte.

Hij las het begin van de tekst opnieuw. Geboren op Borkum, 1968. Hij kon zich zijn geboorteplaats niet herinneren, het kon Borculo zijn, maar dus ook Borkum. Dat lag letterlijk tussen Nederland en Scandinavië, het was het eerste Duitse Waddeneiland dat je tegenkwam als je vanuit Lauwersoog op weg ging naar het noorden. Het klonk logisch. Vader onbekend. Ook dat kon hij plaatsen. Als hij al niet precies wist hoe zijn ouweheer heette, hoe kon Wikipedia dat dan? Daarnaast leek hem de talenkennis evident, ook hij sprak immers een behoorlijk mondje over de grens, hoewel het Zweeds een beetje was weggezakt. Maar hiermee hielden de overeenkomsten op. Voor zover hij wist was hij nooit in Pakistan geweest, hoewel er af en toe beelden bovenkwamen van een kleine, pezige, bruine man in een besneeuwd berglandschap met een buis op zijn schouder, misschien een meetinstrument voor wetenschappelijk onderzoek. Inderdaad had Deus iets gehad met de dochter of zuster van deze man, hij herinnerde zich een heftige neukpartij in een bakhuisje, ofschoon het heel goed denkbaar was dat hij hier mensen door elkaar haalde: Tatjana kwam uit dezelfde contreien, maar hij was er vrij zeker van dat zij Afghaans was, en geen Pakistaanse.

Op het A4'tje was tevens een foto afgedrukt van een slanke veertiger: een halftotaal in zwart-wit, klein baardje, hoog voorhoofd, achterovergekamd licht golvend haar, waakzame ogen. Het was lang geleden dat Deus in de spiegel had gekeken, maar het zou kunnen, hoog voorhoofd/waakzame blik. Die combinatie zag je bij hem ook, soms. Op de achtergrond een neoklassiek gebouw met hoge, smalle ramen. Het contrast was hard, de contouren een beetje wazig, de man was in beweging, alsof hij de camera wilde ontvluchten. Deus dacht dat hij de plek herkende, het zou de faculteit in Stanford kunnen zijn. Of de gevel van het Centraal Station in Teheran. In ieder geval was de gelijkenis met deze man verontrustend. Hij kon er niet meer omheen, er bestond een reële kans dat Hammarskald en hij dezelfde persoon waren. Op een vreemde manier maakte dat de situatie minder absurd; op zich kon hij ermee leven dat er grote stukken van zijn verleden onbekend waren, zelfs als dat zou betekenen dat hij een leerstoel bekleedde aan een Zweedse universiteit waar hij nog nooit van gehoord had. Dat was, gek genoeg, makkelijker te accepteren dan het gegeven dat men hem aanzag voor een ander.

Hij las het tweede A4'tje:

nl.wikipedia.org: 'De Triomf van de Godmol' – J. Hammarskald.

De goden houden niet van slimme mensen. Het omgekeerde is ook waar: wie zijn verstand gebruikt loopt met een grote boog om een moskee of kerk heen.

De grote denkers van de laatste 2500 jaar – Einstein, Spinoza, Giordani Bruno, Socrates, om er maar een paar te noemen – waren allemaal atheïst. De meesten raakten in conflict met de religieuze autoriteiten, werden verketterd omwille van hun baanbrekende gedachten en stierven niet zelden een eenzame dood. Hun visies mochten verschillen, maar op één punt waren ze het allemaal stilzwijgend eens: de god is de vijand van de pure kennis. Het échte denken, het soort dat leidt tot het doorgronden van een kern, gaat niet samen met geloven. Geloven is veronderstellen, vertrouwen in, aannemen dat, en vooral: hopen op. In de wetenschap heb je daar helemaal niets aan.

Uiteraard is er niets mis met hoop. Het stelt ons in staat te berusten in een ogenschijnlijk reddeloze situatie. De thuisclub staat met 2-0 achter in de vijfentachtigste minuut, maar we hopen op een wonder. We hebben nog geen vervanging voor de vervuilende verbrandingsmotor, maar gaan ervan uit dat zich op tijd een alternatief aandient, voordat de planeet onbewoonbaar is geworden. Er is veel onnodig leed op de wereld, maar we vertrouwen erop dat iedereen op een dag toegang krijgt tot een menswaardig bestaan. Dat is het grote nadeel van hoop: het biedt een schijnbare ontsnapping uit de werkelijkheid. We stellen het maken van een keuze uit en verzuimen in actie te komen.

De eerste slimmerik die dit onder ogen zag, leefde ongeveer drieduizend jaar geleden. Hij zag in dat sommige conflicten niet met geweld kunnen worden opgelost. De oorlog waarin hij verzeild raakte, werd uitgevochten door mannen die hun instinct volgden: de buren bezaten iets wat zij wilden hebben, dus hakten ze erop in. De Godmol beleefde gouden tijden, aan beide kanten van het slagveld.

Toen de gevechten tien jaar lang hadden geduurd bedacht hij een alternatief om de strijd te beslechten zonder dat iemand daar zijn zwaard voor hoefde te trekken. We kunnen dit moment gerust beschouwen als een van de belangrijkste draaipunten in de geschiedenis: de eerste mens die zijn knots laat liggen en zijn hersens gebruikt.

Hij geeft het leger bevel zich terug te trekken maar laat een huizenhoog afgodsbeeld van een paard achter. Een dier dat in de vijandelijke cultuur in hoog aanzien staat.

De tegenpartij, overtuigd van haar overwinning, sleept het beeld in triomf de vesting in, maar weet niet dat in de buik soldaten zitten die 's nachts de poorten openen voor hun kameraden. De stad valt. De ratio verslaat het geloof.

Einde van het verhaal, zult u denken.

Nee, want nu komt het: de volgende tien jaar probeert de slimmerik thuis te komen, maar hij wordt geconfronteerd met tegenslag op tegenslag en zwerft een decennium langs de kusten van de Middellandse Zee. Het blijkt dat de goden erg boos op hem zijn, en wij begrijpen dat wel. Een mens die zijn verstand gebruikt is een directe bedreiging voor hun bestaan.

© J. Hammarskald

Een tijdje staarde Deus naar het daglicht dat zich in zijn sombere keldercel langzaam van de ene hoek naar de andere verplaatste. Dit was grote onzin, geschreven door een man die dingen beweerde over de potentie van de menselijke ratio maar ze kennelijk zelf niet allemaal op een rijtje had. Hij kon daarom Hammarskald niet zijn. Hij, Deus, zou zoiets nooit publiceren.

Waarom hadden ze juist dit fragment voor hem uitgeprint? Grote denkers in conflict met de goden? Was hij een grote denker? Beslist niet. Als hij al zeven talen sprak, was hij er in elk geval een paar vergeten. Hij was iemand met een gat in zijn geheugen, hij kon zich zelfs niet meer voor de geest halen waarom hij nou precies niet mocht vliegen. Iets met hersenvocht en overdruk, hij stelde zich voor dat zijn schedel in de lucht zou opzwellen en knallen als een ballon. Grote denkers hadden daar geen last van, ze zouden misschien zelfs het Turks machtig zijn en gewoon kunnen uitleggen wat er aan de hand was. Hij stond echter met lege handen wanneer ze hem zijn vliegende slachtbank in zouden duwen.

Opnieuw besteedde hij een uur aan sos-berichten met de tl-balk. Totdat hij bedacht dat het morsealfabet allang in onbruik was geraakt. Alleen oudere marinepiloten op Amerikaanse vliegdekschepen wisten nog hoe het moest, in Oost-Turkije hadden ze het waarschijnlijk nooit gekund. Het was heel triest, de misverstanden die ontstonden omdat mensen elkaar niet konden verstaan. Hoe mooi zou het niet zijn geweest als de scherf in zijn hoofd een vertaalchip had bezeten? Of wanneer het Esperanto destijds wel was aangeslagen? Of als er een moderne versie van morse zou bestaan, niet met punten en strepen, maar met nullen en enen? Dan zou iedereen op de wereld elkaar wellicht kunnen begrijpen. 'Ik mag niet vliegen' bijvoorbeeld, bestond uit zestien letters, exclusief de spaties. Stel dat deze zin in het Turks was:

Uçağa binmek bana yasak. (20 tekens). Of voor zijn part: Abcde fghijk lmno pqrst (ook 20). De volgorde of hoeveelheid van de variabelen maakte in wezen niet uit, indien je de plek van elke letter zou definiëren als (a = 1, b = 2, c = 3, enz.; en vervolgens <Ik mag niet vliegen> zou implementeren als <F1>: een verzameling van elf tekens waarin er vijf (i, e, g, n en de spatie (= 0)) meerdere keren voorkwamen. Wanneer je daar een algoritme van maakte waarin <F(unction)1> = [= 19] (i = 2, e = 2, n = 2, g = 2, 0 = 3) <F2> = [B = 22] (0 = 2, n = 2), kon je het programma net zo lang laten schuiven met de verschillende combinaties totdat F1 gelijk was aan F2. Met de rekenkracht van de huidige laptops was dat een kwestie van milliseconden, of vergiste hij zich?

Deus sloot zijn ogen in een poging hetgeen hij zojuist had bedacht vast te houden, hij wist niet waar de denkbeelden vandaan kwamen, de berekeningen borrelden moeiteloos in hem op, maar hij had een calculator nodig om het te checken. Of desnoods pen en papier. Hij bonsde net zo lang op de deur totdat het etensluikje openging.

$\sigma = \sqrt{\frac{\sum_{i=1}^{n}(x_i - \bar{x})^2}{n}}$ riep hij tegen het verbaasde gezicht van de dienstdoende bebaarde agent. 'I need a computer!'

23 | REX

'Waar was het precies?' vroeg Bieneke, een beetje hyper van te veel koffie, toen ze Troje achter zich lieten.

Ze hadden geïnformeerd naar een groot verkeersongeluk in de jaren negentig. Goran had zijn oom gebeld, die ongeveer iedereen in de omgeving kende. Hij had het adres genoemd van een klein kampeerterrein vijf kilometer verderop.

Rex keek op de kaart. 'Iets met Nos. Geloof ik.'

'O. Dan zijn we er al voorbij.'

Ze draaiden om en reden terug.

De haarspeldbochten lagen vlak bij elkaar. Er stond een waarschuwingsbord met een slippende auto in een rode driehoek. Maar met vijftig, zestig was er niets aan de hand, daarnet was hij het punt immers ongemerkt gepasseerd. Om hier uit de bocht te vliegen moest je minstens honderdtwintig rijden, schatte hij. Ze parkeerden in de berm en stapten uit. Gewoon drie bochten op een heuvel, tegen de hellingen groeide een dicht naaldbos, de wind ruiste door de toppen. Aan niets was te zien dat hier een tankwagen in brand had gestaan, achttien jaar geleden. Geen geblakerde rotswand of boomstronken, zelfs geen verkleuring op het asfalt. Tussen de eerste en tweede lus stond een bordje met Nestferatlu Camping, een zijweggetje liep steil naar beneden.

De Scirocco kreunde toen ze voorzichtig de helling af reden.

'Je moet dat rempedaal eigenlijk zo min mogelijk gebruiken,' zei Bieneke.

'Wat bedoel je?'

'Op zo'n bergweg altijd remmen op de motor. Anders worden je remklauwen te heet.'

'Weet ik toch,' antwoordde hij geïrriteerd, hoewel hij het maar half begreep. Hij was met andere dingen bezig, had de bocht gezien waarin hij als een net bevruchte eicel in de buik van zijn onwetende moeder bijna aan zijn eind was gekomen, maar wat het betekende wist hij nog niet: een paar bomen en wat rotsen, een ononderbroken witte lijn op het donkere wegdek. Als iemand het in zijn hoofd zou halen hier een boek over te schrijven, dacht hij, zou die lichte streep ongetwijfeld figureren als de haarscherpe cesuur tussen verleden en toekomst, maar hij twijfelde of hij die lijn wel over moest. Daarom wilde hij liever niet naar beneden. Oververhitte remmen interesseerden hem niet, het zoeken naar de waarheid is op de een of andere manier comfortabeler dan het vinden ervan. Stel je voor dat het allemaal anders is dan je je had voorgesteld?

Osman, de eigenaar van het kampeerterrein – een grote man van in de vijftig met een hangsnor – leunde in een plastic tuinstoeltje tegen de wand van de wasbarak, de klep van een oud baseballpetje voor zijn ogen. Hij ontving hen met thee en crackers. Nederlanders waren doorgaans aardige mensen, vond hij, ze brachten hun afval netjes naar de container en veroorzaakten zelden overlast. Een Hollands meisje dat bovendien vloeiend Turks sprak was helemaal het einde, hoewel hij uiteraard uitstekend Engels sprak, zoals het hoort als je de toeristenindustrie serieus nam. Er was voldoende plek, zelfs in de schaduw met uitzicht over de vallei. Ook had hij nog een blokhut vrij aan de oever van de rivier, want het hoogseizoen was nog niet echt begonnen. Zijn enthousiasme bekoelde enigszins toen bleek dat ze niet van plan waren te overnachten en op het moment dat Bieneke vertelde waar ze eigenlijk voor kwamen, sloeg de stemming van de kampeerbaas om in de bittere en ingesleten opwinding van iemand die al jaren leeft met een groot onrecht. Ze moesten mee, helemaal terug naar boven, te voet, langs een steil geitenpaadje. Osman stelde zich op aan de kant van de weg, naast een bemoste elektriciteitskast van grijze kunststof op geroeste pootjes. Vanuit de bovenkant slierden drie dikke zwarte kabels via houten palen de helling af naar de camping. De kast had negentienhonderd Turkse lira gekost, destijds. Alles nieuw, de installateur was er twee volle dagen mee bezig geweest omdat de oude verbrand was, vernietigd in een inferno van propaan en benzine, zelfs het koper van de schakelmodules was gesmolten. Negentienhonderd lira, en had hij íéts teruggekregen van de verzekering? Nee. Waarom niet? Onduidelijke claim. Kon hij dat helpen? Had hij soms het vuur veroorzaakt? Nee. Dat was ontstaan door een nachtelijke botsing tussen een brandstoftruck en een personenwagen. Had hij daar iets mee te maken gehad? Nee, hij lag op dat moment te slapen en werd wakker van een vreemd gezoem, heel vreemd, er was geen explosie geweest, de tankwagen was geslipt, de zijkant door de rotswand opengereten, allemaal niets van gehoord dus. De brand was ontstaan door kortsluiting, toen het gevaarte tot stilstand kwam tegen de paal van de schakelkast. Onstuitbaar, als in een crematorium, woesjh. Daar werd hij door gewekt, en toen hij buitenkwam, in zijn onderbroek, zag hij die oranje gloed tussen de bomen. Lampen deden het niet, kleren onvindbaar, en met alleen teenslippers aan was hij naar boven geklommen. Twee bebloede meisjes in paniek, een bewusteloze jongen in de berm, een truckchauffeur die niet meer te redden viel. En de elektriciteit overal uitgevallen. Hoe had hij een ziekenauto moeten bellen? Of de brandweer? Niet iedereen had toen een mobiele telefoon, zoals nu. Osman ook in paniek, in zijn slip en slippers had hij doelloos rond de cirkel van vuur gelopen totdat er een auto aan kwam met een echtpaar dat op weg was naar Izmir. Met de levenloze jongeman op de achterbank waren ze terug naar Çannakale geracet voor hulp, hij had de meisjes opgevangen, zo goed en zo kwaad als het ging, want ze waren natuurlijk in shock, vooral die met het donkere haar. Godzijdank waren er weinig gasten, de camping was net open, de vrouwen hadden overnacht in een van de rivierhuisjes, en ook de volgende dag hadden ze er gezeten, toen ze onderzocht werden door ambulancepersoneel en bevraagd door politie en brandweer. Hij had een generator laten komen voor de stroomvoorziening, het ding had bijna een week staan draaien, weer vijfhonderd lira, de uitgebrande wrakken waren na twee dagen opgehaald door de verzekering, maar een nieuwe kast had hij niet gekregen. Destijds had ie daar geen stennis over gemaakt, want de jonge metgezel van de twee vrouwen bleek in het ziekenhuis te zijn overleden. Twee doden dus, dan ga je niet zeiken dat je geen stroom hebt. Plus dat het blonde meisje haar gezicht had beschadigd. Gehecht, dat wel, maar het was duidelijk dat die wond een lelijk litteken zou worden. Hij had ze nooit meer gezien of iets van ze gehoord, maar wel van de advocaat van Benegaz, die was na een paar weken langsgekomen, en ook de eigenaar van het benzinestation dat de bestemming van de onfortuinlijke truckchauffeur was geweest. Hij kende de familie, ze woonden naast hun bedrijf, je kwam erlangs op weg naar het zuiden. SiSi heette het, naar Simal sr. en Simal jr. Maar wat konden ze doen? riep Osman. Hij stond midden op de lege weg, armen gespreid in een poging het drama te omvatten dat zich op deze plek had afgespeeld. Wie kon het wat schelen dat hij een nieuwe elektrakast nodig had? Dat zijn hele ijsvoorraad verloren was gegaan omdat de vriezer het niet deed? Wie betaalde de huur van het aggregaat?

Rex wist het niet. Hoe kon hij rekenschap afleggen over de daden van zijn ouders? Op een moment dat hij nog niet eens geboren was? Hulpeloos keek hij naar Bieneke.

Die haalde een bundeltje bankbiljetten uit de achterzak van haar spijkerbroek.

In het horizontale licht van de lage zon gaf ze de man tien briefjes van honderd euro.

Rex wist niet wat hij zag. Maar het was echt waar. Duizend euro. Ze gaf het weg alsof het een pakje sigaretten was.

Alles veranderde aan Osman. De fletse blik werd levendig, de verongelijkte boventoon verdween uit zijn stem, de gezichtsplooien op halfzeven gingen naar tien voor twee, zijn snor krulde omhoog. Hij omhelsde hen allebei, duwde ze het geitenpaadje weer af, in zijn kantoortje pakte hij een fles likeur van de plank. Rex sloeg het aanbod af, nog steeds niet bekomen van zijn verbazing. Bieneke nam het glas wel aan, riep iets in het Turks en proostte. Osman vulde de glaasjes weer bij, schoof er opnieuw een nadrukkelijk naar Rex. Om niemand voor het hoofd te stoten, nam hij toch een klein slokje. Duizend euro. Zijn smaakpapillen trokken woest samen door de suiker in het mierzoete drankje. Met een tuitmondje vroeg hij: 'Die jongen in de berm, hoe zag hij eruit?'

Osman liet zich in een oude bureaustoel vallen. Dat was een tragisch verhaal. Hij lag op zijn zij, dat betekent voorzichtig omdraaien, want je weet het niet, er kan een rug gebroken zijn, of je kan iemands hart spietsen aan een gebroken rib. Gelukkig ademde hij nog. Hij leek op de zanger van die Amerikaanse band, die niet lang daarna zelfmoord zou plegen: halflang blond haar met het gezicht van een engel, hoewel er overal modder en bloed zat. Glas in zijn wang. Hij had dringend een dokter nodig, maar voor eerste hulp moet je een cursus hebben gedaan. Osman sprong op en wees naar buiten, naar de wasbarak, de blokhutten, het veld met de tenten, allemaal met zijn blote handen opgebouwd, maar hoe moest hij iemand helpen die medische bijstand nodig heeft? Als je hem zou vragen een weg te verharden, goed. Of een waterleiding aan te leggen, prima. Administratie, toeristenbelasting, een zekering verwisselen, de douche repareren, toiletpapier aanvullen, de rotzooi opruimen van Italiaanse toeristen, allemaal geen probleem, maar een bewusteloze jongen in de berm? Osman liet zijn hoofd rusten tegen het raam en stamelde: 'Ik denk wel eens, had ik hem niet op zijn zij moeten laten liggen? Had ik een deken over hem heen moeten leggen? Had ik het verbandkistje uit het kantoor moeten halen? Misschien had ie dan nog geleefd, ik weet het niet.'

'Heeft hij iets gezegd?' Rex probeerde het zich voor te stellen: Kurt Cobain in het gras, scherven in zijn hoofd, een vooruitblik op het schot hagel dat hij zichzelf zou toedienen.

Opnieuw wierp Osman zijn beide armen opzij alsof hij aan een kruis hing, likeur klotste over de rand van het glas. Dat was het nou net. Hij zat daar met die jongen langs de weg, in zijn onderbroek dus, de koude wind voelde hij niet, dertig meter verderop zaten die twee meisjes ook op de grond, en toen hoorde hij het geluid van een automotor. Dat was het echtpaar dat nog niet wist dat na de volgende bocht de weg versperd zou zijn door een muur van vuur en geblakerd metaal. Daar komt hulp, dacht hij, en in zijn wanhoop zei hij het ook hardop, er komt hulp, er komt hulp. Daarop deed de jongen zijn ogen open, heel veel wit, met een zoekende iris die zich ten slotte vasthechtte aan hem, Osman. Helderblauw, een paar seconden volledig bij kennis. En hij zei, heel duidelijk verstaanbaar boven het gesis van de vlammen, een woord dat Osman niet verstond, want de jongen sprak een buitenlandse taal. Nederlands, bleek later, maar dat wist hij op dat moment niet. Het had ook niet uitgemaakt, Fins of Swahili had ook gekund, want de jongen zei Tatja, en dat is een naam, en namen zijn in alle talen gelijk. Tatja, zei hij, met een vraagteken, en die blauwe ogen draaiden rond in een poging iets te zien van de omgeving. Maar Osman begreep hem dus niet, en er was ook geen tijd om te vragen wat hij bedoelde, want achter hem stopte de stationcar van het echtpaar, en toen hij de jongen even later de auto in tilde, was hij alweer buiten westen. Voorzichtig schoven ze hem via de achterklep naar binnen. Helaas is de laadruimte van een Citroën BX niet groot genoeg om languit te liggen, zelfs niet met een neergeklapte achterbank want op de plek van de stoelscharnieren zitten ongemakkelijke uitsparingen, dus ze vouwden hem zo goed en zo kwaad als het ging een beetje op, en dat beeld was hem ook bijgebleven, hoe hij die toegetakelde, levenloze pop in een onnatuurlijke houding tussen de koffers afgevoerd had zien worden in de achterbak van een gezinswagen. Van die mensen overigens ook nooit meer iets gehoord. Dat de jongen onderweg was gestorven aan een inwendige bloeding moest hij nota bene horen van de chauffeur van de takelwagen die het wrak van de huurauto kwam ophalen. Het ergste was nog dat hij nimmer zou weten of het door dat opvouwen was gekomen, het overlijden.

Osman schonk zichzelf bij.

Ruim twee uur hadden ze gewacht op de hulpdiensten, met z'n drieën op die donkere berg. Ze hadden het vuur zien uitbranden, en ten slotte had hij de meisjes mee naar beneden genomen, eindelijk een normale broek aangetrokken en thee gezet. Het ene meisje bleek dus Tatja te heten, klaarblijkelijk de vriendin van de onfortuinlijk verwonde jongeman, ze ging natuurlijk door een hel, met een vriend van wie ze niet wist of hij leefde of dood was. Maar haar metgezel was fantastisch, die bleef maar op haar inpraten, en hoewel Osman het uiteraard niet kon verstaan, had het kennelijk een kalmerende invloed gehad, want op een gegeven moment was ze in slaap gevallen, op de bank van de blokhut aan de rivier, en had hij met die Chuck nog een sigaretje staan roken op de veranda. Zij had het ook niet makkelijk, want ze had achter het stuur gezeten en zag die paar seconden van de crash natuurlijk de hele tijd voor zich, maar daar merkte je niets van. Ze had alles onder controle.

Rex staarde naar de onaangeroerde vloeistof in zijn glas. Zijn vermoeden was juist geweest. Puck had de plaats van zijn vader ingenomen omdat die te veel had gedronken.

'En jij bent dus de dochter.' Osman schakelde over naar het Turks.

'Ik? Wat? Waarom denkt u dat?' vroeg Bieneke, enigszins van haar stuk gebracht.

'De oogopslag, het haar, het geld. Waarom komt Chuck zelf niet?'

'Ik ben haar dochter niet.'

'Ben je dan van Benegaz? Na achttien jaar?' Zijn blik werd opeens wantrouwig.

'Nee.'

Osman keek naar Rex. 'Hij dan? Is hij van Benegaz?'

'Hij is de zoon.'

'De zoon?'

'Van Tatja.'

Rex kon de dialoog niet verstaan, maar merkte dat hij het onderwerp van het gesprek was geworden. 'We have to go,' zei hij.

'Go? Where?' vroeg Osman.

'We are staying with friends in the city.'

Hij sprong op. Daar kon geen sprake van zijn. Ze waren zijn gasten. Ze wisten nu toch wat er allemaal mis kon gaan, als buitenlanders, op een donkere bergweg?

'Nou,' zei Bieneke.

'You stay,' hakte Osman de knoop door en bracht hen naar de blokhut aan de oever. Het was eigenlijk geen rivier, meer een snelstromende beek, het schuimende water lichtte wit op in het schijnsel van de buitenlampen op de houten veranda. Het interieur was schoon en verzorgd, op het truttige af: lichte gordijnen, bloemetjesdessins, veel blank grenen, een hagelwit kleed op de gelakte vloer, een keukentje in geel en lichtblauw, schaaltjes met lavendel in de kleine badkamer. Osman vertelde dat dit het werk was van zijn vrouw, ze was verantwoordelijk voor de huisjes en kwam hen straks ook eten brengen. Hij ging haar nu helpen in de keuken, dus ze moesten hem excuseren. De fles likeur liet hij achter.

Bieneke liet zich op het tweepersoonsbed vallen, tussen de witte kussens met blauwe geborduurde visjes. 'Wauw. Ik ben best moe.'

'Je gaf die man duizend euro. Zomaar. Waarom?'

'Het is maar geld.'

'Ja, maar waarom?'

Ze krulde zich op en kreunde. 'Jezes, Rex. Geld interesseert me niet, ik geef het meestal zo snel mogelijk uit. Kijk wat we ervoor terug hebben gekregen. Of wist je dat allemaal al, wat hij ons vertelde?'

'Nee.'

'Hij denkt dat we een stel zijn.'

'Waarom?'

'Er is maar één slaapkamer.'

'Is dat zo?'

'Weet je wat er boven de voordeur hangt?' vroeg ze.

Rex ging kijken. Een gelakt stuk boombast in de vorm van een liggende s. Met sierlijke letters in goudverf: Lark's Love Nest.

'Ik ga wel op de bank,' zei hij toen hij weer binnenkwam. Dolgraag had hij met haar leeuwerikje willen spelen. Maar ze was al bezet. Door ontelbare mannen over de hele aardbol. Natuurlijk vond ze geld niet belangrijk, met elke wip werd ze rijker.

'Hè, doe niet zo flauw,' murmelde ze.

'Slaap jij liever op de bank? Vind ik prima, hoor.'

'Je gedraagt je als een jaloerse minnaar.'

En zo ging het nog een tijdje door. Zij verleidelijk op het bed en hij ijsberend in de woonkamer als, inderdaad, een jaloerse minnaar. Totdat ze zei: 'Misschien is er wel niets waar je afgunstig op hoeft te zijn,' maar toen kwam het eten en kon hij niet vragen wat ze daarmee bedoelde.

Osmans vrouw was klein en vriendelijk en voorkomend en kwam uit Indonesië. Ze had een rood steekkarretje bij zich, en uit dozen van piepschuim toverde ze pompoensoep, gehaktballetjes met rijst, spiesjes met gegrilde groenten, gevulde tomaten, gebraden kip met cashewnoten, baklava en een gekoelde fles witte wijn. Ze kende zelfs een beetje Nederlands en stond erop het eten persoonlijk uit te serveren. Ze vertelde dat Osman en zij elkaar ontmoet hadden via een datingsite. Hij zocht iemand die hem in het hoogseizoen kon helpen in de keuken en de receptie, zij wilde weg uit het getto in Jakarta. Na een paar keer skypen nam ze de beslissing. Osman schoot het vliegticket voor.

'Het is een grote man,' zei ze terwijl ze de soepkommen afruimde, 'en hij is niet handig met computers. Toen ik hem voor het eerst zag zat ie te dicht op de webcam, en toen schrok ik nogal, vooral van die snor, maar het Turks is niet moeilijk en hij heeft een klein hartje. Dat ongeluk hier boven op de berg zit hem nog steeds erg hoog, hij neemt het zichzelf kwalijk dat hij die jongen in de achterbak heeft gefrommeld, met al dat bloed vanbinnen. Tegelijkertijd is hij verdrietig omdat Chuck nooit meer iets van zich heeft laten horen.'

'Puck. Ze heette Puck.'

'Jaja, meneer. Het is goed.' Met ernstige toewijding schepte ze zijn bord vol rijst, alsof hij een planterszoon was in Nederlands-Indië. 'Osmans hart is gewond. Hij huilt ook vaak om de schakelkast.'

Toen ze weg was zei Bieneke: 'Ik denk dat onze campingdirecteur een heel gewiekste zakenman is.' Ze glimlachte, kon het kennelijk wel waarderen dat iemand haar een rug afhandig had gemaakt.

Geld kon haar inderdaad niet veel schelen, dacht Rex en hij vroeg zich af hoeveel euro's er überhaupt zaten, in die achterzak van haar jeans.

Bieneke zag zijn blik. 'Het is geen easy money, mocht je dat denken.'

Hij zweeg, veegde wat bladerdeegkruimels van tafel.

'Een goudmijn met smerige gangetjes. Zo denk jij over de Circe.'

'Ik denk helemaal niks.'

'Onze gangen zijn schoon. Het is een kraakhelder concept. Het werkt. Iedereen is tevreden.'

'Tevreden personeel. Heel belangrijk, in elke bedrijfscultuur,' zei Rex, die ontdekte dat hij ongemerkt alle baklava had opgegeten. 'Ben jij het ook?'

Ze gaf geen antwoord.

'Ik heb je gezien, eerst met die donkere klojo, en later met een Arabier.'

'Arme Rex. Ik ben maar een gewone ouvreuse. Ik breng ze alleen de trap af.'

'Jij denkt dat ik dat geloof?'

'Ja. Ik begeleid de mensen naar de film die ze hebben uitgekozen, dat is alles.'

Hij lag lang wakker op de bank, luisterde naar het ruisende water van de beek. Zou het kunnen dat ze de waarheid sprak? Was het mogelijk dat ze de seks alleen organiseerde en er niet zelf aan deelnam? Maakte dat de dingen anders? Ja, dat maakte alles anders. Of verzweeg ze de helft? Maakte ze het mooier dan het was? Werd hem een oor aangenaaid door een meisje dat zich nu aan de andere kant van de slaapkamer vrolijk zat te maken over zijn goedgelovigheid?

Hij draaide zich om, sloeg het kussen in een andere vorm.

Maar stel dat ze het was: geen prostituee, maar een animeermeisje dat toevallig familie was van de eigenaar. Dat was niet zo erg, daar kon je best bevriend mee zijn. En als die vriendschap zou uitgroeien tot iets meer, was het heel goed mogelijk dat je zo iemand kon overtuigen te stoppen met mensen naar de film brengen.

En de kwestie van de vrije liefde, hoe zat dat dan? Het was een excentrieke mening, sixties-achtig. Misschien zou het, net als de flowerpower, vanzelf overgaan. Of moest hij het omkeren? Was zijn opvatting over romantiek uit de tijd en moest hij de ramen durven openzetten? Zou hij nu niet gewoon toe moeten geven aan zijn verlangen en naast haar gaan liggen? Luisteren naar de salsa? Bestond het hele idee van lust niet uit een voortdurend aantrekken en afstoten, ontvangen en terugduwen, erin en eruit, als de daad zelf? Hij draaide zich op zijn andere zij, probeerde op de krappe bank verwoed een betere slaappositie te vinden. Je hoefde hem niets te vertellen, hij had immers ervaring, niet alleen in de Circe, maar ook in Esmeralda's Heaven en in de materiaalopslag van een gymlokaal. Niet heel veel expertise misschien, maar wel voldoende om de metafoor te kunnen maken. Erin en eruit. Hij had het warm, gooide de dekens opzij. De hele wereld was verwikkeld in één grote paringsdans, een planeetoverspannend copulatiecircus, wie was hij dat hij zich daartegen probeerde te verzetten?

In het halfduister staarde hij naar het schrootjesplafond en dwong zichzelf ergens anders aan te denken. Hadden Tatja en Puck in de rampnacht onder ditzelfde dak geslapen? Had Puck hier haar wisseltruc uitgedacht? Of al eerder, naast het smeulende wrak, toen zijn vader werd afgevoerd naar een onbekend ziekenhuis?

Stel dat er een cameraatje verborgen had gezeten tussen de schrootjes boven zijn hoofd. Stel dat er uit de stalen archiefkast in Osmans kantoortje morgenochtend een videofilm tevoorschijn zou komen? Wat had hij eraan als hij zou weten wat Puck onder deze balken allemaal tegen zijn moeder had gefluisterd? Deus had zich volgens hen gedragen als een hufter, eigenlijk wel logisch wanneer je bedrogen bent, en zij sloegen terug met een streek die alle hufterigheid oversteeg. Oorzaak en gevolg. Sinds die tijd hadden tientallen stelletjes hier in bed gelegen, allemaal met hun eigen relatieproblemen. Wat had je eraan, alles te weten over wat mensen elkaar aandeden als ze boos en gekwetst waren?

*

'Ik heb Reinhold gebeld.'

'Zonder dat ik het wist?'

'Ja, sorry. Ik dacht, ik doe nog één poging.'

'Godpokken Tat. Zo schieten we niet op. Als ik er niet van op

aan kan, wat we met elkaar afspreken, dan wordt het niks.'

'Maar...'

'Het was toch duidelijk? Niet reageren. Straks belt Rex met Reinhold en krijgt hij het idee dat we hier in paniek zijn en dat is wat hij wil, dat we zo gek worden van de zorgen dat we zelfs hebben aangeklopt bij die idioot in dat bejaardentehuis.'

'Hij zit in Istanbul.'

'Wie? Rex?'

'Nee, Deus.'

'Hoe weet je dat?'

'Van die idioot in het bejaardentehuis.'

'En waarom wilde hij nu opeens wel meewerken?'

'Hij was dronken, geloof ik. "Mijn zoon worstelt al twintig jaar met zichzelf," zei hij.'

'Lekker laten worstelen.'

'Hij klonk oprecht. In vino veritas, dacht ik.'

'Er zit geen greintje integriteit in die man, net zomin als in de zoon. Waarschijnlijk wil ie ons de verkeerde kant op sturen?

'Ik heb al geboekt.'

'Wat?'

'Grote kans dat Rex daar zit, in Istanbul.'

'Ik vind dit niet oké. Heb ik er nog iets over te zeggen?'

'Natuurlijk.'

'Fijn. Hoe gaan we 'm vinden? Misschien weet je het niet, maar er wonen meer mensen in die stad dan in heel Nederland.'

'Ik heb ook een adres.'

*

'Goed geslapen?' vroeg Bieneke die pas 's middags haar kamer uit kwam.

'Prima,' loog Rex.

'Vind je het niet een raar idee dat jouw moeder misschien ook onder dit dak heeft gelegen?'

'Nee hoor, dat kan niet,' zei de vriendelijke Javaanse die thee en broodjes kwam brengen met haar rode karretje. 'Deze huisjes stonden er toen nog niet.'

'Dat klopt. Ze hebben overnacht in het eerste rivierhuisje,' antwoordde Osman een uur later in zijn kantoortje. 'Maar die blokhut is later samen met de glijbaan en de wipwap weggespoeld tijdens de grote voorjaarsoverstroming van '96. Niemand die daar overigens verantwoordelijkheid voor genomen heeft. De overheid niet, die de oevers had moeten onderhouden, de houtfirma niet, die hierboven te veel bomen heeft gekapt waardoor de bodemerosie is toegenomen, en de verzekering niet, die kleine lettertjes hebben waarin staat dat natuurrampen niet gedekt zijn. Ik zou dat snappen wanneer ik in de stad zou wonen, want als zich daar een calamiteit voltrekt, gaat het over een paar miljoen mensen met schade en dan is het eind natuurlijk zoek. Maar hier is de bevolkingsdichtheid laag, mijn dichtstbijzijnde buurman woont twee kilometer verderop. Waarom doen ze dan zo moeilijk over een wipwap? Ik denk dus dat ze dachten: daar heb je die meneer weer van die schakelkast, het is altijd wat met die man, we keren niet uit, want dan is het hek van de dam en komt ie volgend jaar met een nieuwe catastrofe, straks moeten we nog smartengeld betalen omdat ie jarenlang last heeft gehad van een schuldgevoel over een jongen met inwendige bloedingen.' Opnieuw had hij tranen in zijn ogen.

Bieneke stond machteloos tegen zoveel mediterraan verdriet en omhelsde Osman. Rex wilde niet achterblijven en deed hetzelfde. Als afscheid dronken ze nog wat raki, toen nog een glas thee, en toen weer raki. Rex sloeg het tweede glas beleefd af. De betraande campinghouder omarmde hem omdat ie dat een wijs besluit vond: raki en rijden gingen niet altijd samen. Zelfs niet in Turkije. Hij hield Rex een stukje van zich af en riep: 'Als ik een zoon had, zou ik willen dat ie net zo verstandig was als jij. Maar ik heb geen zoon.' Hij schudde hem zacht door elkaar, de alcoholkegel vol in Rex' gezicht. 'Vergeet niet dat jij het product bent van de liefde. We zijn allemaal het product van de liefde,' en hij trok Bieneke ook naar zich toe. Eventjes stonden ze daar met z'n drieën, tussen de kasten met oude ordners en kartonnen dozen met toiletzeep, hun armen over elkaars schouders, alsof ze moed aan het verzamelen waren voor een beslissende wedstrijd.

De middag was al bijna om toen ze ten slotte in de auto stapten. Op het laatste moment kwam Osman nog aanzetten met een in krantenpapier gewikkeld afscheidscadeau. Het was de linkerbuitenspiegel van de huurauto waar ze in hadden gezeten, die nacht. Hij had 'm een paar dagen later gevonden, halverwege de helling, tussen de varens. Kun je nagaan wat een klap het geweest was. Waar hij dus niets van gehoord had, hij was pas wakker geworden toen de gelekte brandstof vlam vatte, een heel raar geluid.

Rex trok Bieneke de auto in voordat ze het hele verhaal opnieuw moesten aanhoren en met de spiegel-die-alles-gezien-had als derde oog op het dashboard, reden ze over het steile pad omhoog.

'Ik vind het best wel zielig voor Osman.' Bieneke legde een blote voet op de klep van het handschoenenkastje.

Rex wist het zo net nog niet. Het voelde alsof hij wegreed bij een winkel waar een aardige verkoper hem iets verkocht had wat hij helemaal niet wilde hebben.

Ze legde de andere voet ook op het dashboard. 'Twee decennia verder en nog steeds verteerd door schuldgevoel.'
'En behoorlijk nutteloos.'
'Wat bedoel je?'
'Mijn vader blijkt die crash overleefd te hebben.'
'Wat?'
Hij vertelde het: grote ruzie met mama A en B, drieduizend boze kilometers.
Ze keek hem aan, in verwarring. 'Je moeder heeft je al die tijd wijsgemaakt dat je vader dood was?' vroeg ze.
Hij knikte.
'Wauw.'
'Ja.'
'En nu?' vroeg ze verwachtingsvol, alsof ze de bladzijde omsloeg van een spannend boek.
'Hij blijkt in Van te zitten.'
'Je gaat dus niet naar Siberië.'
'Nee.'
Bieneke was even stil. 'Het is in ieder geval dichterbij,' zei ze ten slotte. Praktische meid, dacht Rex. Ze leek niet heel erg van streek dat zijn vader niet onder de grond lag.
'Van is niet zo ver,' zei Bieneke. 'Twintig uur rijden, schat ik. Waarom ga je niet vliegen?'
'Ik weet niet wat ik aan zal treffen. Is ie ziek? Beroofd? Heeft hij zijn paspoort nog? Kan ik hem mee terug nemen? Met een vliegtuig is dat allemaal veel te lastig.'
Dat snapte ze, en toen zei ze, toch nog behoorlijk onverwacht: 'Zal ik meegaan? Ik spreek Turks, dat kon wel eens heel handig zijn als ie geen papieren heeft.'
Rex overwoog het aanbod. Aan de ene kant leek het hem heerlijk en opwindend als ze meeging als tolk, en wie weet kwamen ze dan inderdaad dat romantische pensionnetje

tegen in de bergen, met eenvoudige kamers en uitzicht op een bergweide. En dat ze daar dan af zouden maken waar ze gisteren aan begonnen waren. Maar de bungafeestjes op die superjachten en stapeltjes zwart geld en mannen met lijfwachten zaten aan de andere kant, dus om tijd te winnen vroeg hij: 'Maar kan dat dan zomaar, ik bedoel met Henri?'

Haar gsm ging. Ze had de ringtone veranderd. 'Beat it', van Jackson.

Rot op Dimitri, dacht hij, met je olijfbomen. Of misschien waren het de operaminnaars. Of de jongen van de Chinese broodjesboot.

'Het is voor jou.' Verbaasd gaf Bieneke hem haar telefoon.

'Ik vind het verschrikkelijk wat er gebeurd is. Maar ik kan het niet meer terugdraaien,' zei de stem van Tatja.

Ongemerkt reed hij door een rood stoplicht.

'We zijn in Istanbul,' zei mama A.

Hij remde. Hoe kwamen ze aan Bienekes nummer?

'Niet ophangen. Alsjeblieft, niet doen.'

Zijn duim lag al op de knop. Hij wachtte een moment.

'Ik weet dat je onderweg bent naar de grens.'

Hij zette de auto in de berm. Achter hem werd geclaxonneerd, maar hij merkte het niet.

'We hebben de afgelopen dagen ons best gedaan je te bereiken.'

Hij zei niets. Alsof hem dat interesseerde, dat ze hem de hele tijd voor niets hadden gebeld.

'Rex? Ben je er nog? Zeg eens wat.'

Hij probeerde het, maar op de een of andere manier zat er niet genoeg lucht in zijn keel.

'Waar ben je?' vroeg Tatja. 'Volgens Henri ben je gisterochtend weggereden. Is Bieneke toevallig bij jou?'

Hij had zuurstof nodig, stapte uit.

'De vader van Uno heeft de Turkse politie ingeschakeld. De auto en Uno's paspoort staan nu officieel opgegeven als gestolen. Het is echt beter als je me vertelt waar je precies bent.' Aan haar stem kon je horen dat zij ook moeite had met haar ademhaling. Hij voelde de woede oplaaien in zijn buik. Ze achtervolgden hem als de eerste de beste weggelopen puber.

'Toe nou schatje, zeg iets terug.'

Bieneke stapte ook uit en keek hem bezorgd aan over het dak van de auto. Hij worstelde om controle over zijn stembanden te krijgen. 'Waarom denk je dat ik mijn telefoon heb uitgezet?' vroeg hij ten slotte. 'Ik wil nooit meer – hoor je – nóóit meer door jullie gebeld worden.'

'Maar...'

'Het heeft geen zin om me te zoeken. Ik wil niet gevonden worden.'

'Rexliefje...'

'Weet je wat het beste zou zijn voor jou? Teruggaan naar je veilige, autofobe wereldje. Brei lekker verder aan je rode bidkleedje en laat me voortaan met rust. Mijn spullen laat ik te zijner tijd wel ophalen. Ik hoef jullie niet meer te zien.'

Hij verbrak de verbinding, wipte de achterkant van het toestel omhoog, trok de accu eruit en gaf het geheel terug aan Bieneke. Het had iets heldhaftigs, de wijze waarop hij met een paar zinnen de eindafrekening vereffende met zijn moeder, hij een volwassen kerel, wereldreiziger, automobilist, met een ouvreuse/animeermeisje/callgirl naast zich die nu ook even niet meer kon bellen met haar (ex-)schatjes in de stadjes die ze nog zouden tegenkomen. In films deden ze dat batterijtrucje ook als je niet uitgepeild wilde worden door een zendmast.

De euforie duurde precies acht kilometer, tot de eerste bewijzerde kruising. Hij stopte. Het was inmiddels donker geworden, nergens een lichtje, in het schijnsel van de koplampen alleen een wit bord met zwarte letters. Ankara rechtdoor. Konya naar rechts. Dat lag op de route naar Adana en de doorgaande weg naar het oosten, langs de noordgrens van Syrië. Hij voelde dat Bieneke hem bekeek.

'Gaat het?' Ze zat in haar favoriete houding, rug tegen het raampje, benen opgetrokken.

'Het gaat prima, dank je.'

'Waarom staan we stil? Wat zei je moeder precies?'

'Niks.'

'Dat lijkt me sterk.'

'Nee, niks.'

In de zijspiegel zag hij naderende koplampen. Hij moest een beslissing nemen. Terug of verder. Het was niet makkelijk. Hij liet zijn voorhoofd op het stuur zakken, kneep zijn ogen dicht om zich te concentreren, en het volgende moment zat hij opnieuw te huilen, handen voor zijn gezicht. Dat was absoluut niet de bedoeling, het stond lijnrecht tegenover de koelbloedige wreker die hij wilde zijn, maar hij kon er niets aan doen. Waar eerst de razernij had gezeten, welde nu een groot verdriet op, hij verborg zijn hoofd in zijn armen en wilde dat hij die acht kilometer terug kon rijden om het telefoongesprek over te doen.

De achteropkomende auto toeterde toen hij aan de linkerkant passeerde en rechts afsloeg. Het kon hem niets schelen. Snot druppelde op het stuur. Hij zette de motor uit en ontweek de vingers die Bieneke op zijn schouder wilde leggen. Ze pakte hem met beide handen vast, maar hij schudde zich los en kroop weg tegen de binnenbekleding van het portier. Ten slotte pakte ze zijn hoofd en trok hem over de console naar zich toe. Deze keer liet hij het toe, en op haar bovenbenen huilde hij uit. Alles wat hij ondernam mislukte, de mensen van wie hij hield begrepen hem niet of lieten hem in de steek, hij was een slappeling, niet eens in staat om simpelweg de borden te volgen naar de grens en zijn vader op te halen. Zijn eindexamen had hij gemist, het meisje op wie hij indruk had willen maken aaide op dit moment zijn bol alsof hij een grote baby was, de kans dat hij ooit iets gelijkwaardigs met haar zou krijgen was voorgoed verkeken. Zijn labiele moeder, van wie hij steeds beter begreep hoe ze klem had gezeten tussen minnaar en minnares plus een ex met een zeilboot, zou misschien wel nooit meer het laatste telefoongesprek te boven komen dat ze met haar enige zoon had gehad. Hij had haar wel om minder zien instorten, waarschijnlijk zat ze nu als een hoopje ellende ergens op straat in Istanbul. Als ze straks in haar wanhoop onder een stadsbus zou lopen, was dat zijn schuld.

En zo lag Rex alsnog in de schoot van Bieneke, maar heel anders dan hij een tijdje geleden gedacht had. Verkeerstechnisch een uiterst gevaarlijke situatie, zijn knie of elleboog had bijvoorbeeld per ongeluk het lampenknopje kunnen raken, en een onverlicht nachtblauw autootje op dat donkere kruispunt had makkelijk de opstap kunnen zijn naar een tweede Turks auto-ongeluk in de familie. Maar dat zou allemaal te toevallig worden, vooral ook omdat Bieneke niet gek was. Met één oog hield ze de weg in de gaten terwijl haar vingers langzaam krulletjes draaiden in het zwarte haar van het zacht schokkende hoofd op haar dijen.

Na vijf of tien minuten van intense smart ontstaat er meestal behoefte aan een korte pauze. Je wordt moe van jezelf, je neus zit vol, je gezicht is vastgeplakt aan het bovenbeen van je trooster, de schaamte wint het van het verdriet. Ook speelde de plaats van de pook een rol toen Rex de benen van Bieneke losliet en terugkroop naar zijn stoel. Onder zijn overhemd, op de hoogte van zijn onderste ribben, zat een karmozijn rode pit van irritatie. De artsen die hem later onderzochten, verbaasden zich daar enigszins over omdat de positie van de versnellingshendel vrijwel nooit de oorzaak was van ernstig letsel.

Rex probeerde met zijn vrije hand de pijn weg te wrijven terwijl hij vermeed Bieneke aan te kijken. 'Sorry,' zei hij. 'Dat zag ik even niet aankomen.'

'Ik denk dat het heel goed is dat je die gevoelens toelaat. De meeste mannen die ik ken kunnen dat niet.'

Ja logisch, dacht hij. De meeste mannen die jij kent hebben een normale jeugd gehad en hebben zich niet ontwikkeld tot het verschrikkelijke moederskindje dat ik geworden ben. Hij schoot weer vol. 'Wat moet ik nou doen?'

Het duurde even voordat hij op het idee kwam dat ze natuurlijk ook zelf konden bellen. Het was halfelf 's avonds; een politiebureau, zelfs in een uithoek van het land, moest op dit tijdstip toch bereikbaar zijn?

'Mag ik mijn batterij er dan weer in doen?' vroeg Bieneke, wier telefoon onmiddellijk overging toen ze dat inderdaad gedaan had. Ze drukte Henri weg, zocht en vond het nummer in Van en had even later de brigadier van dienst aan de lijn.

Rex keek met betraande ogen over de verlaten, donkere kruising en knipte de koplampen uit, om de accu te sparen. Het was een pikdonkere nacht, hij kon ternauwernood zijn handen op het stuur onderscheiden. Stil luisterde hij naar Bienekes mooie, melodieuze stem. Zij kan met iedereen praten, dacht hij. Met iedereen is ze vriendjes, maar mij bekijkt ze met andere ogen, alsof twee moeders nog niet voldoende zijn voor een hopeloos geval als ik.

Toen ze opgehangen had, zei Bieneke: 'Het klopt. Je vader zit op het politiebureau in Van. Maar het schijnt dat ze hem binnenkort gaan overplaatsen.'

Shit, dacht hij. Geen tijd te verliezen. Een nieuwe jammerkramp diende zich aan.

Haar telefoon ging weer. Ze nam op en zei ja, nee, nee, o, echt? en tikte 'm uit. 'Henri zit met Tatjana Toscana en Chuck op een terras bij het Taksimplein en wil dat we terugkomen.'

'Ze heet Puck. Geen Chuck,' huilde hij.

Bieneke draaide zich een kwartslag om en stak haar been over de console. Heel even dacht Rex dat ze de draad op wilde pikken van waar ze eerder gebleven waren, maar ze zei: 'Misschien is het beter dat ik even rij.' Ze duwde hem naar buiten, en hij liet het gebeuren. Als een hondje liep hij om en ging naast haar zitten. Ik moet me overgeven, dacht hij. Ze heeft een cursus autotechniek gedaan. Ze kan goed sturen. Hij sloot zijn ogen. 'We moeten nog wel even tanken,' mompelde hij.

'Sst.' Ze draaide de contactsleutel om. 'We gaan eerst nog even iemand oppikken.'

'Wie dan?'

Ze gaf geen antwoord.

Hij werd wakker doordat de auto tot stilstand kwam.

'Ben zo terug,' zei Bieneke terwijl ze uitstapte.

Slaperig keek Rex om zich heen. Een klein stadsplein met een levensmiddelenwinkeltje. Bankjes onder oude bomen. Aan de overkant een busstation. Hij zette de gps aan om te kijken waar ze waren, maar voordat het apparaat zijn satellieten gevonden had, was ze alweer terug. Naast haar liep een jongen die hij ergens van kende, maar niet zo snel kon thuisbrengen.

'Hello,' zei Goran toen ze bij de auto waren.

Rex was te verbouwereerd om meteen te kunnen antwoorden.

'Zijn oom heeft besloten de winkel te sluiten,' legde Bieneke uit. 'Hij gelooft niet dat die Europese subsidie er dit seizoen nog komt. Is het oké dat we hem een lift geven naar Ankara? Daar komen we toch langs, min of meer.'

Rex keek naar de jerrycans, het luchtbed, de slaapzak, de lege wijnflessen tussen de kleren op de achterbank. Er was geen plek. Hij had geen zin om iemand een lift te geven. Hij wilde Bieneke voor zich alleen. 'Tuurlijk,' riep hij en sprong uit de auto. 'Geen probleem.'

Het viel nog niet mee om ruimte te maken. Ze stapelden alle kampeerspullen op de voorstoel zodat Bieneke en Goran samen op de achterbank konden zitten, Rex schoof achter het stuur. Dat liet hij zich niet afpakken, de controle over de Scirocco.

'Dank je wel,' zei Goran toen ze de autoweg opdraaiden.

Rex knikte grootmoedig. 'Ik doe het graag.' In zijn spiegeltje zag hij de hand van de geschiedenisstudent op Bienekes been liggen.

Hij veranderde van rijbaan en veroorzaakte een claxonconcert. Bieneke legde haar vingers tegen zijn wang. 'We hebben geen haast.'

Rex vond van wel. Hoe eerder hij de bewaker van Troje had afgezet, hoe beter.

De hand op het been bewoog, Bieneke zakte iets onderuit.

Ze doet het uit liefde, ze doet het uit liefde, prentte Rex

zich uit alle macht in, haar kut is groot genoeg voor de hele wereld.

24

Het vliegveld bij Van ligt hoog, op bijna 1800 meter, op een klein plateau tussen twee bergketens. Een strip, een platform, een kleine onderhoudshangar, wat sportvliegtuigjes en wat laagbouw voor douane en passagiers, meer is het niet. Er staan nauwelijks bomen. Het waait er altijd.

Met handboeien om werd Deus in een politieauto afgezet bij een Boeing 737. Op de staartvin zag hij vaag een rood logo van een vliegend paard toen ze hem de trap op droegen. Iemand had een slaapmiddel in zijn lunch gedaan, dat kon niet anders, want zijn tong leek verlamd en hij kon nauwelijks op zijn benen staan. Flying is dangerous for my head, probeerde hij te roepen, maar vanwege die niet meewerkende mondspieren klonk het als lying in the anus of my head, en uiteraard was niemand daarvan onder de indruk. 'I am not gay,' riep hij ook nog, maar het was tevergeefs. Ze gespten hem vast in de businessclass, wat chiquer klonk dan het was, want het waren precies dezelfde stoelen als in economy; het enige verschil was het gordijntje achter rij zes dat hen scheidde van de andere passagiers. De politie in Van had enige ervaring met het vervoeren van arrestanten, in het verleden was het wel eens voorgekomen dat een Syrische asielzoeker tijdens de reis obscene dingen tegen de stewardessen had geroepen en zo het hele vliegtuig op stelten had gezet. Sinds die memorabele vlucht, waarbij moeders de oren van hun kinderen hadden geprobeerd af te schermen, mengden ze een beetje chloraalhydraat door de groentesoep van de luchtarrestant om verzekerd te zijn van een rustig transport. Dat dit verboden was in een democratische rechtsstaat, deerde de instanties niet, ze waren tenslotte in Oost-Turkije.

Deus was in het gezelschap van Gilmez, die de vangst van de Zweedse recidivist op het stationnetje van Kapikoy beschouwde als een persoonlijke triomf en niet van plan was iets aan het toeval over te laten als het ging om een vlekkeloze overdracht aan de autoriteiten aan de andere kant van het land. Hij was de man van het chloraalhydraat en had bovendien speciale toestemming gekregen om zijn dienstwapen aan boord mee te nemen. Nadat hij Deus' boeien had vastgeklikt aan de armleuning, boog hij zich regelmatig opzij om te controleren of er misschien nog andere wetsovertreders tussen het handjevol passagiers zaten.

Op het moment dat het toestel naar de startbaan begon te taxiën, riep Deus nogmaals naar het cabinepersoneel: nono call the embassy! Maar ook zij begrepen er niets van, ze staken hun mooie oosterse neusjes in de lucht en wiegden weg in de strakke, rood-witte synthetische mantelpakjes van hun tweederangsvliegmaatschappij.

Ik ga dood op de plek waar de landbouw is uitgevonden, dacht Deus. Tienduizend jaar ontwikkeling naar de kloten.

'It's the anus of my head!' Hij duwde zijn schedel onder de neus van de politieman, zodat die de gekartelde rand van de operatiewond boven op zijn hoofd zou zien. Maar Gilmez sprak geen Engels, en als hij het wel gesproken zou hebben, had hij het niet kunnen verstaan, en als hij het wel verstaan zou hebben, had hij niet geluisterd, en dat was uiteindelijk natuurlijk een uitermate cynische grap van de goden: een taalwetenschapper die vlak voor zijn hemelvaart terechtkwam in een situatie waar niemand hem verstond.

REX

Twintig kilometer ten oosten van Ankara zat Rex zich achter het stuur van de Scirocco te verbijten. Ze stonden al meer dan een halfuur in de file, zonder noemenswaardige vooruitgang. Gefrustreerd keek hij om zich heen. Het liefst zou hij Goran de auto uit gooien, midden op de snelweg. Helaas ging dat niet. Hij had onbaatzuchtig willen zijn, maar die bereidheid was beperkt houdbaar: er hoorde snelheid bij, superieur zwijgen, achteloos bochtenwerk. Geen stilstand en gestaar naar de achterbumpers voor hem. Hij deed zijn best niet naar de achterbank te kijken, waar Bieneke en Goran zaten te fluisteren, hun benen onzichtbaar door de bagage op hun schoot. Het was onmogelijk te zien wat eronder gebeurde. Niet dat hij er de hele tijd naar keek, maar soms zag hij – via de buitenspiegel van Osman die nog steeds op het dashboard lag – een beweging, en hoewel hij zich voorgenomen had koel en onverschillig te zijn kon hij het toch niet verdragen dat die twee in zijn auto mogelijk stiekem het concept van vrije liefde zaten te praktiseren.

In een poging om deze beproeving zo kort mogelijk te houden, toetste hij Alternatieve Routes in op de navigatie, en vond een afslag naar de D140, een tweebaansweg die met een kleine omweg weer uitkwam op de route naar de luchthaven, want daar wilde hun passagier naartoe. Uiteraard waren er meer die voor deze sluiproute kozen, en Rex had de pech terecht te komen achter een bestelbusje met propaanflessen. Dat kon je aan de buitenkant niet zien, op de achterdeuren stond simpelweg SiSi. Niet het frisdrankmerk, maar de firmanaam van een ondernemende pomphouderszoon die begonnen was in het eenvoudige benzinestation van zijn vader in de buurt van Izmir, en die met veel talent voor handelsgeest het familiebedrijf had uitgebouwd. Inmiddels bevoorraadde hij een groot deel van de regio met goedkope brandstof voor de talloze gas- en kerosinebranders in de Turkse keukens. Hoewel ieder verstandig mens begrijpt dat het niet handig is om gasflessen te vervoeren in een afgesloten ruimte, en de Europese regelgeving daarover nogal streng is, gaan de Turken daar veel relaxter mee om, net als met het drogeren van arrestanten. Ze zijn tenslotte nog geen lid van de EU. De marges in de olie- en gassector zijn bovendien klein, van een overbeladen busje kijkt daarom niemand op, ook niet als het met dertig tegen een berghelling op zwoegt. Behalve als je er dus met een opgevoerde Volkswagen achter zit en zo snel mogelijk een flikflooiende passagier wilt lozen. Ongeduldig zwenkte Rex af en toe naar de linkerkant van de weg om te zien of hij kon inhalen, maar telkens zag hij een tegenligger.

'We hebben geen haast,' herhaalde Bieneke.

'Goran moet toch een vlucht halen?'

Ze boog naar de voorstoel. 'Zou je het vervelend vinden als hij nog even bij ons blijft en pas morgen of overmorgen dat vliegtuig naar huis pakt?'

Ja, zou hij nu moeten roepen, dat zou ik heel vervelend vinden. In plaats daarvan haalde hij zijn schouders op en zei: goed prima.

'Hij weet een leuk hotel. In de bergen.'

'Moet je Henri dan niet bellen?'

'Laat Henri maar de tyfus krijgen. Ik heb behoefte aan vakantie.'

Krijg zelf de tyfus, dacht Rex en op een rustig stukje, drie kilometer na Yenikent, zag hij zijn kans schoon. Hij gaf gas, en als de monteurs in Istanbul de juiste afsluitringen zouden hebben gebruikt, zou het voorwiellager tijdens de inhaalmanoeuvre misschien wel in zijn behuizing zijn gebleven.

De weg daalde sterk, het busje van SiSi maakte opeens vaart, Rex trapte het pedaal in tot de mat, en terwijl hij de haarspeldbocht snel dichterbij zag komen, hoorde hij van buiten een hoge jammerklacht, als de aankondiging van naderend onheil.

DEUS

Gilmez had uiteindelijk zijn dienstwapen niet nodig op vlucht PC191 van Pegasus Airlines. Stoïcijns zat hij de krant te lezen naast Deus, die tijdens het opstijgen regelmatig zijn hoofd had vastgegrepen en bij een hoogte van dertigduizend voet zijn bewustzijn verloren had. Een schuimspoor liep van zijn mondhoek naar de kraag van zijn overhemd. Het was te danken aan de doortastendheid van het cabinepersoneel dat de gezagvoerder tijdig werd gewaarschuwd en besloot tot een tussenlanding in Ankara waar Deus per ambulance werd afgevoerd naar het Atatürk Hospital. Dit is vanaf het vliegveld niet het dichtstbijzijnde, maar wel het goedkoopste ziekenhuis en als bewusteloze buitenlander heb je geen inspraak over waar je naartoe gebracht wordt. Gilmez, die mee mocht rijden op een klapbankje, hield Deus tijdens de halfuur durende rit scherp in de gaten, het was immers mogelijk dat de patiënt zijn aandoening simuleerde.

Zelfs toen Deus in een van de operatiekamers vocht voor zijn leven zat hij op wacht in de gang ernaast, want hoewel de godslastering waarvan de arrestant verdacht werd in Turkije gold als een relatief licht vergrijp, was het in de ogen van de vrome Gilmez een zware overtreding die vroeg om een passende straf.

REX DEUS

Jurgen Hammarskald en Bruno Umbasso kwamen elkaar voor het eerst tegen tijdens een kwalificatieduel van het wereldkampioenschap voetbal. Het Turkse elftal nam het op tegen Estland, voor het verplegend personeel van het Atatürk ziekenhuis in Ankara was het reden genoeg om alle patiënten van de derde verdieping die daar enigszins toe in staat waren, in rolstoelen en rijdende bedden te verzamelen in de recreatiezaal.

Hoog aan de muur hingen twee schermen, versuft keek Rex naar blauwe mannetjes die achter elkaar aan holden. Naast hem lag een oudere man, een deel van zijn hoofd zat in het verband. Hij leek de wedstrijd niet te zien. 'Kennis is macht,' zei hij op een gegeven moment tegen het plafond, 'maar voetbal regeert de wereld.'

Rex snapte niet wat de ander zei, maar kon hem tot zijn verbazing wel verstaan.

'Ik lig hier met een neurologische complicatie,' zei de man en wees naar zijn kruin, nadat ze een hele tijd hadden liggen luisteren naar het opgewonden, onbegrijpelijke commentaar uit de televisie. 'De beste artsen van het land zijn al naar me komen kijken, maar het gaat iedereen boven de pet.'

Op het scherm liep een wit kereltje een blauwe kabouter omver. De patiënten om hen heen protesteerden zwakjes vanuit hun verrijdbare meubilair.

‘Er zit een scherf in mijn hersens, van nikkel. Ik heb de foto’s gezien, de weg die het heeft afgelegd zie je in het weefsel als de baan van een komeet. Niet fijn om naar te kijken, een spoor van bloederige synapsen en dode gedachten, maar daar gaat het niet om, want een heleboel van wat we bedenken is echt niet het bewaren waard. Wat ik wil zeggen is dit: volgens de doktoren is het een wonder dat ik nog leef.’

Rex glimlachte. Een ventje in het zwart kwam het veld op rennen met een rood kaartje.

‘Moet je luisteren eh, hoe heet je eigenlijk?’ De man drukte zich een stukje op en keek naar de rand van Rex’ bed. ‘Bruno. Luister, de medici staan dus met hun bek vol tanden. Ze tappen mijn bloed af en sturen buisjes naar hun laboratoria, kijken door me heen met hun röntgenstraling, ze hebben me ook al een paar keer door dat scanapparaat gehaald waar een hele lange wachtlijst voor is, maar ze begrijpen niet wat ze zien. Het is een blinkende splinter, hier,’ hij stak een vinger in zijn mond, en wees naar boven naar zijn gehemelte, alsof hij zelfmoord ging plegen, ‘precies in het midden van mijn kop.’

Rex vroeg zich af waarom de mannetjes op het groene scherm stilstonden. Eentje lag op een brancard.

‘Ze vragen aan me of ik een slachtoffer ben van een bomaanslag, of in een oorlog heb gezeten. Maar hoe moet ik dat weten met al dat littekenweefsel in mijn schedel? En de paar dingen die ik me wel herinner zijn classified, dus die kan ik ook niet vertellen. Nee, ook niet aan jou, sorry.’ Hij richtte zich een stukje op. ‘Tot voor kort had ik een bewaker, maar die hebben ze gelukkig van me af gehaald.’

Boe! riepen ze op de tv. En in de recreatieruimte ook, maar met minder energie. Ten slotte legde het ventje in het zwarte pakje een balletje op een stip.

‘Op negen kilometer hoogte is alles, boem, geïmplodeerd door onderdruk, mijn hersenvlies lijkt nu op een vergiet. Een groot deel van de dag lig ik aan een drain. Of een infuus, daar wil ik vanaf zijn.’

Een vent met een baardje gaf een harde trap tegen de bal en iedereen juichte.

‘Uiteindelijk,’ zei de ander zacht, ‘hebben we de hele medische wetenschap niet nodig. Ik weet namelijk hoe die splinter daar gekomen is.’

De man pakte de rand van het bed vast.

‘Het komt door een vrouw. Het zijn altijd de vrouwen die ons verneuken.’

De mooie, maar vermoeid ogende zwartharige dame in de vertrekhal van de luchthaven van Istanbul jaagt op haar platte maar chique Jimmy Choos voorbij de Burger King en de Millennium Lounge. De ene hand omklemt het handvat van een kleine rolkoffer die achter haar aan stuitert, in de andere zit een telefoon. In haar kielzog een donkerblonde vrouw op pumps, ook met een koffertje, maar kalmer en op haar hoede, alsof haar reisgenote zichzelf onderweg opeens kwijt zou kunnen raken en er dan iets bij elkaar geveegd zou moeten worden. Ze is ongeveer van dezelfde leeftijd, eind dertig.

Ze volgen de borden naar Domestic Flights, hun ogen gaan snel langs de bestemmingen, ten slotte houden ze stil bij een scherm waar Ankara op staat. De gate is nog niet open, de meeste passagiers hangen in suikerspinroze stoeltjes, maar zij blijven staan. De donkerharige zoekt even naar haar evenwicht, de ander pakt haar schouder en zet haar op een stoeltje, waar ze bewegingsloos blijft zitten, een beetje onderuitgezakt.

Een paar minuten is de blonde bezig met haar telefoon, twee razendsnelle, goedverzorgde duimnagels op de toetsen terwijl haar hoofd rusteloos blijft ronddraaien, als een radarschotel met een paardenstaart. Die staart is een verhaal apart, onvergelijkbaar met het snel samengebonden haar van jonge moeders 's ochtends op het schoolplein; even een hand naar achteren en hup, een elastiekje eromheen, nee, dit was een tot in de puntjes verzorgde, golvende hoofdtooi die met een hoge boog tot halverwege de rug reikte, glanzend in het late middaglicht, nerveus meezwiepend met elke beweging, maar net iets later, als een komma achter een dans. Ondanks het feit dat hij ongetwijfeld elke dag gewassen, geföhnd en geborsteld werd, had de staart iets primitiefs, iets dierlijks, alsof zijn eigenares onverhoeds opzij zouden kunnen stappen om je onderuit te schoppen met haar kostbare schoenen.

DEUS REX

De tweede en laatste keer dat Rex zijn vader zag was de dag na de wedstrijd. De opwinding over de overwinning hing nog in de ziekenhuisgangen. De verpleger die hem kwam wassen floot een vrolijk liedje.

Na het eten zat er even een jongen naast zijn bed. Hij had hem eerder gezien, maar zijn naam was hem ontschoten. Hij had een ruïne bewaakt, of zoiets. De jongen had zijn vingers gepakt en was gaan huilen. Rex hield zijn ogen dicht, hij wilde de ander niet in verlegenheid brengen. Graag had hij een hand op zijn arm gelegd, om de ander te troosten, maar hij wist niet zeker of hij ze nog had, armen. Hij probeerde het, dacht even heel hard 'vingers optillen', maar er gebeurde niets. Hij liet het maar zo, het was uitermate vermoeiend om berichten naar zijn ledematen te sturen. Even later kwamen er twee verpleegsters die een stukje met hem wilden rijden. Hij vond het prima, ze gingen naar een andere verdieping waar een witte kamer was met een groot zoemend apparaat dat kon draaien, hij was er gisteren ook geweest. Ze lieten de treurende jongeman achter in het kamertje. Rex had het warm, hij keek naar de plafondplaten en lichtbakken boven zijn hoofd en verlangde naar het koele metaal waar hij straks op zou liggen.

In de hal met de liften stonden wel vijf of zes bedden te wachten op transport. De hersenproblemenman lag er ook. Het verband om zijn hoofd was grotendeels verdwenen. Hij zwaaide. 'Bruno!' brulde hij, 'victorie! Vandaag is D-day! Ze gaan 'm eruit halen, die kutscherf.'

Rex, minder versuft dan de dag ervoor, knikte vriendelijk.

'Ze gaan het niet winnen, hoor, die klotewijven. We halen 'm eruit en dan staat het weer 2-1.' Hij rammelde met de rekjes aan weerszijden van zijn bed. Hij had kennelijk geen moeite met zijn ledematen. 'Sorry,' zei hij. 'Ik ben een beetje opgewonden. Dat gaat straks wel over als ik onder narcose ben.' Hij stak een vinger op. 'Maar het is niet zonder gevaar, ze gaan door de oogkas naar binnen.'

Dat leek Rex een pijnlijke vergissing.

De ander lachte. '"Weet u zeker dat u instemt met de ingreep?" vroegen ze. "U moet zich realiseren dat het slagingspercentage rond de 40/60 ligt." Wat kan mij dat schelen? riep ik, snij 'm weg, dat abces, ruk het uit met wortel en tak, I take my chances, doodgaan ben ik namelijk niet van plan, dat gun ik die teven niet.'

De lift slokte vier patiënten en begeleiders in één keer op, even stonden hun bedden pal naast elkaar in de hal. 'Wel oppassen natuurlijk voor de counteraanval. Ze zijn link, jongen, de meisjes, als ze op verlies staan.'

Van onderaf keek Rex naar de zusters aan zijn bed. Ranke types, zwarte krullen onder witte kapjes. Ze zagen er niet gevaarlijk uit.

De ander zag hem kijken. 'De liefde, Bruno, is iets prachtigs. Ze blaast je uit je harnas voordat je er erg in hebt, maar als je dan weerloos en kwetsbaar achterover ligt, klaar om te ontvangen en geven en alles wat erbij hoort, blijkt opeens dat er ook andere mensen klaarliggen om te ontvangen, en als je daar dan iets van zegt, zet de liefde haar naaldhak op je keel en slaat ze een spijker door je oog.'

De liftdeuren gingen open, synchroon werden ze naar binnen gereden.

De man pakte zijn arm. 'Ik hield van Tatja, echt waar. Maar ze moest zo nodig met Puck naar Italië, en dat was het begin van het einde.'

In het spiegelende plafond van de lift zag Rex twee identieke bedden, met twee keer een omzwachtelde kop op een kussen, de wit gekapte verpleegstershoofdjes nagenoeg symmetrisch op de vier hoeken, alsof er tussen hen in een tweede, reflecterende wand stond. Het drong maar langzaam tot hem door.

'Hou ze in de gaten,' hoorde Rex de man nog luidkeels roepen toen hij boven uit het zicht verdween. 'Een wig, dwars door je harses. Dat is wat Tatja bij mij deed.'

Het Atatürk Hospital is vernoemd naar Mustafa Kemal: een gedecoreerde officier uit de Eerste Wereldoorlog die er als leider van de Turkse Nationale Beweging in slaagde een einde te maken aan het sultanaat dat Turkije al regeerde sinds de dertiende eeuw. Je bent niet voor niets een oorlogsheld, dus Mustafa was ook niet bang om de strijd aan te binden met de incompetente en incestueuze ambtenarencultuur van het voormalige Ottomaanse Rijk. Per decreet verhuisde hij het hele regeringsapparaat van de oeroude, vermoeide kalifaatstad Istanbul naar Ankara. Met harde hand loodste hij de natie de twintigste eeuw binnen. Hij maakte de godsdienst los van de staat, schreef een nieuwe grondwet, beval de overstap naar het Latijnse alfabet, en verbood hoofddoekjes in openbare ruimtes.

Niet iedereen was het hiermee eens natuurlijk, maar hij zette zijn zin door en het volk, dat de no-nonsenseaanpak blijkbaar wel kon waarderen, gaf hem de eretitel Atatürk, Vader van alle Turken.

Of Mustafa er prijs op had gesteld dat er in de grote ontvangsthal van het naar hem vernoemde ziekenhuis Armeniërs, Balkaren, Kirgiezen, Koerden en ander buurvolk met hun kwetsuren dwars door elkaar zouden zitten, schuifelen en rollen, eendrachtig in het verdragen van hun pijn en ongemak, is onzeker. Behalve een groot hervormer was Atatürk ook een overtuigd nationalist. Misschien had hij het beter gevonden wanneer dit staatsziekenhuis Traffic Hospital was blijven heten, de naam die de instelling tot 2004 op de gevel droeg. Het was in ieder geval een meer toepasselijke benaming, aangezien het complex vlak bij de E90 lag. Een groot deel van de patiënten waren derhalve verkeersslachtoffers.

Bij de ingang blijven de twee vrouwen besluiteloos staan. De warmte van de ruim honderd zieken, bezoekers en begeleiders in de ongekoelde hal is tastbaar, liever zouden ze buiten blijven, maar dat kan niet. Met hun Samsonites laveren ze langs een familie die de lunch heeft uitgestald op de vloer, voorbij een gespalkt been, tussen kriskras geparkeerde rolstoelen door – naar de receptie, waar ze zich melden en moeten wachten.

Ze kijken door de vuile ruiten naar buiten, naar de drukte bij het parkeerterrein: mensen met koffers en tassen, iemand probeert met krukken uit een taxibusje te stappen, een meisje met een arm in een mitella wordt ondersteund door haar vriendje of broer, een touringcar stopt, er rolt een klas kinderen uit. Kennelijk een schoolreisje. Twee beveiligers lopen langzaam langs de geparkeerde voertuigen. De donkerharige vrouw wendt haar hoofd af, haar blik blijft even haken aan een jongen die met een baseballpet en rugzak tegen een pilaar hangt, maar laat los als ze zijn gezicht ziet.

Een halfuur later zien we ze terug, de een rusteloos ijsberend langs de glazen wand, haar gsm in de gelakte vuist, de ander verfrommeld op een stoel, alsof ze aangereden is door een bulldozer. In het midden van de hal stoppen twee kinderen met hun vingers rijst in hun mond, het pannetje staat tussen hen in. Verderop verbindt een oude vrouw de buikwond van haar man, in de hoek van de ruimte leunt een uitgeputte patiënt met zijn hoofd tegen een prullenbak. Uit zijn mondhoek loopt een slijmdraad via zijn kin naar de kraag van zijn overhemd.

Ten slotte worden de twee vrouwen opgehaald door een arts-assistent die zich excuseert, er kwam iets tussen, sorry, een spoedgeval, het was niet zijn bedoeling ze te laten wachten. Hij neemt hen mee naar een spreekkamer op de eerste verdieping, waar het hoofd Interne Geneeskunde snel de telefoon neerlegt als ze binnenkomen. Welkom, zegt hij in perfect Engels, we zijn blij dat we u eindelijk gevonden hebben.

Ze knikken.

Misschien moet u zich even voorbereiden voordat u naar boven gaat, zegt hij.

Op dit moment verschuift Tatja haar been, het lijkt op wankelen, maar het is het niet, want Puck staat al naast haar. Toch helpt de assistent haar in een stoel. Voor de zekerheid.

De arts gaat ook zitten en vertelt dat ze Rex na het ongeluk een tijdje in kunstmatige coma hebben gehouden, om de kans op verder trauma te minimaliseren. Sinds eergisteren is hij weer af en toe bij bewustzijn.

Tatja knikt. Dat is positief. Een goed teken. Het is even stil. Dan vraagt ze: Toch?

De geneesheer knikt voorzichtig. Ja en nee. Het is maar van welke kant je het bekijkt. Hij had verwacht dat de respons van de patiënt wat groter zou zijn.

Respons. Puck laat zich ook op een stoel zakken. Het is een woord met een lading. Een morfologische duiding, noem je dat. Ze weet er het een en ander van af, in een ver verleden heeft ze Nederlands gestudeerd. Respons. De hoop waarmee de eerste lettergreep eindigt, wordt gevolgd door de donkere plof van de tweede syllabe, eindigend in een neusvocaal. Niet ver verwijderd van een kreun.

Ja, zegt de internist, eigenlijk zou je kunnen zeggen dat uw zoon voor negentig procent verlamd is. Er is een grote kans dat zijn hersenletsel permanent is.

Verlamd. Opnieuw een tweelettergrepig lexeem, als een klauwhamer ligt het woord op het bureau.

De arts ziet wat zijn zinnen aanrichten. Hij zwijgt even. Hij heeft gestudeerd in het buitenland. Hij is getraind in slechtnieuwsgesprekken, maar hij kan er niets anders van maken. De jongen heeft nog niets gezegd, het is vrij zeker dat ook de spraakcentra beschadigd zijn. Op de eeg's is de activiteit miniem.

Sorry, zegt hij nog een keer, dat het zo lang duurde voor u werd ingelicht. Uw zoon reisde op het paspoort van een vriend.

De vrouwen knikken afwezig, ze verzamelen moed om naar boven te gaan.

De arts begrijpt het. Hij geeft ze de tijd. Het is uitermate triest dat onze gemotoriseerde verplaatsing zoveel offers vraagt. Maar wat kan hij eraan doen? Hij gaat straks ook met de auto naar huis. Over dezelfde weg als waar deze jonge mensen zijn verongelukt.

Het lichaam van het meisje is gisteren opgehaald door haar vader, zegt hij ten slotte.

Ja, knikken ze. Dat weten ze.

Ze gaan naar de tweede verdieping. In etappes. Puck gaat eerst kijken, Tatja staat naast een verkleurde potpalm in de gang, het liefst zou ze zich aan de assistent vastgrijpen, maar ze houdt zich goed, en als haar vriendin haar ophaalt, loopt ze zonder struikelen de zespersoonskamer in waar Rex roerloos in een hagelwit bed ligt. Nu wankelt ze wel, ze valt op haar knieën naast het bed en pakt voorzichtig het verbonden hoofd vast. Er is geen reactie. De ogen blijven gesloten.

Laat hem maar slapen, zegt Puck.

Vertwijfeld laat Tatja haar zoon los, zakt op een heup, zoekt steun op de vloer, en ziet de zak met ontlasting die de verpleging uit het zicht aan het bedframe heeft gehangen. Het is deze buidel met geelbruine smurrie die haar doet beseffen wat de impact is van het woord ‘verlamd’, meer dan het verhaal van de internist, meer dan het verband om Rex’ schedel. Ze drukt haar gezicht tegen de zak en schreeuwt.

Puck en de assistent trekken haar zachtjes overeind en zetten haar op een krukje. De vijf andere patiënten kijken

toe vanuit hun horizontale posities, ze zijn wel wat gew
als het gaat om emoties van bezoekende familieleden. D
gebrek aan privacy in de Turkse staatsziekenhuizen wo
verdriet vaak onbekommerd gedeeld, maar na die eerste o
beheerste uitroep trekt een verpleger de plastic gordijne
dicht rond het bed van de jongen en horen ze alleen nog
gemompel, en af en toe een snikje.

Ze zou het liefst de hele dag in die witte cocon blijven zitten, bij haar slapende zoon, maar er moeten dingen worden geregeld. In de kleine spreekkamer zit Puck tegenover twee politiemannen. Tatja staat in de deuropening, ze is er wel en ook niet, ze hoort alles maar half, ze laat het over aan haar vriendin, die is daar veel beter in dan zij. Niets ziend staart ze naar de gang, naar de verpleegsters op hun klompjes, een arts met een rij gekleurde pennen in de borstzak van zijn witte jas, een oude vrouw met een looprek. Traag loopt de bejaarde dame op en neer, naar de hal met de liften, terug naar de spreekkamer, opnieuw naar de hal, als een speelgoedpop waar de veer het langzaam van begeeft. Elke keer moet ze een stap opzij doen voor een bed. Het is leeg, de lakens zijn omgewoeld, het is haastig geparkeerd. Op de blauwe map met medische gegevens aan het voeteneinde staat een naam die Tatjana van deze afstand niet kan lezen. Het zijn meer dan tien letters. Een H, twee keer een m, de laatste letter is een d. Ik word oud, denkt ze. Ik heb een bril nodig. Het is een volstrekt irreële gedachte, ze neemt het zichzelf kwalijk. Haar zoon is een plant geworden, en zij denkt aan een bril.

Anderhalve dag later begeeft de kransslagader van Jurgen Hammarskald het. Ongemerkt, terwijl hij sliep, op de bovenste etage van het General Hospital van Teheran. De afeling is voor de Zweedse overheid nog een hele klus. aat een rekening open van 245.000 dollar aan medische en, zijn paspoort is onvindbaar. In een witgelakte kist dt hij gerepatrieerd om begraven te worden bij zijn geortedorp, onder de zilte lucht van de Wadden. Het is tot u toe de enige persoon ter wereld met twee graven: een op Borkum in Duitsland, een op de Karsiyaka-begraafplaats in Ankara.

In het smeulende wrak van de Scirocco worden de resten gevonden van vier jerrycans, een luchtbed en een slaapzak die is verschrompeld tot een bal polyester. Wonder boven wonder vindt de technische recherche ook een half verbrande ringband:

Burn Before Reading, december 1994

What a piece of work is man
How noble in reason
How infinite in faculties
In form and moving
How express and admirable
In action how like an angel
In apprehension how like a god.

Jean-Luc Picard in Star Trek: The Next Generation
© *Deus de Ru*

DANKWOORD

Dank ben ik verschuldigd aan:

Dolf Hartveldt, die getracht heeft mij de beginselen van de taalwetenschap bij te brengen, Wim Launspach, broer, bioloog en natuurliefhebber, die mij wandelende colleges heeft gegeven over apengedrag en het *selfish gene* van de menselijke soort, Hugo Corver, consul op de Nederlandse Ambassade in Ankara, die heeft bewerkstelligd dat de Turkse autoriteiten aan de Iraanse grens mijn auto niet in beslag namen. Elisa Scholte, die mijn reis door Iran heeft begeleid, al was dat achter de schermen, Houman Najafi, die mij fantastisch heeft opgevangen in Teheran, Otto Beekman, die ervoor heeft gezorgd dat ik relatief veilig door Afghanistan kon reizen, Henk Visser, die mij tijdens het verblijf in Tarin Kowt op onnavolgbare wijze wist te filmen, Thomas Erdbrink, die me heeft uitgelegd hoe je aan wodka kan komen in een streng islamitisch land, Tom Kleijn, die grootmoedig zijn vertaling van *Overgewicht, onbelangrijk: vormeloos* ter beschikking stelde, Leopold Witte en Geert Lageveen, voor hun bijzondere voorstelling over Kamp Holland, Hans Nijenhuis, voor zijn geloof in de wankele literaire missie die ik voor ogen had, Gulseren Kose en Anna van Zoest, beiden werkzaam op het ministerie van Buitenlandse Zaken, Antoinette de Jong, voor de kennis die zij met me gedeeld heeft over Afghaanse fixers, Abdulhadi Hairan en Ahmad Jawed Omarkhel, voor hun vertalingen naar het Dari en Pasjtoe, en Margreet Dorleijn voor haar vertalingen naar het Turks. En de constructeurs van General Motors voor de assemblage van de Pontiac Trans Sport 3.8, de auto die mij in de winter van 2009 en 2010 moeiteloos 12.862 kilometer heen en terug bracht.